「十三五」国家重点出版物出版规划项目

国家出版基金项目
NATIONAL PUBLICATION FOUNDATION

中国中药资源大典

资源大典

湖南卷

9

黄璐琦 / 总主编

张水寒 刘 浩 / 湖南卷主编

谢 景 刘光华 郭 纯 / 主 编

北京科学技术出版社

图书在版编目（CIP）数据

中国中药资源大典. 湖南卷. 9 / 谢景，刘光华，郭纯主编. -- 北京：北京科学技术出版社，2024. 6.
ISBN 978-7-5714-3956-9

Ⅰ. R281.4

中国国家版本馆CIP数据核字第2024ET7215号

责任编辑：侍　伟　李兆弟　尤竞爽　王治华　吕　慧　庞璐璐　刘　雪

责任校对：贾　荣

图文制作：樊润琴

责任印制：李　茗

出 版 人：曾庆宇

出版发行：北京科学技术出版社

社　　址：北京西直门南大街16号

邮政编码：100035

电　　话：0086-10-66135495（总编室）　　0086-10-66113227（发行部）

网　　址：www.bkydw.cn

印　　刷：北京博海升彩色印刷有限公司

开　　本：889 mm × 1 194 mm　　1/16

字　　数：915千字

印　　张：41.25

版　　次：2024年6月第1版

印　　次：2024年6月第1次印刷

审 图 号：GS京（2023）1758号

ISBN 978-7-5714-3956-9

定　　价：490.00元

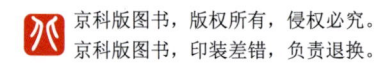

《中国中药资源大典·湖南卷》

编写委员会

总 主 编	黄璐琦
顾 问	邵湘宁 郭子华 肖文明 蔡光先 谭达全 秦裕辉 葛金文
主 编	张水寒 刘 浩
技术牵头单位	湖南省中医药研究院
普查队依托单位	（按拼音排序）

安化县中医医院	安仁县中医医院
安乡县中医医院	保靖县中医院
茶陵县中医医院	长沙市中医医院
长沙县中医医院	常德市第二中医医院
常德市第一中医医院	常宁市中医医院
郴州市中医医院	辰溪县中医医院
城步苗族自治县中医医院	慈利县中医医院
道县中医医院	东安县中医医院
洞口县中医医院	凤凰县民族中医院
古丈县中医医院	桂东县中医医院
桂阳县中医医院	汉寿县中医医院
赫山区中医医院	衡东县中医医院
衡南县中医医院	衡山县中医医院
衡阳市中医医院	衡阳市中医正骨医院
衡阳县中医医院	洪江市第一中医医院
湖南省直中医医院	湖南医药学院
湖湘中医肿瘤医院	华容县中医医院
花垣县民族中医院	会同县中医医院

嘉禾县中医医院	江华瑶族自治县民族中医医院
江永县中医院	津市市中医医院
靖州苗族侗族自治县中医医院	蓝山县中医医院
耒阳市中医医院	冷水江市中医医院
澧县中医医院	醴陵市中医院
涟源市中医医院	临澧县中医医院
临武县中医医院	临湘市中医医院
零陵区中医医院	浏阳市中医医院
龙山县中医院	隆回县中医医院
娄底市中医医院	泸溪县民族中医院
渌口区淦田镇中心卫生院	麻阳苗族自治县中医医院
汨罗市中医医院	南县中医医院
宁乡市中医医院	宁远县中医医院
平江县中医医院	祁东县中医医院
祁阳市中医医院	汝城县中医医院
桑植县民族中医院	邵东市中医医院
邵阳市中西医结合医院	邵阳市中医医院
邵阳县中医医院	韶山市人民医院
石门县中医医院	双峰县中医医院
双牌县中医医院	绥宁县中医医院
桃江县中医医院	桃源县中医医院
通道侗族自治县民族中医医院	望城区人民医院
武冈市中医医院	湘潭市中医医院
湘潭县中医医院	湘乡市中医医院
湘阴县中医医院	新化县中医医院
新晃侗族自治县中医医院	新宁县中医医院
新邵县中医医院	新田县中医医院

溆浦县中医医院	炎陵县中医医院
宜章县中医医院	益阳市中医医院
永顺县中医院	永兴县中医医院
永州市中医医院	攸县中医院
沅江市中医医院	沅陵县中医医院
岳阳市中医医院	岳阳县中医医院
云溪区中医医院	张家界市中医医院
芷江侗族自治县中医医院	资兴市中医医院

主编简介

>> **张水寒**

　　二级研究员，博士研究生导师。享受国务院政府特殊津贴专家、享受湖南省政府特殊津贴专家、湖南省卫生健康高层次人才医学学科领军人才，入选国家"百千万人才工程"，并被授予"有突出贡献中青年专家"荣誉称号。主要从事中药资源、中药制剂及中药质量标准方面的研究。

　　近 10 年来，主持和参与"重大新药创制"、国家自然科学基金、"十二五"国家科技支撑计划等 20 余项课题。获得新药证书 12 项、药物临床批件 22 项、国家发明专利 13 项。发表学术论文 200 余篇，其中以第一作者和通讯作者发表 SCI 论文 30 余篇，编写专著 7 部。获得国家科学技术进步奖二等奖 1 项、省部级奖励 5 项。

　　2011 年以来，担任湖南省第四次全国中药资源普查技术总负责人、湖南省中药资源动态监测省级中心主任，主持建立"技术分层、突出量化、严把质控"的中药资源普查组织管理与技术保障模式；开展重点品种研究示范，大力推动普查成果转化、应用。

主编简介

>> 刘　浩

副研究员。湖南省中医药研究院中药资源研究所中药资源与鉴定研究室主任。主要从事中药资源、中药鉴定与本草学研究。

历任湖南省中药资源普查工作领导小组办公室成员、专家委员会委员、专家委员会办公室副主任，负责湖南省第四次全国中药资源普查组织管理与技术保障工作的具体实施，采集、鉴定普查标本近 10 万号，参与建成湖南省中药资源数据库、药用植物标本馆，熟悉湖南省中药资源基本情况及道地药材传承与发展的情况，编制省级、县级中药材产业发展规划 10 余份。2014 年起任湖南省中药资源动态监测省级中心秘书，参与建成"一个中心，三个监测站，百个监测点"的湖南省中药资源动态监测与技术服务体系。

《中国中药资源大典·湖南卷 9》

编写委员会

主　　编　谢　景　刘光华　郭　纯

副 主 编　彭国平　伍贤进　杨　博　沈冰冰　吴　笛　周建军

编　　委　（按姓氏笔画排序）

王　旭（湖南中医药大学第一附属医院）

王　雯（湖南中医药大学第一附属医院）

吕　笑（湖南中医药大学第一附属医院）

伍贤进（怀化学院）

刘光华（怀化学院）

刘博宇（湖南农业大学）

李佳希（怀化学院）

李胜华（怀化学院）

李爱民（怀化学院）

杨　博（湖南农业大学）

肖龙骞（怀化学院）

吴　笛（湖南中医药大学第一附属医院）

邹湘月（湖南省蚕桑科学研究所）

沈冰冰（湖南省中医药研究院）

陈　林（湖南省中医药研究院）

陈红霞（湖南省中医药研究院）

周建军（湖南省农林工业勘察设计研究院有限公司）

贺安娜（怀化学院）

秦　优（湖南省中医药研究院）

郭　纯（湖南中医药大学第一附属医院）

黄晴悦（湖南省中医药研究院）

梁　娟（怀化学院）

彭国平（湖南农业大学）

彭晓英（湖南农业大学）

谢　景（湖南省中医药研究院）

管桂萍（湖南农业大学）

谭亚晴（湖南省中医药研究院）

序 言

  中药资源是中医药事业和产业发展的重要物质基础。随着中医药事业和产业蓬勃发展，社会各界对中药资源的需求量逐渐增加。为摸清中药资源家底，科学制定中药资源保护和产业发展政策措施，国家中医药管理局组织实施了第四次全国中药资源普查，对促进中药资源可持续利用、助力健康中国行动的实施和区域社会经济发展做出了重要贡献。

  湖南地处云贵高原向江南丘陵、南岭山脉向江汉平原过渡的地带，属大陆性亚热带季风湿润气候区，独特的地理环境孕育了丰富的中药资源。锦绣潇湘，物华天宝，人杰地灵。湖南省作为首批6个中药资源普查试点省区之一，由湖南省中医药研究院作为技术牵头单位，组织全省技术人员队伍，出色地完成了湖南第四次中药资源普查工作任务。

  张水寒和刘浩两位"伙计"基于湖南中药资源普查获得的第一手调查资料，系统整理分析、总结普查成果，牵头主编了《中国中药资源大典·湖南卷》。该书既有湖南自然社会概况、中药资源种类等总体情况介绍，又有湖南特色中药资源的历史源流与生产现状阐述，还对4196种中药资源的基本情况进行详细介绍。该书可作为认识和了解湖南中药资源的工具书，具有重要的学术价值和应用价值。希望该书的出版，能助力湖南中药产业高质量发展，为中药资源的可持续发展、优化中药产业布局、促进学术交流和科学研究起到积极推动作用。

付梓之际，欣然为序。

中国工程院院士

中国中医科学院院长

第四次全国中药资源普查技术指导专家组组长

2024 年 4 月

前言

　　湖南地处云贵高原向江南丘陵过渡、南岭山脉向江汉平原过渡的中亚热带，位于东经108°47′～114°15′、北纬24°38′～30°08′。东以幕阜、武功诸山系与江西交界，西以云贵高原东缘连贵州，西北以武陵山脉毗邻重庆，南枕南岭与广东、广西相邻，北以滨湖平原与湖北接壤，形成了东、南、西三面环山，中部丘岗起伏，北部湖盆平原展开的马蹄形地形。湖南有半高山、低山、丘陵、岗地和平原等多种地貌类型，其中山地面积占全省总面积的51.22％。湖南位于长江以南的东亚季风区，加之离海洋较远，形成了气候温暖、四季分明、热量充足、雨水集中、春温多变、夏秋多旱、严寒期短、暑热期长、雨热同期的亚热带季风湿润气候。湖南为华东、华中、华南、滇黔桂4个植物区系的过渡地带，其境内植物具有较明显的东西、南北过渡性。地带性植被为常绿阔叶林，地带性土壤为红壤。湖南亚热带季风的大气候与复杂地势地貌的小环境，共同孕育了丰富的中药资源。

　　湖南历史文化悠久，是华夏文明的重要发祥地之一。道县玉蟾岩遗址出土了世界上现存最早的人工栽培稻标本，距今1.2万年。澧县城头山古文化遗址被称为"中国最早的城市"，距今约6 000年。宋代罗泌《路史》载炎帝"崩，葬长沙茶乡之尾……唐世尝奉祀焉"。《古今图书集成·衡州府古迹考》载："炎帝神农氏陵，在酃之康乐乡。""康乐乡"即今株洲市炎陵县鹿原镇。长沙马王堆汉墓出土的16部医书涉及方剂学、脉学、经络学等多门学科，代表了我国先秦时期的医药成就，其中《五十二病方》是我国现存最早的方书。

湖南中药资源的研究与应用历史悠久。马王堆汉墓出土的药材有桂皮、花椒、干姜、藁本、佩兰、辛夷、牡蛎、朱砂等，出土医书中的中药名共406个。《新唐书·地理志》载："岳州巴陵郡贡鳖甲，潭州长沙郡贡木瓜，永州零陵郡贡零陵香、石蜜、石燕，道州江华郡贡零陵香、犀角，辰州泸溪郡贡光明砂、犀角、水银、黄连、黄牙……锦州卢阳郡贡光明丹砂、犀角、水银。"唐代柳宗元《捕蛇者说》云："永州之野产异蛇，黑质而白章。"此即常用中药蕲蛇。宋代苏颂等编撰的《本草图经》，实际上是继《新修本草》后本草史上第二次全国药物普查的成果，集中反映了宋代实际的药物出产与使用情况，该书收载了当时湖南境内8州的28幅药图，包括辰州丹砂、道州石钟乳、道州滑石、道州石南、永州石燕、衡州菖蒲、衡州玄参、衡州栝楼、衡州地榆、衡州百部、衡州马鞭草、衡州五加皮、衡州乌药、澧州莎草、邵州苦参、邵州天麻、邵州乌头、鼎州茅根、鼎州连翘、鼎州地芙蓉、鼎州水麻、岳州假苏、岳州薄荷等。清代吴其濬所著《植物名实图考》收载的湖南药用植物达267种。明清之际，湖南各府县广泛修著地方志，并在"物产"中记载本地所产药材，如清道光《宝庆府志》（1849）与光绪《邵阳县志》（1876）均记载："百合，邵阳出者特大而肥美。"清末《邵阳县乡土志》（1907）载："玉竹参一名葳蕤，又名女萎，近谷皮洞多产此。"并载邵阳常见中药材尚有黄精、香附子、金樱子、栀子、金银花、桑白皮、厚朴、丹皮、天花粉、天南星、何首乌、前胡、桔梗、牛膝、五倍子、络石藤、吴茱萸、木通、车前草、香薷、木鳖子等。

中华人民共和国成立以来，党和政府高度重视中医药的传承与发展。湖南先后开展了4次全省范围的中药资源调查工作，掌握了全省中药资源的种类、分布、产量与民间药用情况的本底资料。20世纪50年代末，湖南开展了"群众性的中医采风运动"，全省献方达数十万个，湖南中医药研究所（1957年创办，1962年更名为湖南省中医药研究所，1984年更名为湖南省中医药研究院）组织专家对献方进行了研究，为各地挖掘使用中药资源奠定了坚实的基础。20世纪60—70年代，湖南开始兴起中草药群众运动。为了更好地开展中草药群众运动，湖南省中医药研究所对基层医疗工作者、赤脚医生、老药农、老草医与地方卫生局、药品检验所、医药公司提供的大量标本和资料进行了整理与鉴定，系统地梳理了这一时期湖南中药资源的种类和应用情况。1962年，湖南省中医药研究所出版了《湖南药物志（第一辑）》，该书收载药用植物 417 种。1972 年，《湖南药物志（第二辑）》出版，收载药用植物 406 种。1979 年，《湖南药物志（第三辑）》出版，收载药用植物 341 种。20 世纪 80 年代，湖南第三次中药资源普查正式开始，此次普查共采集植物、动物、矿物标本 298 785 份，拍摄照片 13 457 张，调查到全省中药资源种类 2 384 种，其中植物药 2 077 种，动物药 256 种，矿物药 51 种；全国重点调查的 363 种药材中，湖南产 241 种；测算全省植物药蕴藏量 107.8 万 t，动物药蕴藏量 1 306 t，矿物药蕴藏量 1 147 万 t；共收集单验方 25 355 个，经各地（州、市）筛选汇编的有 8 000 多个，经名老中医严格审查选用的有 2 400 余个，这 2 400 余个单验方编成了《湖南省中草药民间单验方选编》。

2011 年，第四次全国中药资源普查试点工作启动。湖南作为首批 6 个试点省区之一率先启动普查工作，历时 11 年，先后分 6 批，进行了全省 122 个县级行政区域的中药资源普查工作。湖南本次普查共调查代表区域 550 个，代表区域总面积 149 101.03 km²；调查样地 4 598 个，样方套 22 904 个；采集腊叶标本 116 443 号、药材样品 10 204 份、种质资源 5 913 份；调查传统知识 1 252 份；拍摄照片 1 519 340 张；计算蕴藏量的种类 584 种；调查栽培品种 160 种、市场流通中药材 479 种；调查数据约 210 万条。本次普查全面掌握了湖南中药资源种类与分布、重点品种的资源量、中药材市场流通等信息，为湖南中医药事业、产业发展提供了科学依据。

湖南第四次中药资源普查为适应时代发展需求，创新应用了大量现代技术，提高了工作效率，保障了数据的完整性、一致性、准确性和实用性。通过引入空间信息技术与分层抽样方法设置的调查区域与样地更具代表性，从而使资源蕴藏量的估算更加科学。野外调查中应用 GPS、数码相机、信息采集软件等获取经度、纬度、海拔等信息化数据，搭建了信息化工作平台。湖南在约 210 万条数据的基础上建成了湖南省中药资源数据库，实现了全省中药资源数据的长久保存、可视查询、成果转化和共享服务。本书中的基原图片、资源分布等内容充分利用了数据库的查询、统计功能，湖南省最新中药资源区划也利用了普查数据，全省被划分为湘西北武陵山中药资源区、湘西南雪峰山中药资源区、湘南南岭北部中药资源区、湘中湘东丘陵中药资源区、洞庭湖及环湖丘岗中药资源区 5 个中药资源分区。

编著一套图文并茂、系统全面反映湖南中药资源家底的著作是普查工作的重要组成部分。2021 年，湖南第四次中药资源普查进入收尾阶段，我们组织专家对《中国中药资源大典·湖南卷》的编写体例、资源名录、图片整理及分工安排进行了多轮讨论，最后形成了编写工作方案。野外工作得到的一手数据，是我们编著本书的关键素材，书中的图片来源于野外拍摄，分布信息来源于凭证标本的采集地点，资源蕴藏量信息来源于实际调查，因此，本书充分体现了湖南第四次中药资源普查的全方位成果。

第四次全国中药资源普查技术指导专家组组长黄璐琦院士多次带领普查专家组莅临湖南指导普查工作。湖南省委、省政府高度重视中药资源普查工作；湖南省中医药管理局作为普查组织实施单位，构建了符合湖南实际情况的普查组织模式；湖南省中医药研究院作为技术牵头单位，组织成立了专家委员会，指导全省普查工作。在各方的共同努力下，湖南顺利完成了第四次中药资源普查工作。我们向支持普查工作的社会各界表示由衷的感谢，向奋战在普查一线的"伙计们"致以诚挚的敬意！

普查的大量数据是我们编著本书的优势，同时也为整理图片、撰写文稿带来了巨大的挑战，加之编者学术水平有限，书中难免存在资料取舍失当及错漏之处，敬请有关专家、学者批评指正。

编　者

2024 年 4 月

凡 例

（1）本书共 14 册，分为上、中、下篇。上篇综述了湖南自然社会概况、中药资源调查历史、第四次中药资源普查情况、中药资源分布；中篇论述了 34 种湖南道地、大宗中药资源；下篇共收录中药资源 4 196 种，其中药用菌类资源 36 种、药用植物资源 3 799 种、药用动物资源 315 种、药用矿物资源 46 种。另外，附录中收录药用资源 305 种。

（2）分类系统。菌类参考 Index Fungorum 最新的分类学研究成果。蕨类植物采用秦仁昌分类系统（1978）。裸子植物采用郑万钧分类系统（1978）。被子植物采用恩格勒系统（1964）。

（3）本书下篇主要介绍各中药资源，以中药资源名为条目名，下设药材名、形态特征、生境分布、资源情况、采收加工、药材性状、功能主治、用法用量及附注等，其中采收加工、药材性状、用法用量为非必要项，资料不详者项目从略。各项目编写原则简述如下。

1）条目名。该项记述中药资源物种及其科属的中文名、拉丁学名。其中蕨类植物、裸子植物、被子植物的名称主要参考《中国植物志》，藻类、动物、矿物的名称主要参考《中华本草》。

2）药材名。该项记述中药资源的药材名、药用部位与药材别名。凡《中华人民共和国药典》等法定标准收载者，原则上采用法定药材名；法定标准未收载者，主要参考《中华本草》《全国中草药名鉴》《中国中药资源志要》。药材别名记载湖南各地乡村中医、草医及民间习惯用名。

3）形态特征。该项简要描述中药资源的形态特征，突出鉴别特征。主要参考《中国植物志》，并结合普查实际所获取的信息进行描述。

4）生境分布。该项记述中药资源在湖南的生存环境与分布区域。生存环境主要源于凭证标本的生境，并参考相关志书的描述。分布区域源于凭证标本的采集地，以"地市级行政区划（县级行政区划）"的形式进行描述。在湖南五大中药资源分区中皆有分布且凭证标本超过20号者，记述为"湖南各地均有分布"。

5）资源情况。该项记述中药资源的蕴藏量情况，用丰富、较丰富、一般、较少、稀少来表示；并用"野生"或"栽培"记述药材的主要来源。

6）采收加工。该项记述药材的采收时间与加工方法。

7）药材性状。该项主要记述药材的性状特征、品质评价等内容。

8）功能主治。该项记述药材的性味、毒性、归经、功能和主治。

9）附注。该项记述中药资源最新的分类学地位与接受名的变动情况；记述《中华人民共和国药典》与地方标准收载的物种学名；描述物种的濒危等级、其他医药相关用途，以及本草、地方志书中的资源方面的记载情况等。

（4）附录。以名录形式收载中篇、下篇没有收载的湖南分布的中药资源。

目 录
Contents

被子植物 ⸺ [9] 1

　五加科 ⸺ [9] 2

　　吴茱萸五加 ⸺ [9] 2

　　细柱五加 ⸺ [9] 4

　　糙毛五加 ⸺ [9] 6

　　糙叶五加 ⸺ [9] 8

　　藤五加 ⸺ [9] 10

　　白簕 ⸺ [9] 12

　　虎刺楤木 ⸺ [9] 14

　　楤木 ⸺ [9] 16

　　食用土当归 ⸺ [9] 18

　　头序楤木 ⸺ [9] 20

　　黄毛楤木 ⸺ [9] 22

　　棘茎楤木 ⸺ [9] 24

　　柔毛龙眼独活 ⸺ [9] 26

　　湖北楤木 ⸺ [9] 28

　　长刺楤木 ⸺ [9] 30

　　波缘楤木 ⸺ [9] 32

　　树参 ⸺ [9] 34

　　变叶树参 ⸺ [9] 36

　　八角金盘 ⸺ [9] 38

　　常春藤 ⸺ [9] 40

　　刺楸 ⸺ [9] 42

　　短梗大参 ⸺ [9] 44

　　异叶梁王茶 ⸺ [9] 46

　　掌叶梁王茶 ⸺ [9] 48

　　竹节参 ⸺ [9] 50

　　珠子参 ⸺ [9] 52

　　短序鹅掌柴 ⸺ [9] 54

　　穗序鹅掌柴 ⸺ [9] 56

　　星毛鸭脚木 ⸺ [9] 58

　　通脱木 ⸺ [9] 60

　伞形科 ⸺ [9] 62

　　巴东羊角芹 ⸺ [9] 62

　　重齿当归 ⸺ [9] 64

　　白芷 ⸺ [9] 66

　　杭白芷 ⸺ [9] 68

　　紫花前胡 ⸺ [9] 70

　　峨参 ⸺ [9] 72

　　旱芹 ⸺ [9] 74

　　细叶旱芹 ⸺ [9] 76

　　北柴胡 ⸺ [9] 78

　　大叶柴胡 ⸺ [9] 80

　　竹叶柴胡 ⸺ [9] 82

　　积雪草 ⸺ [9] 84

　　蛇床 ⸺ [9] 86

　　芫荽 ⸺ [9] 88

　　鸭儿芹 ⸺ [9] 90

　　野胡萝卜 ⸺ [9] 92

　　胡萝卜 ⸺ [9] 94

　　马蹄芹 ⸺ [9] 96

　　刺芹 ⸺ [9] 98

小茴香 ----- [9] 100

短毛独活 ----- [9] 102

少管短毛独活 ----- [9] 104

椴叶独活 ----- [9] 106

中华天胡荽 ----- [9] 108

红马蹄草 ----- [9] 110

天胡荽 ----- [9] 112

破铜钱 ----- [9] 114

肾叶天胡荽 ----- [9] 116

川芎 ----- [9] 118

藁本 ----- [9] 120

白苞芹 ----- [9] 122

川白苞芹 ----- [9] 124

短辐水芹 ----- [9] 126

细叶水芹 ----- [9] 128

水芹 ----- [9] 130

线叶水芹 ----- [9] 132

卵叶水芹 ----- [9] 134

香根芹 ----- [9] 136

隔山香 ----- [9] 138

竹节前胡 ----- [9] 140

鄂西前胡 ----- [9] 142

华中前胡 ----- [9] 144

白花前胡 ----- [9] 146

锐叶茴芹 ----- [9] 148

异叶茴芹 ----- [9] 150

城口茴芹 ----- [9] 152

菱叶茴芹 ----- [9] 154

囊瓣芹 ----- [9] 156

裸茎囊瓣芹 ----- [9] 158

光滑囊瓣芹 ----- [9] 160

川鄂囊瓣芹 ----- [9] 162

膜蕨囊瓣芹 ----- [9] 164

五匹青 ----- [9] 166

变豆菜 ----- [9] 168

薄片变豆菜 ----- [9] 170

直刺变豆菜 ----- [9] 172

小窃衣 ----- [9] 174

窃衣 ----- [9] 176

桤叶树科 ----- [9] 178

单毛桤叶树 ----- [9] 178

城口桤叶树 ----- [9] 180

贵州桤叶树 ----- [9] 182

单穗桤叶树 ----- [9] 184

鹿蹄草科 ----- [9] 186

球果假水晶兰 ----- [9] 186

水晶兰 ----- [9] 188

鹿蹄草 ----- [9] 190

普通鹿蹄草 ----- [9] 192

长叶鹿蹄草 ----- [9] 194

杜鹃花科 ----- [9] 196

灯笼树 ----- [9] 196

齿缘吊钟花 ----- [9] 198

滇白珠 ----- [9] 200

珍珠花 ----- [9] 202

小果珍珠花 ----- [9] 204

狭叶珍珠花 ----- [9] 206

美丽马醉木 ----- [9] 208

马醉木 ----- [9] 210

锦绣杜鹃 ----- [9] 212

耳叶杜鹃 ----- [9] 214

腺萼马银花 ----- [9] 216

短脉杜鹃 ----- [9] 218

多花杜鹃 ----- [9] 220

刺毛杜鹃 ----- [9] 222

喇叭杜鹃 ----- [9] 224

云锦杜鹃 ----- [9] 226

粉白杜鹃 ----- [9] 228

鹿角杜鹃 ----- [9] 230

岭南杜鹃 ----- [9] 232

满山红 ----- [9] 234

照山白 ----- [9] 236

羊踯躅 ———————— [9] 238

毛棉杜鹃 ———————— [9] 240

马银花 ———————— [9] 242

乳源杜鹃 ———————— [9] 244

溪畔杜鹃 ———————— [9] 246

毛果杜鹃 ———————— [9] 248

猴头杜鹃 ———————— [9] 250

杜鹃 ———————— [9] 252

长蕊杜鹃 ———————— [9] 254

四川杜鹃 ———————— [9] 256

南烛 ———————— [9] 258

短尾越桔 ———————— [9] 260

黄背越桔 ———————— [9] 262

扁枝越桔 ———————— [9] 264

江南越桔 ———————— [9] 266

紫金牛科 ———————— [9] 268

细罗伞 ———————— [9] 268

少年红 ———————— [9] 270

九管血 ———————— [9] 272

小紫金牛 ———————— [9] 274

朱砂根 ———————— [9] 276

红凉伞 ———————— [9] 278

百两金 ———————— [9] 280

剑叶紫金牛 ———————— [9] 282

月月红 ———————— [9] 284

大罗伞树 ———————— [9] 286

紫金牛 ———————— [9] 288

虎舌红 ———————— [9] 290

莲座紫金牛 ———————— [9] 292

山血丹 ———————— [9] 294

九节龙 ———————— [9] 296

罗伞树 ———————— [9] 298

酸藤子 ———————— [9] 300

长叶酸藤子 ———————— [9] 302

多脉酸藤子 ———————— [9] 304

当归藤 ———————— [9] 306

网脉酸藤子 ———————— [9] 308

瘤皮孔酸藤子 ———————— [9] 310

密齿酸藤子 ———————— [9] 312

湖北杜茎山 ———————— [9] 314

毛穗杜茎山 ———————— [9] 316

杜茎山 ———————— [9] 318

鲫鱼胆 ———————— [9] 320

铁仔 ———————— [9] 322

针齿铁仔 ———————— [9] 324

光叶铁仔 ———————— [9] 326

密花树 ———————— [9] 328

报春花科 ———————— [9] 330

琉璃繁缕 ———————— [9] 330

蓝花琉璃繁缕 ———————— [9] 332

莲叶点地梅 ———————— [9] 334

点地梅 ———————— [9] 336

广西过路黄 ———————— [9] 338

虎尾草 ———————— [9] 340

展枝过路黄 ———————— [9] 342

泽珍珠菜 ———————— [9] 344

细梗香草 ———————— [9] 346

过路黄 ———————— [9] 348

露珠珍珠菜 ———————— [9] 350

矮桃 ———————— [9] 352

临时救 ———————— [9] 354

延叶珍珠菜 ———————— [9] 356

管茎过路黄 ———————— [9] 358

五岭管茎过路黄 ———————— [9] 360

灵香草 ———————— [9] 362

大叶过路黄 ———————— [9] 364

星宿菜 ———————— [9] 366

福建过路黄 ———————— [9] 368

金爪儿 ———————— [9] 370

点腺过路黄 ———————— [9] 372

宜昌过路黄 ———————— [9] 374

黑腺珍珠菜 ———————— [9] 376

长梗过路黄 .... [9] 378
山萝过路黄 .... [9] 380
琴叶过路黄 .... [9] 382
落地梅 .... [9] 384
狭叶落地梅 .... [9] 386
巴东过路黄 .... [9] 388
阔叶假排草 .... [9] 390
疏头过路黄 .... [9] 392
点叶落地梅 .... [9] 394
显苞过路黄 .... [9] 396
黔阳过路黄 .... [9] 398
腺药珍珠菜 .... [9] 400
球尾花 .... [9] 402
湘西过路黄 .... [9] 404
鄂报春 .... [9] 406
卵叶报春 .... [9] 408
毛莨叶报春 .... [9] 410
水茴草 .... [9] 412
白花丹科 .... [9] 414
蓝花丹 .... [9] 414
白花丹 .... [9] 416
山榄科 .... [9] 418
人心果 .... [9] 418
柿科 .... [9] 420
乌柿 .... [9] 420
粉叶柿 .... [9] 422
柿 .... [9] 424
野柿 .... [9] 428
君迁子 .... [9] 432
山柿 .... [9] 434
罗浮柿 .... [9] 436
油柿 .... [9] 438
老鸦柿 .... [9] 442
安息香科 .... [9] 444
赤杨叶 .... [9] 444
陀螺果 .... [9] 446

小叶白辛树 .... [9] 448
白辛树 .... [9] 450
灰叶安息香 .... [9] 452
赛山梅 .... [9] 454
垂珠花 .... [9] 456
白花龙 .... [9] 458
老鸹铃 .... [9] 460
野茉莉 .... [9] 462
芬芳安息香 .... [9] 464
栓叶安息香 .... [9] 466
越南安息香 .... [9] 468
山矾科 .... [9] 472
薄叶山矾 .... [9] 472
总状山矾 .... [9] 474
华山矾 .... [9] 476
南岭山矾 .... [9] 478
密花山矾 .... [9] 480
美山矾 .... [9] 482
羊舌树 .... [9] 484
光叶山矾 .... [9] 486
黄牛奶树 .... [9] 488
白檀 .... [9] 490
叶萼山矾 .... [9] 492
多花山矾 .... [9] 494
四川山矾 .... [9] 496
老鼠矢 .... [9] 498
山矾 .... [9] 500
微毛山矾 .... [9] 504
木犀科 .... [9] 506
流苏树 .... [9] 506
金钟花 .... [9] 508
小叶梣 .... [9] 510
白蜡树 .... [9] 512
光蜡树 .... [9] 514
湖北梣 .... [9] 516
苦枥木 .... [9] 518

探春花 ———————— [9] 520

清香藤 ———————— [9] 522

野迎春 ———————— [9] 524

迎春花 ———————— [9] 526

茉莉花 ———————— [9] 528

亮叶素馨 ———————— [9] 530

华素馨 ———————— [9] 532

川素馨 ———————— [9] 534

丽叶女贞 ———————— [9] 536

日本女贞 ———————— [9] 538

蜡子树 ———————— [9] 540

女贞 ———————— [9] 542

总梗女贞 ———————— [9] 546

小叶女贞 ———————— [9] 548

小蜡 ———————— [9] 550

多毛小蜡 ———————— [9] 552

光萼小蜡 ———————— [9] 554

红柄木犀 ———————— [9] 556

木犀 ———————— [9] 558

紫丁香 ———————— [9] 562

欧丁香 ———————— [9] 564

马钱科 ———————— [9] 566

巴东醉鱼草 ———————— [9] 566

白背枫 ———————— [9] 568

大叶醉鱼草 ———————— [9] 570

醉鱼草 ———————— [9] 572

密蒙花 ———————— [9] 574

蓬莱葛 ———————— [9] 576

钩吻 ———————— [9] 578

大叶度量草 ———————— [9] 580

龙胆科 ———————— [9] 582

百金花 ———————— [9] 582

福建蔓龙胆 ———————— [9] 584

五岭龙胆 ———————— [9] 586

华南龙胆 ———————— [9] 588

条叶龙胆 ———————— [9] 590

流苏龙胆 ———————— [9] 592

红花龙胆 ———————— [9] 594

滇龙胆 ———————— [9] 596

深红龙胆 ———————— [9] 598

灰绿龙胆 ———————— [9] 600

椭圆叶花锚 ———————— [9] 602

匙叶草 ———————— [9] 604

莕菜 ———————— [9] 606

狭叶獐牙菜 ———————— [9] 608

獐牙菜 ———————— [9] 610

川东獐牙菜 ———————— [9] 612

浙江獐牙菜 ———————— [9] 614

贵州獐牙菜 ———————— [9] 616

大籽獐牙菜 ———————— [9] 618

显脉獐牙菜 ———————— [9] 620

紫红獐牙菜 ———————— [9] 622

双蝴蝶 ———————— [9] 624

峨眉双蝴蝶 ———————— [9] 626

湖北双蝴蝶 ———————— [9] 628

细茎双蝴蝶 ———————— [9] 630

被子植物

五加科 Araliaceae 五加属 *Acanthopanax*

吴茱萸五加 *Acanthopanax evodiifolius* Franch.

| 药 材 名 | 吴茱萸五加（药用部位：根皮）。

| 形态特征 | 灌木或乔木，高 2 ～ 12 m。枝暗色，无刺；新枝红棕色，无毛，无刺。叶有 3 小叶，在长枝上互生，在短枝上簇生；叶柄长 5 ～ 10 cm，密生淡棕色短柔毛，不久毛即脱落，仅叶柄先端和小叶柄相连处有锈色簇毛；小叶片纸质至革质，长 6 ～ 12 cm，宽 3 ～ 6 cm，中央小叶片椭圆形至长圆状倒披针形或卵形，先端短渐尖或长渐尖，基部楔形或狭楔形，两侧小叶片基部歪斜，较小，上面无毛，下面脉腋有簇毛，全缘或有锯齿，齿上有长短不等的刺尖，侧脉 6 ～ 8 对，在两面明显，网脉明显；小叶柄短或无。伞形花序有多数或少数花，通常几个组成顶生复伞形花序，稀单生；总花梗长 2 ～ 8 cm，无毛，

花梗长 0.8 ～ 1.5 cm，花后延长，无毛；花萼长 1 ～ 1.5 mm，无毛，全缘；花瓣 5，长卵形，长约 2 mm，开花时反曲；雄蕊 5，花丝长约 2 mm；花盘略扁平；子房 2 ～ 4 室，花柱 2 ～ 4，基部合生，中部以上离生，反曲。果实球形或略长，直径 5 ～ 7 mm，黑色，有 2 ～ 4 浅棱；宿存花柱长约 2 mm。花期 5 ～ 7 月，果期 8 ～ 10 月。

| 生境分布 | 生于森林中。分布于湘中、湘东、湘西北、湘南等。

| 资源情况 | 野生资源较少。药材来源于野生。

| 采收加工 | 夏、秋季采挖根，除去须根和泥沙，用木槌敲击，使木心与皮部分离，抽去木心，晒干。

| 功能主治 | 辛、微苦，温。祛风除湿，活血舒筋，理气化痰。用于风湿痹痛，腰膝酸痛，水肿，跌打损伤，劳伤咳嗽，哮喘，吐血。

| 用法用量 | 内服煎汤，6 ～ 9 g；或浸酒。

| 附　　注 | 本种的拉丁学名在 FOC 中被修订为 *Gamblea ciliata* C. B. Clarke var. *evodiifolia* (Franchet) C. B. Shang et al.。

五加科 Araliaceae 五加属 Acanthopanax

细柱五加
Acanthopanax gracilistylus W. W. Smith

| 药 材 名 | 五加皮（药用部位：根皮。别名：南五加皮、红五加皮、五谷皮）、五加叶（药用部位：叶）、五加果（药用部位：果实。别名：南五加果）。

| 形态特征 | 灌木，高 2 ~ 3 m。小枝细长，下垂，节上疏被扁钩刺。叶有 5 小叶，稀 3 ~ 4 小叶，在长枝上互生，在短枝上簇生；叶柄长 3 ~ 8 cm，无毛，常有细刺；小叶片膜质至纸质，倒卵形至倒披针形，长 3 ~ 8 cm，宽 1 ~ 3.5 cm，先端尖至短渐尖，基部楔形，两面无毛或沿脉疏生刚毛，边缘有细钝齿，侧脉 4 ~ 5 对，在两面均明显，下面脉腋间有淡棕色簇毛，网脉不明显；小叶柄近无。伞形花序单生，稀 2 腋生或顶生于短枝上，直径约 2 cm，有花多数；总花梗长 1 ~ 2 cm，结实后延长，无毛，花梗细长，长 6 ~ 10 mm，无毛；花黄绿色；

花萼近全缘或有 5 小齿；花瓣 5，长圆状卵形，先端尖，长 2 mm；雄蕊 5，花丝长 2 mm；子房 2 室，花柱 2，细长，离生或基部合生。果实扁球形，直径约 6 mm，成熟时紫黑色。花期 4 ~ 8 月，果期 6 ~ 10 月。

| 生境分布 | 生于灌丛、林缘、山坡路旁和村落中。湖南有广泛分布。

| 资源情况 | 野生资源丰富。药材来源于野生。

| 采收加工 | 五加皮：栽后 3 ~ 4 年夏、秋季采收，除去须根，抽去木心，晒干、烘干或鲜用。
五加叶：全年均可采收，晒干或鲜用。
五加果：秋季果实成熟时采收，晒干。

| 功能主治 | 五加皮：辛、苦、微甘，温。祛风湿，补肝肾，强筋骨，活血脉。用于风寒湿痹，腰膝疼痛，筋骨痿软，行迟，体虚羸弱，跌打损伤，骨折，水肿，足癣，阴下湿痒。
五加叶：辛，平。祛风除湿，活血止痛，清热解毒。用于皮肤风湿，跌打肿痛，疝痛，丹毒。
五加果：甘、微苦，温。补肝肾，强筋骨。用于肝肾亏虚，行迟，筋骨痿软。

| 用法用量 | 五加皮：内服煎汤，6 ~ 9 g，鲜品加倍；或浸酒；或入丸、散剂。外用适量，煎汤熏洗；或研末敷。阴虚火旺者慎服。
五加叶：内服煎汤，6 ~ 15 g；或研末；或浸酒。外用适量，研末调敷；或鲜品捣敷。
五加果：内服煎汤，6 ~ 12 g；或入丸、散剂。阴虚火旺者慎服。

| 附　　注 | 本种的拉丁学名在 FOC 中被修订为 *Eleutherococcus nodiflorus* (Dunn) S. Y. Hu。

五加科 Araliaceae　五加属 Acanthopanax

糙毛五加

Acanthopanax gracilistylus W. W. Smith var. *nodiflorus* (Dunn) Li

| 药 材 名 |　糙毛五加（药用部位：根皮）。

| 形态特征 |　灌木，高 2 ~ 3 m。枝灰棕色，软弱而下垂，蔓生状，无毛，节上通常疏生反曲的扁刺。叶有 5 小叶，稀 3 ~ 4 小叶，在长枝上互生，在短枝上簇生，叶片上面粗糙，有刚毛，下面粗糙或有短柔毛；叶柄长 3 ~ 8 cm，常有细刺；小叶片膜质至纸质，倒卵形至倒披针形，长 3 ~ 8 cm，宽 1 ~ 3.5 cm，先端尖至短渐尖，基部楔形，两面无毛或沿脉疏生刚毛，边缘有细钝齿，侧脉 4 ~ 5 对，在两面均明显，下面脉腋间有淡棕色簇毛，网脉不明显；小叶柄近无。伞形花序单生，稀 2 腋生或顶生于短枝上，直径约 2 cm，有花多数；总花梗长 1 ~ 2 cm，结实后延长，无毛，花梗细长，长 6 ~ 10 mm，无毛；

花黄绿色；花萼近全缘或有 5 小齿；花瓣 5，长圆状卵形，先端尖，长 2 mm；雄蕊 5，花丝长 2 mm；子房 2 室，花柱 2，细长，离生或基部合生。果实扁球形，长约 6 mm，宽约 5 mm，黑色；宿存花柱长 2 mm，反曲。花期 4 ~ 8 月，果期 6 ~ 10 月。

| **生境分布** | 生于丘陵岗地。分布于湘中等。 |

| **资源情况** | 野生资源较少。药材来源于野生。 |

| **采收加工** | 夏、秋季采挖根，洗净，剥取根皮，干燥。 |

| **功能主治** | 祛风湿，强筋骨，活血祛瘀。用于风湿关节痛，腰痛，行迟，水肿，足癣，跌打损伤。 |

| **用法用量** | 内服煎汤，6 ~ 15 g。 |

五加科 Araliaceae 五加属 Acanthopanax

糙叶五加 *Acanthopanax henryi Oliv.*

| 药 材 名 |

糙叶五加（药用部位：根皮）。

| 形 态 特 征 |

灌木，高 1 ~ 3 m。枝疏生下曲的粗刺；小枝密生短柔毛，后毛渐脱落。叶有 5 小叶，稀 3 小叶；叶柄长 4 ~ 7 cm，密生粗短毛；小叶片纸质，椭圆形或卵状披针形，稀倒卵形，先端尖或渐尖，基部狭楔形，长 8 ~ 12 cm，宽 3 ~ 5 cm，上面深绿色，粗糙，下面灰绿色，脉上有短柔毛，边缘仅中部以上有细锯齿，侧脉 6 ~ 8 对，两面隆起而明显，网脉不明显；小叶柄长 3 ~ 6 mm 或近无，有粗短毛。伞形花序数个组成短圆锥花序，直径 1.5 ~ 2.5 cm，有花多数；总花梗粗壮，长 2 ~ 3.5 cm，有粗短毛，后毛渐脱落，花梗长 0.8 ~ 1.5 cm，无毛或疏生短柔毛；花萼长 3 mm，无毛或疏生短柔毛，近全缘；花瓣 5，长卵形，长约 2 mm，开花时反曲，无毛或外面稍有毛；雄蕊 5，花丝细长，长约 2.5 mm；子房 5 室，花柱全部合生成柱状。果实椭圆状球形，有 5 浅棱，长约 8 mm，黑色；宿存花柱长约 2 mm。花期 7 ~ 9 月，果期 9 ~ 10 月。

| 生境分布 | 生于林缘或灌丛中。分布于湘中、湘东等。

| 资源情况 | 野生资源较少。药材来源于野生。

| 采收加工 | 秋季采挖根，洗净，除去须根，趁鲜用木槌敲击，使木心与皮部分离，抽去木心，切段，晒干。

| 功能主治 | 辛，温。祛风除湿，活血舒筋，理气止痛。用于风湿痹痛，拘挛麻木，筋骨痿软，水肿，跌打损伤，疝气腹痛。

| 用法用量 | 内服煎汤，6 ～ 15 g；或浸酒。阴虚火旺者禁服。

| 附　注 | 本种的拉丁学名在 FOC 中被修订为 *Eleutherococcus henryi* Oliver。

五加科 Araliaceae 五加属 Acanthopanax

藤五加
Acanthopanax leucorrhizus (Oliv.) Harms

| 药 材 名 | 藤五加（药用部位：茎皮、根皮）。

| 形态特征 | 灌木，高 2 ～ 4 m，有时蔓生状。枝无毛，节上有刺 1 至数个或无刺，稀节间散生多数倒刺；刺细长，基部不膨大，下向。叶有 5 小叶，稀 3 ～ 4 小叶；叶柄长 5 ～ 10 cm 或更长，宽 2.5 ～ 5 cm，先端渐尖，稀尾尖，基部楔形，两面均无毛，边缘有锐利的重锯齿，侧脉 6 ～ 10 对；小叶柄长 3 ～ 15 mm。伞形花序单个顶生或数个组成短圆锥花序，直径 2 ～ 4 cm，有花多数；总花梗长 2 ～ 8 cm，花梗长 1 ～ 2 cm；花黄绿色；花萼无毛，边缘有 5 小齿；花瓣 5，长卵形，开花时反曲；雄蕊 5；子房 5 室，花柱全部合生成柱状。果实卵球形，有 5 棱，花柱宿存。花期 6 ～ 8 月，果期 8 ～ 10 月。

| 生境分布 | 生于丛林中。分布于湘西南，以及怀化（通道）等。

| 资源情况 | 野生资源较少。药材来源于野生。

| 采收加工 | 全年均可采收茎，秋季采挖根，洗净，剥取茎皮、根皮，晒干。

| 功能主治 | 辛、微苦，温。祛风湿，通经络，强筋骨。用于风湿痹痛，拘挛麻木，腰膝酸软，半身不遂，跌打损伤，水肿，皮肤湿痒，阴囊湿肿。

| 用法用量 | 内服煎汤，9 ~ 15 g；或浸酒。外用适量，捣敷；或煎汤洗。阴虚火旺者慎服。

| 附　　注 | 本种的拉丁学名在 FOC 中被修订为 *Eleutherococcus leucorrhizus* Oliver。

五加科 Araliaceae 五加属 Acanthopanax

白簕
Acanthopanax trifoliatus (L.) Merr.

| **药 材 名** | 三加皮（药用部位：根或根皮。别名：白簕根、刺三加、风党笋）、白簕枝叶（药用部位：嫩枝叶。别名：白茨叶、白勒远）、三加花（药用部位：花）。 |

| **形态特征** | 灌木，高 1 ~ 7 m。枝细弱铺散，老枝灰白色，新枝黄棕色，疏生下向刺；刺基部扁平，先端钩曲。叶有 3 小叶，稀 4 ~ 5 小叶；叶柄长 2 ~ 6 cm，有刺或无刺，无毛；小叶片纸质，稀膜质，椭圆状卵形至椭圆状长圆形，稀倒卵形，长 4 ~ 10 cm，宽 3 ~ 6.5 cm，先端尖至渐尖，基部楔形，两侧小叶片基部歪斜，两面无毛或上面脉上疏生刚毛，边缘有细锯齿或钝齿，侧脉 5 ~ 6 对，明显或不甚明显，网脉不明显；小叶柄长 2 ~ 8 mm，有时近无。伞形花序 3 ~ |

10，稀 20 组成顶生复伞形花序或圆锥花序，直径 1.5 ~ 3.5 cm，有花多数，稀少数；总花梗长 2 ~ 7 cm，无毛，花梗细长，长 1 ~ 2 cm，无毛；花黄绿色；花萼长约 1.5 mm，无毛，边缘有 5 三角形小齿；花瓣 5，三角状卵形，长约 2 mm，开花时反曲；雄蕊 5，花丝长约 3 mm；子房 2 室，花柱 2，基部或中部以下合生。果实扁球形，直径约 5 mm，黑色。花期 8 ~ 11 月，果期 9 ~ 12 月。

| 生境分布 | 生于村落、山坡路旁、林缘和灌丛中。湖南有广泛分布。

| 资源情况 | 野生资源丰富。药材来源于野生。

| 采收加工 | 三加皮：9 ~ 10 月采挖根，鲜用，或趁鲜剥取根皮，晒干。
白簕枝叶：全年均可采收，鲜用或晒干。
三加花：8 ~ 11 月采摘，洗净，鲜用。

| 功能主治 | 三加皮：苦、辛，凉。清热解毒，祛风除湿，活血舒筋。用于感冒发热，咽痛，头痛，咳嗽胸痛，胃痛，泄泻，痢疾，胁痛，黄疸，石淋，带下，风湿痹痛，腰腿酸痛，筋骨拘挛麻木，跌打骨折，痄腮，乳痛，疮疡肿毒，蛇虫咬伤。
白簕枝叶：苦、辛，微寒。清热解毒，活血消肿，燥湿敛疮。用于感冒发热，咳嗽胸痛，痢疾，风湿痹痛，跌打损伤，骨折，刀伤，痈疮疔疖，口疮，湿疹，疥疮，毒虫咬伤。
三加花：解毒敛疮。用于漆疮。

| 用法用量 | 三加皮：内服煎汤，15 ~ 30 g，大剂量可用至 60 g；或浸酒。外用适量，研末调敷；或捣敷；或煎汤洗。孕妇慎服。
白簕枝叶：内服煎汤，9 ~ 30 g；或代茶饮。外用适量，捣敷；或煎汤洗。孕妇慎服。
三加花：外用适量，煎汤洗。

| 附　　注 | 本种的拉丁学名在 FOC 中被修订为 *Eleutherococcus trifoliatus* (Linnaeus) S. Y. Hu。

五加科 Araliaceae 楤木属 *Aralia*

虎刺楤木 *Aralia armata* (Wall.) Seem.

药材名

鹰不扑（药用部位：根或根皮、枝叶。别名：小郎伞、鸟不宿、刺老包）。

形态特征

多刺灌木，高达 4 m。刺短，长不及 4 mm，基部宽扁，先端通常弯曲。叶为三回羽状复叶，长 60 ～ 100 cm；叶柄长 25 ～ 50 cm；托叶和叶柄基部合生，先端截形或斜形；叶轴和羽片轴疏生细刺；羽片有 5 ～ 9 小叶，基部有 1 对小叶；小叶片纸质，长圆状卵形，长 4 ～ 11 cm，宽 2 ～ 5 cm，先端渐尖，基部圆形或心形，歪斜，两面脉上疏生小刺，下面密生短柔毛，后毛脱落，边缘有锯齿、细锯齿或不整齐的锯齿，侧脉约 6 对，在两面明显，网脉不明显。圆锥花序大，长达 50 cm，主轴和分枝有短柔毛或无毛，疏生钩曲的短刺；伞形花序直径 2 ～ 4 cm，有花多数；总花梗长 1 ～ 5 cm，有刺和短柔毛，花梗长 1 ～ 1.5 cm，有细刺和粗毛；苞片卵状披针形，先端长尖，长 2 ～ 4 mm，小苞片线形，长 1.2 ～ 2.5 mm，外面均密生长毛；花萼无毛，长约 2 mm，边缘有 5 三角形小齿；花瓣 5，卵状三角形，长约 2 mm；雄蕊 5；子房 5 室，花柱 5，离生。果实球形，直径

4 mm，有 5 棱。花期 8 ～ 10 月，果期 9 ～ 11 月。

| 生境分布 | 生于海拔 1 400 m 以下的林中或林缘。分布于湘中、湘东、湘西南、湘南等。

| 资源情况 | 野生资源较少。药材来源于野生。

| 采收加工 | 春、夏季采收枝叶，秋后采收根或根皮，鲜用或切段晒干。

| 药材性状 | 本品根呈圆柱形，常分枝，弯曲，长 30 ～ 45 cm，直径 0.5 ～ 2 cm，表面土黄色或灰黄色，栓皮易脱落，脱落处呈暗褐色或灰褐色，有纵皱纹，具横向凸起的皮孔和圆形侧根痕。质硬，易折断，粉性，断面皮部暗灰色，木部灰黄色或灰白色，有众多小孔（导管）。气微，味微苦、辛。

| 功能主治 | 苦、辛，平。散瘀，祛风，利湿，解毒。用于跌打损伤，风湿痹痛，湿热黄疸，淋浊，水肿，痢疾，带下，胃痛，头痛，咽喉肿痛，乳痈，无名肿毒，瘰疬。

| 用法用量 | 内服煎汤，9 ～ 15 g；或浸酒。外用适量，捣敷；或捣烂，酒炒热敷；或煎汤熏洗。孕妇慎服。

五加科 Araliaceae 楤木属 Aralia

楤木 *Aralia elata* (Miq.) Seem.

| 药 材 名 | 楤木（药用部位：茎或茎皮。别名：刺老包、鹊不宿、鸟不宿）、楤木叶（药用部位：嫩叶）、楤木花（药用部位：花）、楤根（药用部位：根或根皮。别名：刺老包根、山通花根、箭当树根）。

| 形态特征 | 灌木或乔木，高 2 ～ 5 m，稀达 8 m，胸高直径 10 ～ 15 cm。树皮灰色，疏生粗壮直刺；小枝通常淡灰棕色，有黄棕色绒毛，疏生细刺。叶为二至三回羽状复叶，长 60 ～ 110 cm；叶柄粗壮，长可达 50 cm；托叶与叶柄基部合生，纸质，耳廓形，长 1.5 cm 或更长；叶轴无刺或有细刺；羽片有 5 ～ 11 小叶，稀 13 小叶，基部有 1 对小叶；小叶片纸质至薄革质，卵形、阔卵形或长卵形，长 5 ～ 12 cm，稀达 19 cm，宽 3 ～ 8 cm，先端渐尖或短渐尖，基部圆形，上面粗

糙，疏生糙毛，下面有淡黄色或灰色短柔毛，脉上毛更密，边缘有锯齿，稀为细锯齿或不整齐的粗重锯齿，侧脉 7 ~ 10 对，在两面均明显，网脉在上面不甚明显，在下面明显；小叶柄长 3 mm 或无，顶生小叶柄长 2 ~ 3 cm。圆锥花序大，长 30 ~ 60 cm，分枝长 20 ~ 35 cm，密生淡黄棕色或灰色短柔毛；伞形花序直径 1 ~ 1.5 cm，有花多数；总花梗长 1 ~ 4 cm，密生短柔毛；苞片锥形，膜质，长 3 ~ 4 mm，外面有毛；花梗长 4 ~ 6 mm，密生短柔毛，稀为疏毛；花白色，芳香；花萼无毛，长约 1.5 mm，边缘有 5 三角形小齿；花瓣 5，卵状三角形，长 1.5 ~ 2 mm；雄蕊 5，花丝长约 3 mm；子房 5 室，花柱 5，离生或基部合生。果实球形，黑色，直径约 3 mm，有 5 棱；宿存花柱长 1.5 mm，离生或合生至中部。花期 7 ~ 9 月，果期 9 ~ 12 月。

| **生境分布** | 生于森林、灌丛或林缘路边。湖南有广泛分布。

| **资源情况** | 野生资源丰富。药材来源于野生。

| **采收加工** | 楤木：栽植 2 ~ 3 年幼苗成林后采收，晒干或鲜用。
楤木叶：春、夏季采收，鲜用或晒干。
楤木花：7 ~ 9 月花开时采收，阴干。
楤根：9 ~ 10 月采挖根，剥取根皮，晒干。

| **功能主治** | 楤木：辛、苦，平。祛风除湿，利水和中，活血解毒。用于风湿关节痛，腰腿酸痛，肾虚水肿，消渴，胃痛，跌打损伤，骨折，吐血，衄血，疟疾，漆疮，骨髓炎，深部脓疡。
楤木叶：甘、微苦，平。利水消肿，解毒止痢。用于肾炎性水肿，臌胀，腹泻，痢疾，疔疮肿毒。
楤木花：苦、涩，平。止血。用于吐血。
楤根：辛、苦，平。祛风除湿，活血通经，解毒散结。用于风热感冒，咳嗽，风湿痹痛，腰膝酸痛，淋浊，水肿，臌胀，黄疸，带下，痢疾，胃痛，跌打损伤，血瘀经闭，崩中，牙疳，阴疽，瘰疬，痔疮。

| **用法用量** | 楤木：内服煎汤，15 ~ 30 g；或浸酒。外用适量，捣敷；或浸酒涂。孕妇慎服。
楤木叶：内服煎汤，15 ~ 30 g。外用适量，捣敷。
楤木花：内服煎汤，9 ~ 15 g。
楤根：内服煎汤，15 ~ 30 g；或浸酒。外用适量，捣敷；或酒炒热敷；或研末调敷；或煎汤熏洗。孕妇慎服。

五加科 Araliaceae 楤木属 Aralia

食用土当归
Aralia cordata Thunb.

| 药 材 名 | 九眼独活（药用部位：根及根茎。别名：土当归、心叶大眼独活、水独活）。

| 形态特征 | 多年生草本。根茎长圆柱状；地上茎高 0.5 ~ 3 m，粗壮，基部直径可达 2 cm。叶为二至三回羽状复叶；叶柄长 15 ~ 30 cm，无毛或疏生短柔毛；托叶和叶柄基部合生，先端离生部分锥形，长约 3 mm，边缘有纤毛；羽片有 3 ~ 5 小叶；小叶片膜质或薄纸质，长卵形至长圆状卵形，长 4 ~ 15 cm，宽 3 ~ 7 cm，先端突尖，基部圆形至心形，侧生小叶片基部歪斜，上面无毛，下面脉上疏生短柔毛，边缘有粗锯齿，基部有 3 放射状脉，侧脉 6 ~ 8 对，在上面不甚明显，在下面隆起而明显，网脉在上面不明显，在下面明显；小叶柄长达

2.5 cm，顶生者长可达 5 cm。圆锥花序大，顶生或腋生，长达 50 cm，稀疏，分枝少，着生数个总状排列的伞形花序；伞形花序直径 1.5 ~ 2.5 cm，有花多数或少数；总花梗长 1 ~ 5 cm，有短柔毛；苞片线形，长 3 ~ 5 mm；花梗通常丝状，长 10 ~ 12 mm，有短柔毛；小苞片长约 2 mm；花白色；花萼无毛，长 1.2 ~ 1.5 mm，边缘有 5 三角形尖齿；花瓣 5，卵状三角形，长约 1.5 mm，开花时反曲；雄蕊 5，长约 2 mm；子房 5 室，花柱 5，离生。果实球形，紫黑色，直径约 3 mm，有 5 棱；宿存花柱长约 2 mm，离生或仅基部合生。花期 7 ~ 8 月，果期 9 ~ 10 月。

| 生境分布 | 生于海拔 1 300 ~ 1 600 m 的林荫下或山坡草丛中。分布于湖南邵阳（绥宁、新宁）、永州（道县）、郴州（汝城、桂东）等。

| 资源情况 | 野生资源较少。药材来源于野生。

| 采收加工 | 秋后采收，洗净，切片，晒干。

| 药材性状 | 本品根茎粗大，圆柱形，常呈扭曲状，长 10 ~ 80 cm，直径 3 ~ 9 cm，表面灰棕色或棕褐色，粗糙，上面有 6 ~ 11 圆形凹窝（茎痕），凹窝呈串珠状排列，直径 1.5 ~ 3 cm，深约 1 cm，底部或侧面残留数条圆柱形不定根，不定根长 2 ~ 15 cm，直径 4 ~ 10 mm，表面有纵皱纹。质轻，坚脆，易折断，断面灰黄色或棕黄色，疏松，有多数裂隙和油点。气微香，味淡后苦。以根茎粗壮、凹窝多、有弹性、香气足者为佳。

| 功能主治 | 辛、苦，温。祛风除湿，舒筋活络，和血止痛。用于风湿疼痛，腰膝酸痛，四肢痿痹，腰肌劳损，鹤膝风，手足扭伤肿痛，骨折，头风，头痛，牙痛。

| 用法用量 | 内服煎汤，3 ~ 12 g；或浸酒。外用适量，研末调敷；或煎汤洗。阴虚内热者慎服。

五加科 Araliaceae 楤木属 Aralia

头序楤木
Aralia dasyphylla Miq.

| 药 材 名 |

头序楤木（药用部位：根。别名：毛叶楤木、雷公种）。

| 形态特征 |

灌木或小乔木，高 2 ~ 10 m。小枝有刺，刺短而直，基部粗壮，长不及 6 mm；新枝密生淡黄棕色绒毛。叶为二回羽状复叶；叶柄长超过 30 cm，有刺或无刺；托叶和叶柄基部合生，先端离生部分三角形，长 5 ~ 8 mm，有刺尖；叶轴和羽片轴密生黄棕色绒毛，有刺或无刺；羽片有 7 ~ 9 小叶；小叶片薄革质，卵形至长圆状卵形，长 5.5 ~ 11 cm，先端渐尖，基部圆形至心形，侧生小叶片基部歪斜，上面粗糙，下面密生棕色绒毛，边缘有细锯齿，齿有小尖头，侧脉 7 ~ 9 对，在上面不及在下面明显，网脉明显；小叶柄长达 5 mm 或无，顶生小叶柄长达 4 cm，密生黄棕色绒毛。圆锥花序大，长达 50 cm，一级分枝长达 20 cm，密生黄棕色绒毛，三级分枝长 2 ~ 3 cm，有数个宿存苞片；苞片长圆形，先端钝圆，长约 3 mm，密生短柔毛，小苞片长圆形，长 1 ~ 2 mm；花无梗，聚生为直径约 5 mm 的头状花序；总花梗长 0.5 ~ 1.5 cm，密生黄棕色绒毛；花萼无毛，长约 2 mm，边缘有 5 三角形小齿；花瓣 5，长圆状卵形，长约 3 mm，开花时反曲；雄蕊 5，花丝长约 2 mm；子房 5 室，花柱 5，离生。果实球形，紫黑色，直径约 3.5 mm，有 5 棱。花期 8 ～ 10 月，果期 10 ～ 12 月。

| 生境分布 | 生于海拔 10 ～ 1 000 m 的林中、林缘和向阳山坡。湖南各地均有分布。

| 资源情况 | 野生资源一般。药材来源于野生。

| 采收加工 | 秋、冬季采挖，洗净，切片，鲜用或晒干。

| 功能主治 | 辛、苦，平。祛风除湿，活血通经。用于风热感冒，咳嗽，风湿痹痛，腰膝酸痛，淋浊，水肿，黄疸，带下，痢疾，胃痛，跌打损伤，血瘀经闭，崩中，阴疽，瘰疬，痔疮。

| 用法用量 | 内服煎汤，15 ～ 30 g。外用适量，鲜品捣敷。

五加科 Araliaceae 楤木属 Aralia

黄毛楤木 *Aralia decaisneana* Hance

| 药材名 | 鸟不企（药用部位：根。别名：鸟不服、老鸦拍、鹰不拍）、鸟不企叶（药用部位：叶）。

| 形态特征 | 灌木，高 1 ~ 5 m。茎皮灰色，有纵纹和裂隙；新枝密生黄棕色绒毛，有刺；刺短而直，基部稍膨大。叶为二回羽状复叶，长达 1.2 m；叶柄粗壮，长 20 ~ 40 cm，疏生细刺和黄棕色绒毛；托叶和叶柄基部合生，先端离生部分锥形，外面密生锈色绒毛；叶轴和羽片轴密生黄棕色绒毛；羽片有 7 ~ 13 小叶，基部有 1 对小叶；小叶片革质，卵形至长圆状卵形，长 7 ~ 14 cm，宽 4 ~ 10 cm，先端渐尖或尾尖，基部圆形，稀近心形，上面密生黄棕色绒毛，下面毛更密，边缘有细尖锯齿，侧脉 6 ~ 8 对，在两面明显，网脉不明显；小叶柄长达

5 mm 或无，顶生小叶柄长达 5 cm。圆锥花序大，分枝长达 60 cm，密生黄棕色绒毛，疏生细刺；伞形花序直径约 2.5 cm，有 30 ～ 50 花；总花梗长 2 ～ 4 cm；苞片线形，长 0.8 ～ 1.5 cm，外面密生绒毛；花梗长 0.8 ～ 1.5 cm，密生细毛；小苞片长 3 ～ 4 mm，宿存；花淡绿白色；花萼无毛，长约 2 mm，边缘有 5 小齿；花瓣卵状三角形，长约 2 mm；雄蕊 5，花药白色，花丝长 2.5 ～ 3 mm；子房 5 室，花柱 5，基部合生，上部离生。果实球形，黑色，有 5 棱，直径约 4 mm。花期 10 月至翌年 1 月，果期 12 月至翌年 2 月。

| 生境分布 | 生于海拔 10 ～ 1 000 m 的向阳山坡或疏林中。湖南有广泛分布。

| 资源情况 | 野生资源丰富。药材来源于野生。

| 采收加工 | 鸟不企：秋后采收，洗净，鲜用或切片晒干。

鸟不企叶：全年均可采收，晒干。

| 功能主治 | 鸟不企：苦、辛，平。祛风除湿，活血通经，解毒消肿。用于风热感冒，头痛，咳嗽，风湿痹痛，腰腿酸痛，湿热黄疸，水肿，淋浊，带下，闭经，产后风痛，跌打肿痛，胃痛，咽喉肿痛，牙龈肿痛。

鸟不企叶：甘，平。平肝，解毒。用于头目眩晕，肿毒。

| 用法用量 | 鸟不企：内服煎汤，6 ～ 15 g；或浸酒。外用适量，捣敷。孕妇禁服。

鸟不企叶：内服煎汤，9 ～ 15 g。外用适量，捣敷。

五加科 Araliaceae 楤木属 Aralia

棘茎楤木
Aralia echinocaulis Hand.-Mazz.

| 药 材 名 | 红楤木（药用部位：根或根皮。别名：红老虎刺、红鸟不宿、红刺筒）。

| 形态特征 | 小乔木，高达 7 m。小枝密生细长直刺，刺长 7 ~ 14 mm。叶为二回羽状复叶，长 35 ~ 50 cm 或更长；叶柄长 25 ~ 40 cm，疏生短刺；托叶和叶柄基部合生，栗色；羽片有 5 ~ 9 小叶，基部有 1 对小叶；小叶片膜质至薄纸质，长圆状卵形至披针形，长 4 ~ 11.5 cm，宽 2.5 ~ 5 cm，先端长渐尖，基部圆形至阔楔形，歪斜，两面均无毛，下面灰白色，边缘疏生细锯齿，侧脉 6 ~ 9 对，在上面较在下面明显，网脉在上面略下陷，在下面略隆起，不甚明显；小叶柄无或近无。圆锥花序大，长 30 ~ 50 cm，顶生，主轴和分枝有糠屑状毛，后毛脱落；伞形花序直径约 1.5 cm，有 12 ~ 20 花，稀 30 花；总花

梗长 1 ~ 5 cm；苞片卵状披针形，长 10 mm；花梗长 8 ~ 30 mm；小苞片披针形，长约 4 mm；花白色；花萼无毛，边缘有 5 卵状三角形小齿；花瓣 5，卵状三角形，长约 2 mm；雄蕊 5，花丝长约 4 mm；子房 5 室，花柱 5，离生。果实球形，直径 2 ~ 3 mm，有 5 棱；宿存花柱长 1 ~ 1.5 mm，基部合生。花期 6 ~ 8 月，果期 9 ~ 11 月。

| **生境分布** | 生于森林中。分布于湘中、湘东、湘西北、湘西南、湘南等。

| **资源情况** | 野生资源一般。药材来源于野生。

| **采收加工** | 全年或秋、冬季采挖根，剥取根皮，洗净，切片，鲜用或晒干。

| **功能主治** | 微苦、辛，平。祛风除湿，活血行气，解毒消肿。用于风湿痹痛，跌打肿痛，骨折，胃脘胀痛，疝气，崩漏，骨髓炎，痈疽，蛇咬伤。

| **用法用量** | 内服煎汤，9 ~ 15 g；或浸酒。外用适量，捣敷。孕妇慎服。

五加科 Araliaceae 楤木属 Aralia

柔毛龙眼独活 *Aralia henryi* Harms

| 药 材 名 | 九眼独活（药用部位：根茎。别名：大叶龙须参、短序九眼独活、小叶九眼独活）。

| 形态特征 | 多年生草本，根茎短；地上茎高 40 ～ 80 cm，有纵纹，疏生长柔毛。叶为二回或三回羽状复叶，长 16 ～ 35 cm；叶柄长 3 ～ 10 cm，无毛或疏生长柔毛；托叶和叶柄基部合生，先端离生部分披针形，长约 5 mm；羽片有 3 小叶；小叶片膜质，长圆状卵形，长 3.5 ～ 10 cm，宽 2 ～ 6 cm，先端长尾尖，基部钝形至浅心形，侧生小叶片基部歪斜，两面脉上疏生长柔毛，边缘有钝锯齿，侧脉 6 ～ 8 对，稍明显，网脉不明显。圆锥花序伞房状，顶生；花序轴有长柔毛，基部有叶状总苞；伞形花序有花 3 ～ 10；花梗短，丝状；花萼无毛；萼齿 5，长圆形，先端钝圆；花瓣 5，阔三角状卵形；雄蕊 5；子房 5 室，稀

3 室，花柱 5，稀 3，离生。果实近球形，有 5 棱，宿存花柱放射状，不外露；果柄丝状。

| 生境分布 | 生于海拔 1 500 ～ 2 000 m 的森林下。分布于湖南张家界（桑植）、常德（石门）、邵阳（新宁）等。

| 资源情况 | 野生资源稀少。药材来源于野生。

| 功能主治 | 祛风燥湿，活血止痛，消肿。用于风湿性腰腿痛，腰肌劳损。

五加科 Araliaceae 楤木属 *Aralia*

湖北楤木 *Aralia hupehensis* Hoo

| 药 材 名 |

湖北楤木（药用部位：根。别名：刺包头、飞天蜈蚣）。

| 形态特征 |

灌木或乔木，高达 12 m。小枝密生黄棕色绒毛，有刺。叶为二回羽状复叶；托叶和叶柄基部合生，深棕色，先端离生部分披针形；叶轴和羽片轴密生绒毛；羽片对生，有 9 小叶，基部有 1 对小叶；小叶片纸质，卵形至长圆状卵形，长 8 ~ 13 cm，宽 3 ~ 6 cm，先端长渐尖或短渐尖，基部圆形，上面粗糙，脉上密生细糙毛，下面密生黄棕色绒毛，边缘有锯齿，齿有刺尖，侧脉约 8 对。圆锥花序顶生，长 25 ~ 35 cm，分枝 2 ~ 5，指状排列；伞形花序在二级分枝上单个顶生，或另有 1 ~ 2 侧生伞形花序，有 10 ~ 20 花；苞片披针形，宿存；小苞片线形；花萼无毛，边缘有 5 三角形尖齿；花瓣 5，白色，卵状三角形；雄蕊 5；子房 5 室，花柱 5，离生，反曲。果实球形，直径约 4 mm，黑色，有 5 棱。花期 7 月，果期 9 月。

| 生境分布 |

生于海拔 1 200 m 的北向山坡上。分布于湘西北等。

| **资源情况** | 野生资源较少。药材来源于野生。

| **采收加工** | 秋、冬季采挖，洗净，切片，鲜用或晒干。

| **功能主治** | 辛、苦，微温。活血祛瘀，利水消肿。用于跌打损伤，瘀血肿痛，骨折，水肿，小便不利。

| **用法用量** | 内服煎汤，3 ~ 10 g；或浸酒。外用适量，捣烂，酒炒敷。

五加科 Araliaceae 楤木属 Aralia

长刺楤木 *Aralia spinifolia* Merr.

药材名

刺叶楤木（药用部位：根。别名：鸟不企、鸡云木、鹰不扒）。

形态特征

灌木，高 2 ~ 3 m。小枝灰白色，疏生多数长短不等的刺，密生刺毛；刺扁，长 1 ~ 10 mm，基部膨大，刺毛细针状，长 2 ~ 4 mm。叶大，长 40 ~ 70 cm，二回羽状复叶；叶柄、叶轴和羽片轴密生或疏生刺和刺毛；托叶和叶柄基部合生，先端离生部分锥形，长约 5 mm，有纤毛；羽片长 20 ~ 30 cm，有 5 ~ 9 小叶，基部有 1 对小叶；小叶片薄纸质或近膜质，长圆状卵形或卵状椭圆形，长 7 ~ 11 cm，宽 3 ~ 6 cm，先端渐尖或长渐尖，基部圆形，有时略歪斜，上面脉上疏生小刺和刺毛，下面小刺和刺毛更密，边缘有锯齿、不整齐锯齿或重锯齿，齿有小尖头，侧脉 5 ~ 7 对，在两面明显，网脉在上面不明显，在下面明显；两侧小叶柄近无，顶生小叶柄长 1 ~ 3 cm。圆锥花序大，长达 35 cm，花序轴和总花梗均密生刺和刺毛；伞形花序直径约 2.5 cm，有花多数；花梗长 8 ~ 15 mm，密生刺毛；苞片长圆形，长 3 ~ 6 mm，无毛；花萼无毛，长 1.5 mm，边缘有 5 三角形尖齿；花瓣 5，淡绿白色，卵状三角形，长约 1.5 mm；子房 5 室，花柱 5，离生。果实卵球形，黑褐色，有 5 棱，长 4 ~ 5 mm；宿存花柱长约 2 mm，合生至中部。花期 8 ~ 10 月，果期 10 ~ 12 月。

| 生境分布 | 生于海拔 1 000 m 以下的山坡或林缘阳光充足处。分布于湘中、湘东、湘南等。

| 资源情况 | 野生资源较少。药材来源于野生。

| 采收加工 | 夏、秋季采挖，除去杂质，洗净，鲜用或晒干。

| 功能主治 | 苦，平。祛风除湿，活血止血。用于风湿骨痛，头昏，头痛，跌打损伤，骨折，吐血，崩漏，蛇咬伤。

| 用法用量 | 内服煎汤，9 ~ 15 g；或浸酒。外用适量，捣敷。

五加科 Araliaceae 楤木属 Aralia

波缘楤木 *Aralia undulata* Hand.-Mazz.

| 药 材 名 |

波缘楤木（药用部位：根。别名：红刺脑包、顶天刺、龙牙楤木）。

| 形态特征 |

灌木或乔木，有刺，高 2.5 ～ 7 m，胸径达 10 cm 以上；小枝有短而粗的刺。叶大，二回羽状复叶，长达 80 cm；托叶和叶柄基部合生；羽片有小叶 5 ～ 15，基部有小叶 1 对；小叶片纸质，卵形至卵状披针形，长 5 ～ 13.5 cm，宽 2.5 ～ 6 cm，先端长渐尖或尾尖状，基部圆形，侧生小叶片基部歪斜，边缘有波状齿，齿有小尖头。圆锥花序大，主轴短，分枝长达 55 cm，指状排列，又分生多数总状排列的二级分枝；二级分枝先端有 3 ～ 5 伞形花序组成复伞形花序，其下有 3 ～ 8 总状排列的伞形花序；花梗有棕色糠屑状粗毛；苞片披针形，棕色，边缘有纤毛；小苞片长圆形；花白色；花萼边缘有 5 三角形小齿；花瓣 5，长圆形，开花时反曲；子房 5 室，花柱 5，离生。果实球形，黑色，有 5 棱。

| 生境分布 |

生于海拔约 1 000 m 的密林或山谷疏林下。

分布于湖南邵阳（新宁、城步）、岳阳（平江）、
张家界（永定）、永州（宁远）、株洲（炎陵）、
郴州（汝城）、长沙（浏阳）等。

│资源情况│

野生资源稀少。药材来源于野生。

│采收加工│

夏、秋季采挖，除去杂质，洗净，鲜用或晒干。

│功能主治│

苦、辛，凉。活血化瘀，通经止痛，祛风除湿。
用于跌打损伤，骨折，痞块，经闭，痛经，劳
伤疼痛，风湿痛。

│用法用量│

内服煎汤，9 ～ 15 g；或浸酒。外用适量，捣敷。

五加科 Araliaceae 树参属 Dendropanax

树参

Dendropanax dentiger (Harms) Merr.

药 材 名

枫荷梨（药用部位：根、茎、树皮。别名：半枫荷、半荷枫、梨荷枫）。

形态特征

乔木或灌木，高 2 ~ 8 m。叶片厚纸质或革质，密生粗大半透明的红棕色腺点，叶形变异很大，不分裂叶片通常呈椭圆形，稀长圆状椭圆形、椭圆状披针形、披针形或线状披针形，长 7 ~ 10 cm，宽 1.5 ~ 4.5 cm，有时更大，先端渐尖，基部钝或楔形，分裂叶片倒三角形，掌状 2 ~ 3 深裂或浅裂，稀 5 裂，两面均无毛，全缘或近先端处有不明显的细齿 1 至数个或有明显疏离的牙齿，三出脉，侧脉 4 ~ 6 对，网脉在两面显著隆起，有时在上面稍下陷，有时在下面较不明显；叶柄长 0.5 ~ 5 cm，无毛。伞形花序顶生，单生或 2 ~ 5 聚生成复伞形花序，有超过 20 花，有时花较少；总花梗粗壮，长 1 ~ 3.5 cm；苞片卵形，早落，小苞片三角形，宿存；花梗长 5 ~ 7 mm；花萼长 2 mm，近全缘或有 5 小齿；花瓣 5，三角形或卵状三角形，长 2 ~ 2.5 mm；雄蕊 5，花丝长 2 ~ 3 mm；子房 5 室，花柱 5，长不及 1 mm，基部合生，先端离生。果实长圆状球形，稀近球形，长

5 ～ 6 mm，有 5 棱，每棱又各有 3 纵脊；宿存花柱长 1.5 ～ 2 mm，在上部 1/2、1/3 或 2/3 处离生，反曲；果柄长 1 ～ 3 cm。花期 8 ～ 10 月，果期 10 ～ 12 月。

| 生境分布 | 生于海拔 10 ～ 1 800 m 的常绿阔叶林或灌丛中。湖南有广泛分布。

| 资源情况 | 野生资源丰富。药材来源于野生。

| 采收加工 | 秋、冬季采收，洗净，切片，鲜用或晒干。

| 药材性状 | 本品根呈圆柱形，稍弯曲或扭曲，多分枝，长 15 ～ 30 cm，直径 0.5 ～ 2.5 cm。表面浅棕黄色或浅灰棕色，有细纵皱纹，皮孔横向延长或类圆形。质坚脆，易折断，断面不平坦，皮部灰黄色，木部浅黄白色。气微香，味淡。

| 功能主治 | 甘、辛，温。祛风除湿，活血消肿。用于风湿痹痛，偏瘫，头痛，月经不调，跌打损伤，疮肿。

| 用法用量 | 内服煎汤，15 ～ 30 g，大剂量可用至 45 g；或浸酒。外用适量，捣敷；或煎汤洗。孕妇慎服。

五加科 Araliaceae 树参属 Dendropanax

变叶树参

Dendropanax proteus (Champ.) Benth.

| 药 材 名 | 枫荷梨（药用部位：根、茎、树皮。别名：半枫荷、半荷枫、梨荷枫）。

| 形态特征 | 直立灌木，高 2 ~ 3 m。叶片革质、纸质或薄纸质，无腺点，叶形变异很大，不分裂叶片椭圆形、卵状椭圆形、椭圆状披针形、长圆状披针形至线状披针形或狭披针形，长 2.5 ~ 12 cm，有时更大，宽 1 ~ 7 cm，先端渐尖或长渐尖，稀急尖，基部楔形或阔楔形，有时钝，分裂叶片倒三角形，掌状 2 ~ 3 深裂，两面均无毛，边缘近先端处有细齿 2 ~ 3，有时中部以上全部有细齿，稀全缘，三出脉，有时不明显，中脉隆起，侧脉 5 ~ 9 对，稀超过 15 对，在上面微隆起，在下面稍明显至明显，网脉不明显；叶柄长 0.5 ~ 5 cm，无毛。伞形花序单生或 2 ~ 3 聚生，有花十余朵至数十朵或更多；总花梗

粗壮，长 0.5 ～ 2 cm，花梗长 0.5 ～ 1.5 cm；花一般长 3 mm，充分发育的花长可超过 5 mm；花萼长约 2 mm，边缘有 4 ～ 5 小齿；花瓣 4 ～ 5，卵状三角形，长 1.5 ～ 2 mm；雄蕊与花瓣同数，花丝甚短；子房 4 ～ 5 室，花柱合生成短柱状，长不及 1 mm。果实球形，平滑，直径 5 ～ 6 mm；宿存花柱长 1 ～ 1.5 mm。花期 8 ～ 9 月，果期 9 ～ 10 月。

| 生境分布 | 生于山谷溪边较阴湿的密林下或向阳山坡路旁。分布于湘中、湘东、湘南等。

| 资源情况 | 野生资源一般。药材来源于野生。

| 采收加工 | 秋、冬季采收，洗净，切片，鲜用或晒干。

| 功能主治 | 甘、辛，温。祛风除湿，活血消肿。用于风湿痹痛，偏瘫，头痛，月经不调，跌打损伤，疮肿。

| 用法用量 | 内服煎汤，15 ～ 30 g，大剂量可用至 45 g；或浸酒。外用适量，捣敷；或煎汤洗。孕妇慎服。

五加科 Araliaceae | 八角金盘属 Fatsia

八角金盘 *Fatsia japonica* (Thunb.) Decne. et Planch.

| 药 材 名 | 八角金盘（药用部位：叶、根皮）。

| 形态特征 | 常绿灌木或小乔木，高可达 5 m。茎光滑无刺。叶柄长 10 ～
30 cm；叶片大，革质，近圆形，直径 12 ～ 30 cm，掌状 7 ～ 9 深
裂，裂片长椭圆状卵形，先端短渐尖，基部心形，边缘有疏离粗锯
齿，上表面暗亮绿色，下面色较浅，有粒状突起，边缘有时呈金
黄色，侧脉在两面隆起，网脉在下面稍显著。圆锥花序顶生，长
20 ～ 40 cm；伞形花序直径 3 ～ 5 cm；花序轴被褐色绒毛；花萼近
全缘，无毛；花瓣 5，卵状三角形，长 2.5 ～ 3 mm，黄白色，无毛；
雄蕊 5，花丝与花瓣等长；子房下位，5 室，每室有 1 胚珠，花柱 5，
分离；花盘凸起，呈半圆形。果实近球形，直径 5 mm，成熟时黑色。

花期 10 ～ 11 月，果熟期翌年 4 月。

| **生境分布** | 生于林缘、道路两旁。栽培于庭园中。分布于湘中、湘东、湘北、湘西北、湘西南等。

| **资源情况** | 野生资源一般。栽培资源丰富。药材来源于栽培。

| **采收加工** | 夏、秋季采收叶，全年均可采收根皮，洗净，鲜用或晒干。

| **功能主治** | 辛、苦，温，有小毒。化痰止咳，祛风除湿，化瘀止痛。用于咳嗽痰多，风湿痹痛，痛风，跌打损伤。

| **用法用量** | 内服煎汤，1 ～ 3 g。外用适量，捣敷；或煎汤熏洗。

五加科 Araliaceae 常春藤属 *Hedera*

常春藤
Hedera nepalensis K. Koch var. *sinensis* (Tobl.) Rehd.

| 药 材 名 | 常春藤（药用部位：茎叶）、常春藤子（药用部位：果实）。

| 形态特征 | 常绿攀缘灌木。茎长 3 ～ 20 m，灰棕色或黑棕色，有气生根。一年生枝疏生锈色鳞片，鳞片通常有 10 ～ 20 辐射肋。叶片革质；不育枝上的叶通常呈三角状卵形或三角状长圆形，稀三角形或箭形，长 5 ～ 12 cm，宽 3 ～ 10 cm，先端短渐尖，基部截形，稀心形，全缘或 3 裂；花枝上的叶通常呈椭圆状卵形至椭圆状披针形，略歪斜而呈菱形，稀卵形或披针形，极稀阔卵形、圆卵形或箭形，长 5 ～ 16 cm，宽 1.5 ～ 10.5 cm，先端渐尖或长渐尖，基部楔形或阔楔形，稀圆形，全缘或 1 ～ 3 浅裂；叶上面深绿色，有光泽，下面淡绿色或淡黄绿色，无毛或疏生鳞片，侧脉和网脉在两面均明显；叶柄长 2 ～ 9 cm，有

鳞片；无托叶。伞形花序单个顶生，或 2 ~ 7 呈总状或伞房状排列成圆锥花序，直径 1.5 ~ 2.5 cm，有 5 ~ 40 花；总花梗长 1 ~ 3.5 cm，通常有鳞片；苞片小，三角形，长 1 ~ 2 mm；花梗长 0.4 ~ 1.2 cm；花淡黄白色或淡绿白色，芳香；花萼密生棕色鳞片，长约 2 mm，近全缘；花瓣 5，三角状卵形，长 3 ~ 3.5 mm，外面有鳞片；雄蕊 5，花丝长 2 ~ 3 mm，花药紫色；子房 5 室，花柱全部合生成柱状；花盘隆起，黄色。果实球形，红色或黄色，直径 7 ~ 13 mm；宿存花柱长 1 ~ 1.5 mm。花期 9 ~ 11 月，果期翌年 3 ~ 5 月。

| **生境分布** | 生于林缘树木、林下路旁、岩石和房屋墙壁上。栽培于庭园中。湖南有广泛分布。

| **资源情况** | 野生资源丰富。栽培资源丰富。药材来源于野生和栽培。

| **采收加工** | **常春藤：** 干用时宜在生长茂盛的季节采收，切段，晒干；鲜用时随采随用。
常春藤子： 果实成熟时采收，晒干。

| **功能主治** | **常春藤：** 辛、苦，平。祛风，利湿，和血，解毒。用于风湿痹痛，瘫痪，口眼㖞斜，衄血，月经不调，跌打损伤，咽喉肿痛，疔疖痈肿，肝炎，蛇虫咬伤。
常春藤子： 甘、苦，温。补肝肾，强腰膝，行气止痛。用于体虚羸弱，腰膝酸软，血痹，脘腹冷痛。

| **用法用量** | **常春藤：** 内服煎汤，6 ~ 15 g；或研末；或浸酒；或捣汁。外用适量，捣敷；或煎汤洗。脾虚便溏泄泻者慎服。
常春藤子： 内服煎汤，3 ~ 9 g；或浸酒。

五加科 Araliaceae 刺楸属 Kalopanax

刺楸
Kalopanax septemlobus (Thunb.) Koidz.

| 药 材 名 |

刺楸树皮（药用部位：树皮）、刺楸树根（药用部位：根或根皮）、刺楸树叶（药用部位：叶）、刺楸茎（药用部位：茎、枝）。

| 形态特征 |

落叶乔木，高约 10 m，最高可达 30 m，胸高直径超过 70 cm。树皮暗灰棕色；小枝淡黄棕色或灰棕色，散生粗刺；刺基部宽阔扁平，通常长 5 ~ 6 mm，基部宽 6 ~ 7 mm，在茁壮枝上的刺长超过 1 cm，宽超过 1.5 cm。叶片纸质，在长枝上互生，在短枝上簇生，圆形或近圆形，直径 9 ~ 25 cm，稀达 35 cm，掌状 5 ~ 7 浅裂，裂片阔三角状卵形至长圆状卵形，长不及全叶片的 1/2，茁壮枝上的叶片分裂较深，裂片长超过全叶片的 1/2，先端渐尖，基部心形，上面深绿色，无毛或近无毛，下面淡绿色，幼时疏生短柔毛，边缘有细锯齿，放射状主脉 5 ~ 7，在两面均明显；叶柄细长，长 8 ~ 50 cm，无毛。圆锥花序大，长 15 ~ 25 cm，直径 20 ~ 30 cm；伞形花序直径 1 ~ 2.5 cm，有花多数；总花梗细长，长 2 ~ 3.5 cm，无毛，花梗细长，无关节，无毛或稍有短柔毛，长 5 ~ 12 mm；花白色或淡绿黄色；花萼无毛，长约 1 mm，边缘有 5 小齿；花瓣 5，三角状卵形，长约 1.5 mm；雄蕊 5，花丝长 3 ～ 4 mm；子房 2 室，花柱合生成柱状，柱头离生；花盘隆起。果实球形，直径约 5 mm，蓝黑色；宿存花柱长 2 mm。花期 7 ～ 10 月，果期 9 ～ 12 月。

| 生境分布 | 生于向阳森林、灌木林中和林缘。湖南有广泛分布。

| 资源情况 | 野生资源丰富。栽培资源较少。药材来源于野生。

| 采收加工 | **刺楸树皮：**栽后 15 ～ 20 年，胸高直径超过 20 cm 时采收，全年均可采收，剥取树皮，洗净，晒干。
刺楸树根：夏末秋初采收，洗净，切片，鲜用或晒干。
刺楸树叶：夏、秋季采收，鲜用。
刺楸茎：全年均可采收，洗净，切片，鲜用或晒干。

| 功能主治 | **刺楸树皮：**辛、苦，凉。祛风除湿，活血止痛，杀虫止痒。用于风湿痹痛，肢体麻木，风火牙痛，跌打损伤，骨折，痈疽疮肿，口疮，痔肿，疥癣。
刺楸树根：苦、微辛，平。凉血散瘀，祛风除湿，解毒。用于肠风下血，风湿热痹，跌打损伤，骨折，周身浮肿，疮疡肿毒，瘰疬，痔疮。
刺楸树叶：辛、微甘，平。解毒消肿，祛风止痒。用于疮疡肿痛或溃破，风疹瘙痒，风湿痛，跌打肿痛。
刺楸茎：辛，平。祛风除湿，活血止痛。用于风湿痹痛，胃痛。

| 用法用量 | **刺楸树皮：**内服煎汤，9 ～ 15 g；或浸酒。外用适量，煎汤洗；或捣敷；或研末调敷。孕妇慎服。
刺楸树根：内服煎汤，9 ～ 15 g；或浸酒。外用适量，捣敷；或煎汤洗。脾胃虚寒者及孕妇慎服。
刺楸树叶：外用适量，煎汤洗；或捣烂，炒热敷。
刺楸茎：内服煎汤，9 ～ 15 g。外用适量，煎汤洗。孕妇慎服。

五加科 Araliaceae 大参属 Macropanax

短梗大参
Macropanax rosthornii (Harms) C. Y. Wu ex Hoo

| 药 材 名 | 七角风（药用部位：根、叶）。

| 形态特征 | 常绿灌木或小乔木，高 2 ~ 9 m，胸高直径 20 cm。枝暗棕色，小枝淡黄棕色，无毛。叶有 3 ~ 5 小叶，稀 7 小叶；叶柄长 2 ~ 20 cm 或更长；小叶片纸质，倒卵状披针形，长 6 ~ 18 cm，宽 1.2 ~ 3.5 cm，先端短渐尖或长渐尖，尖头长 1 ~ 3 cm，基部楔形，上面深绿色，下面淡绿白色，两面均无毛，边缘疏生钝齿或锯齿，齿有小尖头，侧脉 8 ~ 10 对，在两面明显，网脉不明显；小叶柄长 0.3 ~ 1 cm，稀长达 1.5 cm。圆锥花序顶生，长 15 ~ 20 cm，主轴和分枝无毛；伞形花序直径约 1.5 cm，有 5 ~ 10 花；总花梗长 0.8 ~ 1.5 cm，无毛，花梗长 3 ~ 5 mm，稀长 7 ~ 8 mm，无毛；花

白色；花萼长约 1.5 mm，无毛，近全缘；花瓣 5，三角状卵形，长 1.5 mm；雄蕊 5，花丝长 2 ~ 2.5 mm；子房 2 室，花柱合生成柱状，先端 2 浅裂；花盘隆起，半球形。果实卵球形，长约 5 mm；宿存花柱长 1.5 ~ 2 mm。花期 7 ~ 9 月，果期 10 ~ 12 月。

| **生境分布** | 生于海拔 500 ~ 1 300 m 的森林、灌丛和林缘路旁。分布于湘中、湘东、湘北、湘西北等。

| **资源情况** | 野生资源一般。药材来源于野生。

| **采收加工** | 根，秋、冬季采挖，洗净，切片，鲜用或晒干。叶，夏、秋季采收，鲜用。

| **功能主治** | 甘，平。祛风除湿，化瘀通络，健脾。用于风湿痹痛，跌打伤肿，骨折，疳积。

| **用法用量** | 内服煎汤，9 ~ 15 g。

五加科 Araliaceae 梁王茶属 Nothopanax

异叶梁王茶 *Nothopanax davidii* (Franch.) Harms ex Diels

| **药 材 名** | 树五加（药用部位：茎皮、根皮、叶）。 |

| **形态特征** | 灌木或乔木，高 2 ~ 12 m。叶为单叶，稀为在同一枝上有 3 小叶的掌状复叶；叶柄长 5 ~ 20 cm；叶片薄革质至厚革质，长圆状卵形至长圆状披针形或三角形至卵状三角形，不分裂、掌状 2 ~ 3 浅裂或深裂，长 6 ~ 21 cm，宽 2.5 ~ 7 cm，先端长渐尖，基部阔楔形或圆形，有主脉 3，上面深绿色，有光泽，下面淡绿色，两面均无毛，边缘疏生细锯齿，有时为锐尖锯齿，侧脉 6 ~ 8 对，在上面明显，在下面不明显，网脉不明显；小叶片披针形；小叶柄近无。圆锥花序顶生，长达 20 cm；伞形花序直径约 2 cm，有 10 余花；总花梗长 1.5 ~ 2 cm，花梗有关节，长 7 ~ 10 mm；花白色或淡黄色，芳香； |

花萼无毛，长约 1.5 mm，边缘有 5 小齿；花瓣 5，三角状卵形，长约 1.5 mm；雄蕊 5，花丝长约 1.5 mm；子房 2 室，花柱 2，合生至中部，上部离生，反曲；花盘稍隆起。果实球形，侧扁，直径 5 ~ 6 mm，黑色；宿存花柱长 1.5 ~ 2 mm。花期 6 ~ 8 月，果期 9 ~ 11 月。

| 生境分布 | 生于疏林或阳性灌木林中、林缘、路边和岩石上。分布于湘西北、湘西南、湘南等。

| 资源情况 | 野生资源一般。药材来源于野生。

| 采收加工 | 茎皮、根皮，秋、冬季采收，洗净，切片，鲜用或晒干。叶，夏、秋季采收，鲜用。

| 药材性状 | 本品茎皮呈不规则块片状，外表面粗糙，深棕色或灰棕色，内表面黄白色，有细纵纹。质硬脆。气微香，味甘、微苦，凉。以质干脆、气浓者为佳。

| 功能主治 | 苦、微辛，凉。祛风除湿，活血止痛。用于风湿痹痛，劳伤腰痛，跌打损伤，骨折，月经不调。

| 用法用量 | 内服煎汤，6 ~ 15 g；或浸酒。外用适量，捣敷；或煎汤洗。

| 附　　注 | 本种的拉丁学名在 FOC 中被修订为 *Metapanax davidii* (Franchet) J. Wen et Frodin。

五加科 Araliaceae 梁王茶属 Nothopanax

掌叶梁王茶
Nothopanax delavayi (Franch.) Harms ex Diels

| 药 材 名 | 梁王茶（药用部位：树皮、叶。别名：良旺茶）。

| 形态特征 | 灌木，高 1 ~ 5 m。叶为掌状复叶，稀为单叶；叶柄长 4 ~ 12 cm；小叶片 3 ~ 5，稀 2 或 7，长圆状披针形至椭圆状披针形，长 6 ~ 12 cm，宽 1 ~ 2.5 cm，先端渐尖至长渐尖，基部楔形，上面绿色，下面淡绿色，两面均无毛，边缘疏生钝齿或近全缘，侧脉 6 ~ 8 对，在上面明显，在下面不明显，网脉不明显；小叶柄长 1 ~ 10 mm。圆锥花序顶生，长约 15 cm；伞形花序直径约 2 cm，有 10 余花；总花梗长 1 ~ 1.5 cm；苞片卵形，膜质，长约 2 mm，早落，小苞片长约 1 mm，三角形，早落；花梗有关节，长 8 ~ 10 mm；花白色；花萼无毛，长约 1 mm，边缘有 5 三角形小齿；花瓣 5，三角状

卵形，长约 1.5 mm；雄蕊 5，花丝长 2.5 ~ 3 mm；子房 2 室，花柱 2，基部合生，先端离生；花盘稍隆起。果实球形，侧扁，直径约 5 mm；宿存花柱长 2.5 ~ 3 mm。花期 9 ~ 10 月，果期 12 月至翌年 1 月。

| **生境分布** | 生于森林或灌丛中。分布于湖南株洲（渌口区）、岳阳（平江）、张家界（武陵源）、怀化（新晃）、郴州（桂东）等。

| **资源情况** | 野生资源较少。药材来源于野生。

| **采收加工** | 全年均可采收，洗净，切片，晒干；叶多鲜用。

| **功能主治** | 甘、苦，凉。清热解毒，活血舒筋。用于咽喉肿痛，目赤肿痛，消化不良，月经不调，风湿腰腿痛，跌打损伤，骨折。

| **用法用量** | 内服煎汤，9 ~ 15 g；或代茶饮；或浸酒。外用适量，捣敷。

五加科 Araliaceae 人参属 Panax

竹节参
Panax japonicus C. A. Mey.

| 药 材 名 | 竹节参（药用部位：根茎。别名：竹节人参）、竹节参叶（药用部位：叶。别名：竹节人参叶）。

| 形态特征 | 多年生草本，高 50 ～ 80 cm 或更高。根茎横卧，呈竹鞭状，肉质肥厚，白色，结节间具凹陷茎痕。叶为掌状复叶，3 ～ 5 轮生于茎顶；叶柄长 8 ～ 11 cm；小叶通常 5，膜质，倒卵状椭圆形至长圆状椭圆形，长 5 ～ 18 cm，宽 2 ～ 6.5 cm，先端渐尖，稀长尖，基部楔形至近圆形，边缘具细锯齿或重锯齿，上面脉上无毛或疏生刚毛，下面无毛或疏生密毛。伞形花序单生于茎顶，有花 50 ～ 80 或更多；总花梗长 12 ～ 20 cm，无毛或有疏短柔毛；花小，淡绿色；小花梗长约 10 mm；花萼绿色，先端 5 齿，齿三角状卵形；花瓣 5，

长卵形，覆瓦状排列；雄蕊 5，花丝较花瓣短；子房下位，2 ~ 5 室，花柱 2 ~ 5，中部以下连合，上部分离，果时外弯。核果状浆果，球形，成熟时红色，直径 5 ~ 7 mm；种子 2 ~ 5，白色，三角状长卵形，长约 4.5 mm。花期 5 ~ 6 月，果期 7 ~ 9 月。

| 生境分布 | 生于山谷阔叶林中。分布于湘中、湘东、湘北、湘西北、湘南等。

| 资源情况 | 野生资源一般。药材来源于野生。

| 采收加工 | **竹节参**：秋季采挖，除去主根和外皮，晒干。

竹节参叶：秋季采收，鲜用或晒干。

| 功能主治 | **竹节参**：甘、微苦，温。散瘀止血，消肿止痛，祛痰止咳，补虚强壮。用于痨嗽咯血，跌仆损伤，咳嗽痰多，病后虚弱。

竹节参叶：苦、微甘，微寒。清热解暑，生津利咽。用于暑热伤津，口干舌燥，心烦神倦，咽痛音哑，虚火牙痛，脱发。

| 用法用量 | **竹节参**：内服煎汤，6 ~ 9 g。

竹节参叶：内服煎汤，3 ~ 12 g；或代茶饮。外用适量，煎汤洗；或鲜品捣敷。

五加科 Araliaceae 人参属 Panax

珠子参
Panax japonicus C. A. Mey. var. *major* (Burk.) C. Y. Wu et K. M. Feng

| 药 材 名 | 珠子参（药用部位：根茎。别名：珠儿参、鸡腰参）。

| 形态特征 | 多年生草本。根茎竹鞭状或串珠状或兼有竹鞭状和串珠状；根通常不膨大，纤维状，稀侧根膨大成圆柱状肉质根。中央小叶片阔椭圆形、椭圆形、椭圆状卵形至倒卵状椭圆形，稀长圆形或椭圆状长圆形，最宽处常在根部，长为宽的 2 ～ 4 倍，先端渐尖或长渐尖，基部楔形、圆形或近心形，边缘有细锯齿、重锯齿或缺刻状锯齿，上面脉上无毛或疏生刚毛，下面无毛或脉上疏生刚毛或密生柔毛。

| 生境分布 | 生于海拔 1 200 ～ 2 000 m 的林下或灌丛草坡中。分布于湘南等。

| 资源情况 | 野生资源较少。药材来源于野生。

| **采收加工** | 秋季采挖，除去粗皮和须根，干燥或蒸（煮）透后干燥。

| **药材性状** | 本品略呈扁球形、圆锥形或不规则菱角形，稀呈连珠状，直径 0.5 ～ 2.8 cm。表面棕黄色或黄褐色，有明显的疣状突起及皱纹，偶有圆形凹陷的茎痕，有的一侧或两侧残存细的节间。质坚硬，断面不平坦，淡黄白色，粉性；气微，味苦、微甘，嚼之刺喉。蒸（煮）者断面黄白色或黄棕色，略呈角质样；味微苦、微甘，嚼之不刺喉。

| **功能主治** | 苦、甘，微寒。补肺养阴，祛瘀止痛，止血。用于气阴两虚，烦热口渴，虚劳咳嗽，跌仆损伤，关节痹痛，咯血，吐血，衄血，崩漏，外伤出血。

| **用法用量** | 内服煎汤，3 ～ 9 g。外用适量，研末敷。

| **附　注** | 在《中国植物志》中，珠子参药材包括大叶三七 *Panax pseudoginseng* Wall. var. *japonicas* (C. A. Mey.) Hoo et Tseng、秀丽假人参 *Panax pseudoginseng* Wall. var. *elegantior* (Burk.) Hoo et Tseng 的根茎。

五加科 Araliaceae 鹅掌柴属 Schefflera

短序鹅掌柴 Schefflera bodinieri (Lévl.) Rehd.

| 药 材 名 | 川黔鸭脚木（药用部位：茎皮、根皮）。

| 形态特征 | 灌木或小乔木，高 1 ~ 5 m。小枝棕紫色或红紫色，被很快脱净的星状短柔毛。叶有 6 ~ 9 小叶，稀 11 小叶；叶柄长 9 ~ 18 cm，无毛；小叶片膜质、薄纸质或坚纸质，长圆状椭圆形、披针状椭圆形、披针形至线状披针形，长 11 ~ 15 cm，宽 1 ~ 5 cm，先端长渐尖，尖头有时呈镰状，基部阔楔形至钝，两面均无毛或下面有极稀疏的白色星状短柔毛，边缘疏生细锯齿或波状钝齿，稀全缘，中脉仅在下面隆起，侧脉 5 ~ 16 对，在上面隐约可见，在下面较清晰，网脉不明显；小叶柄长 0.2 ~ 6 cm，中央小叶柄较长，两侧小叶柄较短，无毛。圆锥花序顶生，长不及 15 cm，稀长达 30 cm，主轴和分枝有

灰白色星状短柔毛，不久毛脱落至近无毛；伞形花序单个顶生或数个总状排列于分枝上，有约 20 花；苞片早落；总花梗长 1 ～ 2 cm，花梗长 4 ～ 5 mm，均疏生灰白色星状短柔毛；小苞片线状长圆形，长约 3 mm，外面有毛，宿存；花白色；花萼长 2 ～ 2.5 mm，有灰白色星状短柔毛，边缘有 5 齿；花瓣 5，长约 3 mm，有羽状脉纹，外面有灰白色星状短柔毛，毛很快脱净；雄蕊 5，略露出花瓣外；子房 5 室，花柱合生成柱状，长约 1 mm，结实时长超过 2 mm；花盘略隆起。果实球形或近球形，近无毛，红色，直径 4 ～ 5 mm；种子的胚乳稍呈嚼烂状。花期 11 月，果期翌年 4 月。

| 生境分布 | 生于海拔 400 ～ 1 000 m 的密林中。分布于湘西北等。

| 资源情况 | 野生资源较少。药材来源于野生。

| 采收加工 | 夏、秋季采收，晒干。

| 功能主治 | 微苦，平。祛风除湿，行气止痛。用于风湿痹痛，肾虚腰痛，胃痛，跌打肿痛。

| 用法用量 | 内服煎汤，9 ～ 15 g；或浸酒。

五加科 Araliaceae 鹅掌柴属 Schefflera

穗序鹅掌柴 *Schefflera delavayi* (Franch.) Harms ex Diels

| 药 材 名 | 大泡通（药用部位：根或根皮、枝条。别名：大加皮）、大泡通叶（药用部位：叶）、大泡通皮（药用部位：茎皮）。

| 形态特征 | 乔木或灌木，高 3 ~ 8 m。小枝粗壮，幼时密生黄棕色星状绒毛，不久毛即脱净；髓白色，薄片状。叶有 4 ~ 7 小叶；叶柄长 4 ~ 16 cm，最长可达 70 cm，幼时密生星状绒毛，成长后除基部外其余部分无毛；小叶片纸质至薄革质，稀革质，形状变化很大，呈椭圆状长圆形、卵状长圆形、卵状披针形或长圆状披针形，稀线状长圆形，长 6 ~ 20 cm，最长可达 35 cm，宽 2 ~ 8 cm 或稍宽，先端急尖至短渐尖，基部钝至圆形，有时截形，上面无毛，下面密生灰白色或黄棕色星状绒毛，老时毛变稀，全缘或疏生不规则的牙齿，有

时有不规则缺刻或羽状分裂，中脉在下面隆起，侧脉 8 ~ 12 对，有时超过 15 对，在上面平坦或微隆起，在下面稍隆起，网脉在上面稍下陷，稀平坦，在下面为绒毛掩盖而不明显；小叶柄粗壮，不等长，中央小叶柄较长，两侧小叶柄较短，被毛同叶柄。花无梗，密集排列成穗状花序，再组成长超过 40 cm 的大圆锥花序，主轴和分枝幼时均密生星状绒毛，后毛渐脱净；苞片及小苞片三角形，均密生星状绒毛；花白色；花萼长 1.5 ~ 2 mm，疏生星状短柔毛，有 5 齿；花瓣 5，三角状卵形，无毛；花丝长约 3 mm；子房 4 ~ 5 室，花柱合生成柱状，长不及 1 mm，柱头不明显；花盘隆起。果实球形，紫黑色，直径约 4 mm，近无毛；宿存花柱长 1.5 ~ 2 mm，柱头头状。花期 10 ~ 11 月，果期翌年 1 月。

| **生境分布** | 生于山谷溪边的常绿阔叶林中、阴湿的林缘或疏林中。湖南有广泛分布。

| **资源情况** | 野生资源丰富。药材来源于野生。

| **采收加工** | **大泡通**：全年均可采收，鲜用或晒干。
　　　　　　　大泡通叶：全年均可采收，鲜用或晒干。
　　　　　　　大泡通皮：全年均可采收，剥取茎皮，鲜用。

| **功能主治** | **大泡通**：微苦、涩，平。祛风活络，强筋健骨，行气活血。用于风湿痹痛，腰膝酸痛，跌打肿痛，胸胁、脘腹胀痛。
　　　　　　　大泡通叶：苦、涩，微寒。祛风除湿，解毒敛疮。用于风疹，湿疹，皮炎，皮肤皲裂。
　　　　　　　大泡通皮：苦、涩，微寒。祛风除湿，舒筋活络。用于风湿痹痛，跌打损伤，骨折。

| **用法用量** | **大泡通**：内服煎汤，9 ~ 30 g；或浸酒。外用适量，煎汤洗；或捣敷。
　　　　　　　大泡通叶：外用适量，捣敷。
　　　　　　　大泡通皮：内服煎汤，15 ~ 30 g。

五加科 Araliaceae 鹅掌柴属 Schefflera

星毛鸭脚木
Schefflera minutistellata Merr. ex Li

| 药 材 名 | 星毛鸭脚木（药用部位：茎、根或根皮）。

| 形态特征 | 灌木或小乔木，高 2 ~ 6 m。当年生小枝粗壮，密生黄棕色星状绒
毛，不久毛即脱净；髓白色，薄片状。叶有 7 ~ 15 小叶；叶柄长
12 ~ 45 cm，最长可达 66 cm，幼时密生星状绒毛，后变无毛；小
叶片纸质至薄革质，卵状披针形至长圆状披针形，稀长圆状椭圆
形，长 10 ~ 16 cm 或更长，宽 4 ~ 6 cm，先端急尖至渐尖，基部
钝至圆形，稍歪斜，上面无毛，下面密生灰色小星状绒毛，老时毛
脱落至无毛，全缘，稍反卷，有时近先端有细齿，侧脉 6 ~ 10 对，
在上面平坦，在下面微隆起，网脉在上面不明显至略明显，在下面
不明显；小叶柄极不等长，中央小叶柄长 3 ~ 7 cm，两侧小叶柄长

1 ～ 1.5 cm，被毛同叶柄。圆锥花序顶生，长 20 ～ 40 cm，主轴和分枝幼时密生黄棕色星状绒毛，后毛渐脱落而呈淡黄灰色；分枝疏散，上部分枝较短，长 4 ～ 8 cm，通常仅先端着生伞形花序 1，下部分枝较长，最长达 30 cm，先端有较大的伞形花序 1，直径约 2 cm，其下有较小的伞形花序几个至 10 余个；伞形花序有花 10 ～ 30；总花梗长 2.5 ～ 3 cm，总花梗、花梗、花萼多少被淡黄灰色星状绒毛；苞片三角形，长 2 ～ 3 mm；花梗长 5 ～ 6 mm，结实时长可达 1 cm；花萼倒圆锥形，长 1.5 ～ 2 mm；萼齿 5，三角形；花瓣三角形至三角状卵形，长 2 ～ 3 mm，无毛；雄蕊 5，花丝长 3 ～ 4 mm；子房 5 室，花柱合生成柱状，长 1 mm；花盘扁平。果实球形，有 5 棱，直径 4 mm，有毛或近无毛，有宿存的萼齿；宿存花柱长约 2 mm，柱头头状。花期 9 月，果期 10 月。

| 生境分布 | 生于海拔 1 000 ～ 1 800 m 的山地林中。分布于湘中、湘东、湘西南、湘南等。

| 资源情况 | 野生资源较少。药材来源于野生。

| 采收加工 | 夏、秋季采收，晒干或鲜用。

| 功能主治 | 辛、苦，温。发散风寒，活血止痛。用于风寒感冒，风湿痹痛，脘腹胀痛，跌打肿痛，骨折，劳伤疼痛。

| 用法用量 | 内服煎汤，9 ～ 15 g；或浸酒。外用适量，捣敷。

| 附　注 | 本种的拉丁学名在 FOC 中被修订为 *Heptapleurum minutistellatum* (Merr. ex H. L. Li) Y. F. Deng

五加科 Araliaceae 通脱木属 Tetrapanax

通脱木 *Tetrapanax papyrifer* (Hook.) K. Koch

| 药 材 名 | 通草（药用部位：茎髓）。

| 形态特征 | 常绿灌木或小乔木，高 1 ～ 3.5 m，基部直径 6 ～ 9 cm。树皮深棕色，略有皱裂；新枝淡棕色或淡黄棕色，有明显的叶痕和大型皮孔，幼时密生黄色星状厚绒毛，后毛渐脱落。叶大，集生于茎顶；叶片纸质或薄革质，长 50 ～ 75 cm，宽 50 ～ 70 cm，掌状 5 ～ 11 裂，裂片长通常为叶片的 1/3 或 1/2，稀达 2/3，倒卵状长圆形或卵状长圆形，通常再分裂为 2 ～ 3 小裂片，先端渐尖，上面深绿色，无毛，下面密生白色厚绒毛，全缘或疏生粗齿，侧脉和网脉不明显；叶柄粗壮，长 30 ～ 50 cm，无毛；托叶和叶柄基部合生，锥形，长 7.5 cm，密生淡棕色或白色厚绒毛。圆锥花序长 50 cm 或更长，分枝多，

长 15 ~ 25 cm；苞片披针形，长 1 ~ 3.5 cm，密生白色或淡棕色星状绒毛；伞形花序直径 1 ~ 1.5 cm，有花多数；总花梗长 1 ~ 1.5 cm，花梗长 3 ~ 5 mm，均密生白色星状绒毛；小苞片线形，长 2 ~ 6 mm；花淡黄白色；花萼长 1 mm，全缘或近全缘，密生白色星状绒毛；花瓣 4，稀 5，三角状卵形，长 2 mm，外面密生星状厚绒毛；雄蕊和花瓣同数，花丝长约 3 mm；子房 2 室，花柱 2，离生，先端反曲。果实直径约 4 mm，球形，紫黑色。花期 10 ~ 12 月，果期翌年 1 ~ 2 月。

| **生境分布** | 生于土壤肥厚的向阳处。栽培于庭园中。湖南有广泛分布。

| **资源情况** | 野生资源丰富。栽培资源丰富。药材来源于野生和栽培。

| **采收加工** | 秋季采收生长 3 年以上的植株的地上茎，切段，取出髓心，理直，晒干。

| **药材性状** | 本品呈圆柱形，长 20 ~ 40 cm，直径 1 ~ 2.5 cm。表面白色或淡黄色，有浅纵沟纹。体轻，质松软，稍有弹性，易折断，断面平坦，银白色，有光泽，中部有直径 0.3 ~ 1.5 cm 的空心或半透明的薄膜，纵剖面呈梯状排列，实心者少见。气微，味淡。

| **功能主治** | 甘、淡，微寒。清热利尿，通气下乳。用于湿热淋证，水肿尿少，乳汁不下。

| **用法用量** | 内服煎汤，3 ~ 5 g。孕妇慎服。

伞形科 Apiaceae 羊角芹属 Aegopodium

巴东羊角芹 *Aegopodium henryi* Diels

| 药 材 名 |　巴东羊角芹（药用部位：全草或根）。

| 形态特征 |　直立草本，高 45 ~ 100 cm。茎圆柱形，有条纹，近光滑，上部稍
有分枝。基生叶有长柄，叶柄下部有膜质叶鞘，叶片呈阔三角形，
长约 14 cm，三出式 2 ~ 3 回羽状分裂，末回裂片披针形，基部近
截形至楔形，先端长渐尖或尾尖，边缘有不规则的锯齿；最上部的
茎生叶 1 回羽状分裂，叶柄鞘状。复伞形花序顶生或侧生；花序梗
长 6 ~ 20 cm；无总苞片和小总苞片；伞幅 8 ~ 18，长 2.5 ~ 4.5 cm，
粗糙；小伞形花序有多数小花；花梗不等长；萼齿退化；花瓣白色，
倒卵形，先端有内折的小舌片；花柱基圆锥形，花柱向下反折。果
实长圆状卵形或长卵形，长 3 ~ 3.5 mm，宽 1.5 ~ 2 mm，主棱纤细；

分生果横剖面近圆形；胚乳腹面平直；心皮柄先端 2 浅裂。花果期 6 ~ 8 月。

| 生境分布 | 生于海拔 500 ~ 1 650 m 的山坡。分布于湘西南等。

| 资源情况 | 野生资源较少。药材来源于野生。

| 采收加工 | 夏季采收，鲜用或晒干。

| 功能主治 | 用于眩晕；根还用于风湿骨痛。

| 用法用量 | 内服煎汤，6 ~ 15 g。外用适量，捣汁搽。

重齿当归

Angelica biserrata (Shan et Yuan) Yuan et Shan

| 药 材 名 | 独活（药用部位：根）。

| 形态特征 | 多年生高大草本。根类圆柱形，棕褐色，长达 15 cm，直径 1 ～ 2.5 cm，有特殊香气。茎高 1 ～ 2 m，直径 1.5 cm，中空，常带紫色，光滑或稍有浅纵沟纹，上部有短糙毛。叶三出式 2 回羽状全裂，宽卵形，长 20 ～ 30（～ 40）cm，宽 15 ～ 25 cm；茎生叶叶柄长 30 ～ 50 cm，基部膨大成长 5 ～ 7 cm 的长管状半抱茎的厚膜质叶鞘，开展，背面无毛或稍被短柔毛，末回裂片膜质，卵圆形至长椭圆形，长 5.5 ～ 18 cm，宽 3 ～ 6.5 cm，先端渐尖，基部楔形，边缘有不整齐的尖锯齿或重锯齿，齿端有内曲的短尖头，顶生末回裂片多 3 深裂，基部常沿叶轴下延成翅状，侧生末回裂片具短柄或无

柄，两面沿叶脉及边缘有短柔毛；最上部的叶简化成囊状膨大的叶鞘，无毛，偶疏被短毛。复伞形花序顶生和侧生；花序梗长 5 ~ 16（~ 20）cm，密被短糙毛；总苞片 1，长钻形，有缘毛，早落；伞幅 10 ~ 25，长 1.5 ~ 5 cm，密被短糙毛；伞形花序有花 17 ~ 28（~ 36）；小总苞片 5 ~ 10，阔披针形，较花梗短，先端长尖，背面及边缘被短毛；花白色；无萼齿；花瓣倒卵形，先端内凹；花柱基扁圆盘状。果实椭圆形，长 6 ~ 8 mm，宽 3 ~ 5 mm，侧翅与果体等宽或较果体略狭，背棱线形，隆起，棱槽间有油管（1 ~）2 ~ 3，合生面有油管 2 ~ 4（~ 6）。花期 8 ~ 9 月，果期 9 ~ 10 月。

| 生境分布 | 生于阴湿山坡、林下草丛或稀疏灌丛中。分布于湖南长沙（长沙）、郴州（北湖）、永州（双牌）等。

| 资源情况 | 野生资源较少。药材来源于野生。

| 采收加工 | 育苗移栽的当年 10 ~ 11 月采挖，直播的 2 年后采挖，除去枯萎的茎、叶，抖去泥土，摊开晾干水汽，用柴火熏炕至五成干，将每枝顺直捏拢，扎成小捆，炕至全干。

| 药材性状 | 本品根头及主根粗短，略呈圆柱形，长 1.5 ~ 4 cm，直径 1.5 ~ 2.5 cm，下部有数条弯曲的支根，支根长 12 ~ 30 cm，直径 0.5 ~ 1.5 cm；根头部有环纹，具多列环状叶柄痕，中央为凹陷的茎痕。表面粗糙，灰棕色，具不规则的纵皱纹及横裂纹，并有多数横长皮孔及细根痕。质坚硬，断面灰黄白色，形成层环棕色，皮部有棕色油点（油管），木部黄棕色；根头横断面有大型髓部，有油点。香气特异，味苦、辛，嚼之微麻舌。

| 功能主治 | 用于风寒湿痹，腰膝酸痛，头痛，齿痛，痈疡漫肿等。

| 用法用量 | 内服煎汤，3 ~ 9 g。阴虚内热者不宜用。

伞形科 Apiaceae 当归属 Angelica

白芷

Angelica dahurica (Fisch. ex Hoffm.) Benth. et Hook. f. ex Franch. et Sav.

| 药 材 名 | 白芷（药用部位：根。别名：芳香、香白芷）。

| 形态特征 | 多年生高大草本，高 1 ~ 2.5 m。根圆柱形，有分枝，直径 3 ~ 5 cm，外表皮黄褐色至褐色，有浓烈气味。茎基部直径 2 ~ 5 cm，有时 7 ~ 8 cm，通常带紫色，中空，有纵长沟纹。基生叶 1 回羽状分裂，有长柄，叶柄下部有管状抱茎、边缘膜质的叶鞘；茎上部的叶 2 ~ 3 回羽状分裂，叶片卵形至三角形，长 15 ~ 30 cm，宽 10 ~ 25 cm，叶柄长达 15 cm，下部为囊状膨大的膜质叶鞘，无毛，稀有毛，常带紫色，末回裂片长圆形、卵形或线状披针形，多无柄，长 2.5 ~ 7 cm，宽 1 ~ 2.5 cm，先端急尖，边缘有不规则的白色软骨质粗锯齿，具短尖头，基部两侧常不等大，沿叶轴下延成翅状；花序下方

的叶简化成无叶的明显膨大的囊状叶鞘，外面无毛。复伞形花序顶生或侧生，直径 10 ~ 30 cm；花序梗长 5 ~ 20 cm，花序梗、伞幅和花梗均有短糙毛；伞幅 18 ~ 40，中央主伞有时伞幅多至 70；总苞片通常缺或 1 ~ 2，呈长卵形膨大的鞘；小总苞片 5 ~ 10 或更多，线状披针形，膜质；花白色；无萼齿；花瓣倒卵形，先端内曲成凹头状；子房无毛或有短毛，花柱较短圆锥状花柱基长 2 倍。果实长圆形至卵圆形，黄棕色，有时带紫色，长 4 ~ 7 mm，宽 4 ~ 6 mm，无毛，背棱扁，厚而钝圆，近海绵质，较棱槽宽，侧棱翅状，较果体狭，棱槽中有油管 1，合生面有油管 2。花期 7 ~ 8 月，果期 8 ~ 9 月。

| 生境分布 | 生于潮湿草甸、灌丛及河沟两旁砂土中。分布于湖南长沙（宁乡）、湘潭（雨湖、岳塘）、岳阳（华容、平江）、常德（澧县、临澧）、张家界（慈利）、益阳（南县、桃江）、永州（蓝山）等。

| 资源情况 | 野生资源丰富。药材来源于野生和栽培。

| 采收加工 | 春播者当年 10 月中、下旬采挖，秋播者翌年 8 月下旬叶枯萎时采挖，抖去泥土，晒干或烘干。

| 药材性状 | 本品呈长圆锥形，长 10 ~ 25 cm，直径 1.5 ~ 2.5 cm，表面灰棕色或黄棕色，上部钝四棱形或近圆形，具纵皱纹、支根痕及皮孔样横向突起，突起有的排列成 4 纵行，先端有凹陷的茎痕。质坚实，断面白色或灰白色，粉性，形成层环棕色，近方形或近圆形，皮部散有多数棕色油点。气芳香，味辛、微苦。

| 功能主治 | 祛风除湿，通窍止痛，消肿排脓。用于感冒头痛，眉棱骨痛，牙痛，鼻渊，湿盛久泻，带下，痈疽疮疡，毒蛇咬伤。

| 用法用量 | 内服煎汤，3 ~ 10 g；或入丸、散剂。外用适量，研末撒或调敷。

伞形科 Apiaceae 当归属 *Angelica*

杭白芷

Angelica dahurica 'Hangbaizhi' C. Q. Yuan et Shan

药 材 名

白芷（药用部位：根。别名：苻蓠、泽芳、香白芷）。

形态特征

多年生高大草本。高 1 ~ 1.5 m。根圆锥形，有分枝，直径 3 ~ 5 cm，灰棕色，有浓烈气味。茎及叶鞘多为黄绿色，茎基部直径 2 ~ 5 cm，有时可达 7 ~ 8 cm，中空，有纵长沟纹。基生叶 1 回羽状分裂，有长柄，叶柄下部有管状抱茎、边缘膜质的叶鞘；茎上部叶 2 ~ 3 回羽状分裂，叶片卵形至三角形，长 15 ~ 30 cm，宽 10 ~ 25 cm，叶柄长至 15 cm，下部为囊状膨大的膜质叶鞘，无毛或有毛，常带紫色；末回裂片长圆形，卵形或线状披针形，多无柄，长 2.5 ~ 7 cm，宽 1 ~ 2.5 cm，急尖，边缘有不规则的白色软骨质粗锯齿，具短尖头，基部两侧常不等大，沿叶轴下延成翅状；花序下方的叶简化成无叶、显著膨大的囊状叶鞘，外面无毛。复伞形花序顶生或侧生，直径 10 ~ 30 cm，花序梗长 5 ~ 20 cm，花序梗、伞幅和花梗均有短糙毛；伞幅 18 ~ 40，中央主伞有时伞幅多至 70；总苞片通常缺或 1 ~ 2，为长卵形膨大的鞘；小总苞片 5 ~ 10 或更多，线状披针形，膜质，花白色；无萼齿；花瓣倒卵形，先端内曲成凹头状；子房无毛或有短毛，花柱比短圆锥状的花柱基长 2 倍。果实长圆形至卵圆形，黄棕色，有时带紫色，长 4 ～ 7 mm，宽 4 ～ 6 mm，无毛，背棱扁，厚而钝圆，近海绵质，远较棱槽为宽，侧棱翅状，较果体狭；棱槽中有油管 1，合生面有油管 2。花期 7 ～ 8 月，果期 8 ～ 9 月。

| 生境分布 | 栽培于丘陵、平原。分布于湖南株洲（茶陵）、岳阳（华容）等地。

| 资源情况 | 栽培资源一般。药材来源于栽培。

| 采收加工 | 夏、秋季间叶黄时采挖，除去须根和泥沙，晒干或低温干燥。

| 药材性状 | 本品呈长圆锥形，长 10 ～ 25 cm，直径 1.5 ～ 2.5 cm。表面灰棕色或黄棕色，根头部钝四棱形或近圆形，具纵皱纹、支根痕及皮孔样的横向突起，有的排列成 4 纵行，先端有凹陷的茎痕。质坚实，断面白色或灰白色，粉性，形成层环棕色，近方形或近圆形，皮部散有多数棕色油点。气芳香，味辛、微苦。

| 功能主治 | 辛，温。归胃、大肠、肺经。解表散寒，祛风止痛，宣通鼻窍，燥湿止带，消肿排脓。用于感冒头痛，眉棱骨痛，鼻塞流涕，鼻衄，鼻渊，牙痛，带下，疮疡肿痛。

| 用法用量 | 内服煎汤，3 ～ 10 g；或入丸、散剂。外用适量，研末撒或调敷。

伞形科 Apiaceae 当归属 Angelica

紫花前胡

Angelica decursiva (Miq.) Franch. et Sav.

药材名

紫花前胡（药用部位：根）。

形态特征

多年生草本。根圆锥状，有少数分枝，直径 1 ~ 2 cm，外表面棕黄色至棕褐色，有强烈气味。茎高 1 ~ 2 m，直立，单一，中空，光滑，常呈紫色，无毛，有纵沟纹。根生叶和茎生叶有长柄，叶柄长 13 ~ 36 cm，基部膨大成圆形的紫色叶鞘，抱茎，外面无毛，叶片三角形至卵圆形，坚纸质，长 10 ~ 25 cm，3 全裂或 1 ~ 2 回羽状分裂，一回裂片的小叶柄翅状延长，侧裂片和先端裂片的基部连合，沿叶轴呈翅状延长，翅边缘有锯齿，末回裂片卵形或长圆状披针形，长 5 ~ 15 cm，宽 2 ~ 5 cm，先端锐尖，边缘有白色软骨质锯齿，齿端有尖头，表面深绿色，背面绿白色，主脉常带紫色，表面脉上有短糙毛，背面无毛；茎上部的叶简化成囊状膨大的紫色叶鞘。复伞形花序顶生和侧生；花序梗长 3 ~ 8 cm，有柔毛；伞幅 10 ~ 22，长 2 ~ 4 cm；总苞片 1 ~ 3，卵圆形，阔鞘状，宿存，反折，紫色；小总苞片 3 ~ 8，线形至披针形，绿色或紫色，无毛；伞幅及花梗有毛；花深紫色；萼齿明显，线状锥形或三角状锥形；花瓣倒卵形或椭圆状披针形，先端通常不内折成凹头状；花药暗紫色。果实长圆形至卵状圆形，长 4 ~ 7 mm，宽 3 ~ 5 mm，无毛，背棱线形隆起，尖锐，侧棱有较厚的狭翅，与果体近等宽，棱槽内有油管 1 ~ 3，合生面有油管 4 ~ 6；胚乳腹面稍凹入。花期 8 ~ 9 月，果期 9 ~ 11 月。

| **生境分布** | 生于山坡林缘、溪沟边、杂木林或灌丛中。分布于湖南长沙（长沙）、郴州（桂阳、临武）等。

| **资源情况** | 野生资源较少。栽培资源较少。药材来源于野生和栽培。

| **采收加工** | 栽种 2 ~ 3 年后，霜降至立冬间地上茎叶枯萎时采挖，除去茎叶和泥土，暴晒至半干，堆置起来闷至内部水分稍向外蒸发后，再晒干，去净须根即可。

| **药材性状** | 本品多呈不规则圆柱形、圆锥形或纺锤形，主根较细，有少数支根，长 3 ~ 15 cm，直径 0.8 ~ 1.7 cm。表面棕色至黑棕色，上部偶有残留的茎基和膜状叶鞘残基，有浅直细纵皱纹，可见灰白色横向皮孔样突起和点状须根痕。质硬，断面类白色，皮部较窄，散有少数黄色油点。气芳香，味微苦、辛。

| **功能主治** | 降气化痰，疏风清热。用于痰热喘满，咳痰黄稠，风热咳嗽痰多。

| **用法用量** | 内服煎汤，3 ~ 9 g；或入丸、散剂。

伞形科 Apiaceae 峨参属 *Anthriscus*

峨参 *Anthriscus sylvestris* (L.) Hoffm.

| 药 材 名 |

峨参（药用部位：根。别名：田七、金山田七）、峨参叶（药用部位：叶）。

| 形态特征 |

二年生或多年生草本。茎较粗壮，高 0.6 ~ 1.5 m，多分枝，近无毛或下部有细柔毛。基生叶有长柄，叶柄长 5 ~ 20 cm，基部有长约 4 cm、宽约 1 cm 的鞘，叶片呈卵形，2 回羽状分裂，长 10 ~ 30 cm，一回羽片有长柄，卵形至宽卵形，长 4 ~ 12 cm，宽 2 ~ 8 cm，二回羽片 3 ~ 4 对，有短柄，卵状披针形，长 2 ~ 6 cm，宽 1.5 ~ 4 cm，羽状全裂或深裂，末回裂片卵形或椭圆状卵形，有粗锯齿，长 1 ~ 3 cm，宽 0.5 ~ 1.5 cm，背面疏生柔毛；茎上部的叶有短柄或无柄，基部呈鞘状，有时边缘有毛。复伞形花序直径 2.5 ~ 8 cm，伞幅 4 ~ 15，不等长；小总苞片 5 ~ 8，卵形至披针形，先端尖锐，反折，边缘有睫毛或近无毛；花白色，通常带绿色或黄色；花柱较花柱基长 2 倍。果实长卵形至线状长圆形，长 5 ~ 10 mm，宽 1 ~ 1.5 mm，光滑或疏生小瘤点，先端渐狭成喙状，合生面明显收缩，果柄先端常有一环白色小刚毛；分生果横剖面近圆形，油管不明显；胚乳有深槽。花果期 4 ~ 5 月。

| **生境分布** | 生于低山丘陵、高山、山坡林下、路旁、山谷及溪边石缝中。湖南有广泛分布。

| **资源情况** | 野生资源较丰富。药材来源于野生。

| **采收加工** | **峨参**：栽后 2 ~ 3 年采收，春、秋季采挖，剪去须尾，刮去外皮，置沸水中烫，晒干或微火炕干。

峨参叶：夏、秋季间采收，鲜用或晒干。

| **药材性状** | **峨参**：本品呈条形或圆锥形，长 3 ~ 7 cm，中部直径 1 ~ 2 cm，先端有茎痕，侧面偶有锥形小突起，尾端渐细小。表面黄棕色或灰棕色，有明显的粗环纹。质坚实，沉重，断面黄色或黄棕色，肉质细致。气微，味微辛、辣、甘。以质坚实、色白黄、根条粗及环纹细致者为佳。

| **功能主治** | **峨参**：益气健脾，活血止痛。用于脾虚腹胀，乏力食少，肺虚咳喘，体虚自汗，老人夜尿频数，气虚水肿，劳伤腰痛，头痛，痛经，跌打瘀肿。

峨参叶：止血，消肿。用于创伤出血，肿痛。

| **用法用量** | **峨参**：内服煎汤，9 ~ 15 g；或研末，每次 3 ~ 5 g；或浸酒。外用适量，研末调敷。

峨参叶：外用适量，研末撒或调敷；或鲜品捣敷。

伞形科 Apiaceae 芹属 Apium

旱芹
Apium graveolens L.

| 药 材 名 | 旱芹（药用部位：全草）。

| 形态特征 | 二年生或多年生草本，高 15 ～ 150 cm，有强烈香气。根圆锥形，支根多数，褐色。茎有棱角。根生叶有柄，叶柄长 2 ～ 26 cm，基部略扩大成膜质叶鞘，叶片长圆形至倒卵形，长 7 ～ 18 cm，宽 3.5 ～ 8 cm，通常 3 裂至中部或 3 全裂，裂片近菱形，边缘有圆锯齿或锯齿，叶脉在两面隆起；较上部的茎生叶有短柄，叶片阔三角形，通常分裂为 3 小叶，小叶倒卵形，中部以上边缘疏生钝锯齿至缺刻。复伞形花序顶生或与叶对生；花序梗长短不一，有时缺；通常无总苞片和小总苞片；伞幅细弱，3 ～ 16，长 0.5 ～ 2.5 cm；小伞形花序有花 7 ～ 29；花梗长 1 ～ 1.5 mm；萼齿小或不明显；花瓣白色或

黄绿色，卵圆形，长约 1 mm，宽 0.8 mm，先端有内折的小舌片；花丝等长或稍长于花瓣，花药卵圆形，长约 0.4 mm；花柱基压扁，花柱幼时极短，成熟时长约 0.2 mm，向外反曲。分生果圆形或长椭圆形，长约 1.5 mm，宽 1.5 ~ 2 mm，果棱尖锐，合生面略收缩，每棱槽内有油管 1，合生面有油管 2；胚乳腹面平直。花期 4 ~ 7 月。

| **生境分布** | 生于岗地、丘陵、低山。湖南有广泛分布。

| **资源情况** | 野生资源丰富。药材来源于野生。

| **采收加工** | 春、夏季采收，洗净，鲜用。

| **功能主治** | 甘、辛、微苦，凉。归肝、胃、肺经。平肝，清热，祛风，利水，止血，解毒。用于肝阳眩晕，风热头痛，咳嗽，黄疸，小便淋痛，尿血，崩漏，带下，疮疡肿毒。

| **用法用量** | 内服煎汤，9 ~ 15 g，鲜品 30 ~ 60 g；或绞汁；或入丸剂。外用适量，捣敷；或煎汤洗。

伞形科 Apiaceae 芹属 Apium

细叶旱芹

Apium leptophyllum (Pers.) F. Muell.

| 药 材 名 | 细叶旱芹（药用部位：全草）。

| 形态特征 | 一年生草本，高 25 ~ 45 cm。茎多分枝，光滑。根生叶有柄，叶柄长 2 ~ 5（~ 11）cm，基部边缘略扩大成膜质叶鞘，叶片呈长圆形至长圆状卵形，长 2 ~ 10 cm，宽 2 ~ 8 cm，3 ~ 4 回羽状分裂，裂片线形至丝状；茎生叶通常三出式羽状分裂，裂片线形，长 10 ~ 15 mm。复伞形花序顶生或腋生，通常无梗，稀有短梗，无总苞片和小总苞片；伞幅 2 ~ 3（~ 5），长 1 ~ 2 cm，无毛；小伞形花序有 5 ~ 23 花；花梗不等长；无萼齿；花瓣白色、绿白色或略带粉红色，卵圆形，长约 0.8 mm，宽 0.6 mm，先端内折，有中脉 1；花丝短于花瓣，稀与花瓣等长，花药近圆形，长约 0.1 mm；花柱基

压扁，花柱极短。果实圆心形或圆卵形，长、宽均 1.5 ~ 2 mm；分生果有 5 棱，果棱圆钝，每棱槽内有油管 1，合生面有油管 2；胚乳腹面平直；心皮柄先端 2 浅裂。花期 5 月，果期 6 ~ 7 月。

| 生境分布 | 生于杂草地及水沟边。湖南有广泛分布。

| 资源情况 | 野生资源丰富。药材来源于野生。

| 采收加工 | 植株高超过 30 cm，叶片颜色开始变深，叶柄有少量纤维但仍脆嫩时采收。

| 功能主治 | 祛风除湿，平肝，清热。用于头昏脑涨，小便淋痛，尿血，崩中，带下。

| 用法用量 | 内服煎汤，10 ~ 15 g。

| 附　注 | 本种的拉丁学名在 FOC 中被修订为 *Cyclospermum leptophyllum* (Persoon) Sprague ex Britton et P. Wilson。

伞形科 Umbelliferae 柴胡属 Bupleurum

北柴胡
Bupleurum chinense DC.

药材名

柴胡（药用部位：根。别名：竹叶柴胡）。

形态特征

多年生草本。主根较粗大，棕褐色，质坚硬。茎单一或数茎表面有细纵槽纹，实心，上部多回分枝，微作"之"字形曲折。茎中部的叶呈披针形，长 4 ～ 12 cm，宽 6 ～ 18 mm，先端尖，有短芒尖头，基部成叶鞘抱茎，脉 7 ～ 9，叶表面鲜绿色，背面淡绿色，有白色霜。复伞形花序，花序梗细，常水平伸出，形成疏松的圆锥状；总苞片甚小，狭披针形，长 1 ～ 5 mm，宽 0.5 ～ 1 mm；伞幅 3 ～ 8，纤细，不等长，长 1 ～ 3 cm；小总苞片 5，披针形，长 3 ～ 3.5 mm，宽 0.6 ～ 1 mm，先端尖锐，3 脉，向叶背凸出；小伞直径 4 ～ 6 mm，花 5 ～ 10；花梗长 1 mm；花直径 1.2 ～ 1.8 mm；花瓣鲜黄色，上部向内折，中肋隆起，小舌片矩圆形，先端 2 浅裂；花柱基部深黄色，宽于子房。果实广椭圆形，棕色，两侧略扁，长约 3 mm，宽约 2 mm，棱狭翼状，淡棕色，每棱槽有油管 3，合生面有油管 4。花期 9 月，果期 10 月。

| 生境分布 | 生于向阳山坡路边、岸旁或草丛中。分布于湖南张家界（桑植）等。

| 资源情况 | 野生资源稀少。药材来源于野生。

| 采收加工 | 第 2 年采收，春、秋季采挖，除去茎苗、泥土，晒干。

| 药材性状 | 本品呈圆锥形，下部有分歧，根头膨大，呈疙瘩状，长 6～20 cm，直径 0.6～
1.5 cm，外皮灰褐色或灰棕色，有纵皱纹及支根痕，顶部有细毛或坚硬的残茎。
质较坚韧。不易折断，断面木质纤维性，黄白色。气微香，味微苦、辛。以根
条粗长、皮细、支根少者为佳。

| 功能主治 | 苦，微寒。解表和里，升阳，疏肝解郁。用于感冒，上呼吸道感染等。

| 用法用量 | 内服煎汤，3～9 g。

伞形科 Umbelliferae 柴胡属 Bupleurum

大叶柴胡 *Bupleurum longiradiatum Turcz.*

药材名

大叶柴胡（药用部位：根及根茎）。

形态特征

多年生草本，植株较高大粗壮。基生叶宽卵状披针形，长 8 ~ 17 cm，宽 2.5 ~ 5（~ 8）cm，下面常粉蓝色，基部楔形缢缩成柄，叶鞘抱茎，带紫色；茎中部以上叶无柄，卵形或窄卵形，基部心形抱茎。伞形花序多数，宽大而疏散：伞幅 3 ~ 9，不等长，长 0.5 ~ 3.5 cm；总苞片 1 ~ 5，披针形，不等大，长 0.2 ~ 1 cm，宽 1 ~ 2 mm；小总苞片 5 ~ 6，等大，卵状披针形，长 2 ~ 5 mm，宽 0.7 ~ 1.5 mm；伞形花序有花 5 ~ 16；花瓣扁圆形，小舌片宽、内折，先端 2 浅裂状凹入，深黄色；花柱基黄色。果实暗褐色，长圆状椭圆形，被白粉，长 4 ~ 7 mm，直径 2 ~ 2.5 mm；每棱槽有 3 ~ 4 油管，合生面有 4 ~ 6 油管。花期 8 ~ 9 月，果期 9 ~ 10 月。

生境分布

生于海拔 750 ~ 1 600 m 的山坡、林下阴湿处或溪谷草丛中。分布于湖南张家界（永定）等。

| **资源情况** | 野生资源较少。药材主要来源于野生。

| **功能主治** | 有毒。疏风退热,疏肝,升阳。用于感冒发热,寒热往来,疟疾,胸胁胀痛,月经不调,脱肛,阴挺。

伞形科 Apiaceae 柴胡属 Bupleurum

竹叶柴胡
Bupleurum marginatum Wall. ex DC.

| 药 材 名 | 竹叶柴胡（药用部位：全草）。

| 形态特征 | 多年生高大草本。根木质化，主根发达，外皮深红棕色，纺锤形，有细纵皱纹及稀疏的小横突起，长 10 ~ 15 cm，直径 5 ~ 8 mm，先端常有一段红棕色地下茎。地下茎木质化，长 2 ~ 10 cm，有时扭曲缩短。茎高 50 ~ 120 cm，绿色，硬挺，基部常木质化，带紫棕色，茎上有淡绿色实心粗条纹。叶表面鲜绿色，背面绿白色，革质或近革质，叶缘软骨质，较宽，白色；下部叶与中部叶同形，呈长披针形或线形，长 10 ~ 16 cm，宽 6 ~ 14 mm，先端急尖或渐尖，有硬尖头，长达 1 mm，基部微收缩抱茎，有 9 ~ 13 脉，向叶背面显著凸出，淡绿白色；茎上部叶同形，逐渐缩小，有 7 ~ 15 脉。

复伞形花序多数，顶生花序通常短于侧生花序，直径 1.5 ~ 4 cm；伞幅 3 ~ 4（~ 7），不等长，长 1 ~ 3 cm；总苞片 2 ~ 5，很小，不等大，披针形，长 1 ~ 4 mm，宽 0.2 ~ 1 mm，有 1 ~ 5 脉；小伞形花序直径 4 ~ 9 mm，有花（6 ~）8 ~ 10（~ 12），直径 1.2 ~ 1.6 mm；小总苞片 5，披针形，短于花梗，长 1.5 ~ 2.5 mm，宽 0.5 ~ 1 mm，先端渐尖，有小突尖头，基部不收缩，有 1 ~ 3 脉，有白色膜质边缘；花瓣浅黄色，先端反折处较平而不凸起，小舌片较大，方形；花梗长 2 ~ 4.5 mm，较粗；花柱基厚盘状，宽于子房。果实长圆形，长 3.5 ~ 4.5 mm，宽 1.8 ~ 2.2 mm，棕褐色；果棱狭翼状，每棱槽中有油管 3，合生面有油管 4。花期 6 ~ 9 月，果期 9 ~ 11 月。

| **生境分布** | 生于山坡草地或林下。分布于湖南湘潭（雨湖、岳塘）、衡阳（祁东）、张家界（慈利）、郴州（宜章、嘉禾、临武、安仁）、永州（江永、新田）等。

| **资源情况** | 野生资源丰富。药材来源于野生。

| **采收加工** | 春、秋季采收，除去茎叶、泥土，晒干。

| **药材性状** | 本品根多呈纺锤形，长 6 ~ 12 cm，直径 3 ~ 5 mm，表面淡红棕色，质坚硬，木质化；根茎基部有明显的节，鲜绿色或黄褐色。气清香，味淡。以身干、根条粗长、皮细、支根少者为佳。

| **功能主治** | 解表退热，疏肝解郁，升举阳气。用于伤寒邪热，痰热结实，虚劳肌热，呕吐心烦，诸疟寒热，头晕目赤，胸痞胁痛，热入血室，胎前产后诸热，小儿痘疹，五疳羸热，十二经疮疽。

| **用法用量** | 内服煎汤，3 ~ 10 g；或入丸、散剂。外用适量，煎汤洗；或研末调敷。

伞形科 Apiaceae 积雪草属 Centella

积雪草 *Centella asiatica* (L.) Urban

| 药 材 名 | 积雪草（药用部位：全草）。

| 形态特征 | 多年生草本。茎匍匐，细长，节上生根。叶片膜质至草质，圆形、肾形或马蹄形，长 1 ~ 2.8 cm，宽 1.5 ~ 5 cm，边缘有钝锯齿，基部阔心形，两面无毛或在背面脉上疏生柔毛，掌状脉 5 ~ 7，在两面隆起，脉上部分叉；叶柄长 1.5 ~ 27 cm，无毛或上部有柔毛，基部叶鞘透明，膜质。伞形花序 2 ~ 4，聚生于叶腋，长 0.2 ~ 1.5 cm，有毛或无毛；苞片通常 2，稀 3，卵形，膜质，长 3 ~ 4 mm，宽 2.1 ~ 3 mm；每伞形花序有花 3 ~ 4，聚集成头状；花无柄或有长 1 mm 的短柄；花瓣卵形，紫红色或乳白色，膜质，长 1.2 ~ 1.5 mm，宽 1.1 ~ 1.2 mm；花柱长约 0.6 mm；花丝短于花瓣，与花柱等长。果实两侧压扁，圆

球形，基部心形至平截，长 2.1 ～ 3 mm，宽 2.2 ～ 3.6 mm，每侧有纵棱数条，棱间有明显的小横脉，网状，表面有毛或平滑。花果期 4 ～ 10 月。

| **生境分布** | 生于海拔 200 ～ 1 900 m 的阴湿草地、田边、路旁或水沟边。湖南有广泛分布。

| **资源情况** | 野生资源丰富。药材来源于野生。

| **采收加工** | 夏季采收，晒干或鲜用。

| **药材性状** | 本品多皱缩成团。根圆柱形，长 2 ～ 4 cm，直径 1 ～ 1.5 mm，表面淡黄色或灰黄色，有皱纹。茎细长，弯曲，淡黄色，有细纵皱纹，节上着生须根。叶多皱缩破碎，灰绿色，完整者展平后呈近圆形或肾形，直径 1 ～ 4 cm，灰绿色，边缘有钝齿，下面有细毛；叶柄长 3 ～ 6 cm，常扭曲。伞形花序腋生，短小。双悬果扁圆形，有明显隆起的纵棱及细网纹，果柄甚短。气微，味淡。以叶多、色绿者为佳。

| **功能主治** | 清热利湿，解毒消肿，活血止血。用于湿热黄疸，中暑腹泻，石淋，血淋，痈肿疮毒，跌打损伤，尿血，衄血，痛经，崩漏，丹毒。

| **用法用量** | 内服煎汤，10 ～ 15 g，鲜品 15 ～ 30 g；或捣汁。外用适量，捣敷；或绞汁涂。

伞形科 Apiaceae 蛇床属 Cnidium

蛇床 *Cnidium monnieri* (L.) Cuss.

| 药 材 名 | 蛇床子（药用部位：果实）。

| 形态特征 | 一年生草本，高 10 ~ 60 cm。根圆锥状，较细长。茎直立或斜上，多分枝，中空，表面具深条棱，粗糙。下部叶具短柄，叶鞘短宽，边缘膜质，上部叶叶柄全部鞘状；叶片卵形至三角状卵形，长 3 ~ 8 cm，宽 2 ~ 5 cm，三出式 2 ~ 3 回羽状全裂，羽片卵形至卵状披针形，长 1 ~ 3 cm，宽 0.5 ~ 1 cm，先端常略呈尾状，末回裂片线形至线状披针形，长 3 ~ 10 mm，宽 1 ~ 1.5 mm，具小尖头，边缘及脉上粗糙。复伞形花序直径 2 ~ 3 cm；总苞片 6 ~ 10，线形至线状披针形，长约 5 mm，边缘膜质，具细睫毛；伞幅 8 ~ 20，不等长，长 0.5 ~ 2 cm，棱上粗糙；小总苞片多数，线形，长 3 ~

5 mm，边缘具细睫毛；小伞形花序具 15 ~ 20 花；萼齿无；花瓣白色，先端具内折的小舌片；花柱基略隆起，花柱长 1 ~ 1.5 mm，向下反曲。分生果长圆状，长 1.5 ~ 3 mm，宽 1 ~ 2 mm，横剖面近五角形，主棱 5，均扩大成翅，每棱槽内有油管 1，合生面有油管 2；胚乳腹面平直。花期 4 ~ 7 月，果期 6 ~ 10 月。

| **生境分布** | 生于田边、路旁、草地及河边湿地。湖南有广泛分布。

| **资源情况** | 野生资源丰富。药材来源于野生。

| **采收加工** | 夏、秋季果实成熟时采收，晒干；亦可割取地上部分，晒干，打落果实，筛净或簸去杂质。

| **药材性状** | 本品呈椭圆形，长 1 ~ 3 mm，直径约 2 mm，表面灰黄色或灰褐色，先端有向外弯曲的柱基 2，基部偶有细梗，分果背面有薄而凸起的纵棱 5，接合面平坦，有棕色略凸起的纵棱线 2；果皮松脆，揉搓易脱落；种子细小，灰棕色，显油性。气香，味辛、凉，嚼之有麻舌感。

| **功能主治** | 温肾壮阳，燥湿杀虫，祛风止痒。用于阳痿，阴囊湿痒，宫寒不孕，寒湿带下，阴痒肿痛，风湿痹痛，湿疮，疥癣。

| **用法用量** | 内服煎汤，3 ~ 9 g；或入丸、散剂。外用适量，煎汤熏洗；或作栓剂；或研末调敷。

芫荽
Coriandrum sativum L.

| 药 材 名 | 胡荽（药用部位：全草或果实）。

| 形态特征 | 一年生或二年生草本，有强烈气味，高 20 ~ 100 cm。根纺锤形，细长，有多数纤细的支根。茎圆柱形，直立，多分枝，有条纹，通常光滑。根生叶有柄，叶柄长 2 ~ 8 cm，叶片 1 ~ 2 回羽状全裂，羽片广卵形或扇形半裂，长 1 ~ 2 cm，宽 1 ~ 1.5 cm，边缘有钝锯齿、缺刻或深裂；上部的茎生叶 3 回至多回羽状分裂，末回裂片狭线形，长 5 ~ 10 mm，宽 0.5 ~ 1 mm，先端钝，全缘。伞形花序顶生或与叶对生；花序梗长 2 ~ 8 cm；伞幅 3 ~ 7，长 1 ~ 2.5 cm；小总苞片 2 ~ 5，线形，全缘；小伞形花序有孕花 3 ~ 9；花白色或带淡紫色；萼齿通常大小不等，小的呈卵状三角形，大的

呈长卵形；花瓣倒卵形，长 1 ~ 1.2 mm，宽约 1 mm，先端有内凹的小舌片，辐射瓣长 2 ~ 3.5 mm，宽 1 ~ 2 mm，通常全缘，有 3 ~ 5 脉；花丝长 1 ~ 2 mm，花药卵形，长约 0.7 mm；花柱幼时直立，果实成熟时向外反曲。果实圆球形，背面主棱及相邻的次棱明显，油管不明显，或有 1 油管位于次棱下方；胚乳腹面内凹。花果期 4 ~ 11 月。

| **生境分布** | 生于岗地、低山。湖南有广泛分布。

| **资源情况** | 野生资源丰富。栽培资源丰富。药材来源于栽培。

| **采收加工** | 全草，春、夏季采收，切段，晒干或鲜用。果实，夏季采收，除去杂质，晒干。

| **功能主治** | 发表透疹，消食开胃，止痛解毒。用于风寒感冒，麻疹、痘疹透发不畅，食积，脘腹胀痛，呕恶，头痛，牙痛，脱肛，丹毒，疮肿初起，蛇咬伤。

| **用法用量** | 内服煎汤，9 ~ 15 g，鲜品 15 ~ 30 g；或捣汁。外用适量，煎汤洗；或捣敷；或绞汁敷。

伞形科 Apiaceae 鸭儿芹属 Cryptotaenia

鸭儿芹 Cryptotaenia japonica Hassk.

| 药 材 名 | 鸭儿芹果（药用部位：果实。别名：三叶果、当田果、鸭芹果）、鸭儿芹根（药用部位：根。别名：三叶根、当田根、野芹根）。

| 形态特征 | 多年生草本，高 20 ~ 100 cm。主根短，侧根多数，细长。茎直立，光滑，有分枝，表面有时略带淡紫色。基生叶或茎上部的叶有柄，叶柄长 5 ~ 20 cm，叶鞘边缘膜质，叶片呈三角形至广卵形，长 2 ~ 14 cm，宽 3 ~ 17 cm，通常有 3 小叶，中间小叶片呈菱状倒卵形或心形，长 2 ~ 14 cm，宽 1.5 ~ 10 cm，先端短尖，基部楔形，两侧小叶片呈斜倒卵形至长卵形，长 1.5 ~ 13 cm，宽 1 ~ 7 cm，近无柄，所有小叶片边缘均有不规则的尖锐重锯齿，表面绿色，背面淡绿色，两面叶脉隆起；最上部的茎生叶近无柄，小叶片呈卵

状披针形至窄披针形，边缘有锯齿。复伞形花序呈圆锥状；花序梗不等长；总苞片 1，呈线形或钻形，长 4 ～ 10 mm，宽 0.5 ～ 1.5 mm；伞幅 2 ～ 3，不等长，长 5 ～ 35 mm；小总苞片 1 ～ 3，长 2 ～ 3 mm，宽不及 1 mm；小伞形花序有 2 ～ 4 花；花梗极不等长；萼齿细小，呈三角形；花瓣白色，呈倒卵形，长 1 ～ 1.2 mm，宽约 1 mm，先端有内折的小舌片；花丝短于花瓣，花药呈卵圆形，长约 0.3 mm；花柱基呈圆锥形，花柱短，直立。分生果呈线状长圆形，长 4 ～ 6 mm，宽 2 ～ 2.5 mm，合生面略收缩，每棱槽内有油管 1 ～ 3，合生面有油管 4；胚乳腹面近平直。花期 4 ～ 5 月，果期 6 ～ 10 月。

| 生境分布 | 生于山地、山沟及林下较阴湿处。湖南有广泛分布。

| 资源情况 | 野生资源丰富。药材来源于野生。

| 采收加工 | **鸭儿芹果：** 7 ～ 10 月采收，除去杂质，洗净，晒干。
鸭儿芹根： 夏、秋季间采挖，除去茎叶，洗净，晒干。

| 功能主治 | **鸭儿芹果：** 消积顺气。用于食积腹胀。
鸭儿芹根： 发表散寒，止咳化痰，活血止痛。用于风寒感冒，咳嗽，跌打肿痛。

| 用法用量 | **鸭儿芹果：** 内服煎汤，3 ～ 9 g；或研末冲。
鸭儿芹根： 内服煎汤，9 ～ 30 g。外用适量，捣敷；或研末撒；或煎汤洗。

伞形科 Apiaceae 胡萝卜属 Daucus

野胡萝卜 *Daucus carota* L.

| 药 材 名 |

南鹤虱（药用部位：果实）。

| 形态特征 |

二年生草本，高 15 ～ 120 cm。茎单生，全体有白色粗硬毛。基生叶薄膜质，长圆形，2 ～ 3 回羽状全裂，末回裂片线形或披针形，长 2 ～ 15 mm，宽 0.5 ～ 4 mm，先端尖锐，有小尖头，光滑或有糙硬毛，叶柄长 3 ～ 12 cm；茎生叶近无柄，有叶鞘，末回裂片小或细长。复伞形花序；花序梗长 10 ～ 55 cm，有糙硬毛；总苞片多数，呈叶状，羽状分裂，稀不裂，裂片线形，长 3 ～ 30 mm；伞幅多数，长 2 ～ 7.5 cm，结果时外缘伞幅向内弯曲；小总苞片 5 ～ 7，线形，不分裂或 2 ～ 3 裂，边缘膜质，具纤毛；花通常白色，有时带淡红色；花梗不等长，长 3 ～ 10 mm。果实圆卵形，长 3 ～ 4 mm，宽 2 mm，果棱上有白色刺毛。花期 5 ～ 7 月。

| 生境分布 |

生于山坡路旁、旷野或田间。湖南有广泛分布。

| **资源情况** | 野生资源丰富。药材来源于野生。

| **采收加工** | 春季播种者夏季采收，秋季播种者冬季采收，除去杂质，晒干。

| **药材性状** | 本品呈椭圆形，多裂为分果。分果长 3 ~ 4 mm，宽 1.5 ~ 2 mm，表面淡绿棕色或棕黄色，先端有花柱残基，基部钝圆，背面隆起，具 4 凸起的棱线，翅上密生 1 列横向的黄白色钩刺，次棱间凹下处有不明显的主棱，其上散生短柔毛，接合面较平坦，有 3 弧形脉纹，上具柔毛；种仁类白色，有油性。体轻，质韧。搓碎时有特异香气，味微辛、苦。以籽粒充实饱满，种仁色类白、富油性者为佳。

| **功能主治** | 杀虫，消积，止痒。用于蛔虫病，蛲虫病，绦虫病，钩虫病，虫积腹痛，疳积，阴痒。

| **用法用量** | 内服煎汤，6 ~ 9 g；或入丸、散剂。外用适量，煎汤熏洗。

伞形科 Apiaceae 胡萝卜属 Daucus

胡萝卜 *Daucus carota* L. var. *sativa* Hoffm.

| 药 材 名 | 胡萝卜子（药用部位：果实）、胡萝卜叶（药用部位：叶）。

| 形态特征 | 二年生草本，高达 120 cm。根肉质，长圆锥形，粗肥，呈橙红色或黄色。茎单生，全体被白色粗硬毛。基生叶叶柄长 3 ~ 12 cm，叶片长圆形，2 ~ 3 回羽状全裂，末回裂片线形或披针形，先端尖锐，有小尖头；茎生叶近无柄，有叶鞘，末回裂片小或细长。复伞形花序；花序梗长 10 ~ 55 cm，有糙硬毛；总苞片多数，呈叶状，羽状分裂，裂片线形；伞幅多数，结果期外缘伞幅向内弯曲；小总苞片 5 ~ 7，不分裂或 2 ~ 3 裂；花通常白色，有时带淡红色；花梗不等长。果实圆卵形，果棱上有白色刺毛。花期 5 ~ 7 月。

| 生境分布 | 生于山坡、旷野或田间。湖南有广泛分布。 |

| 资源情况 | 野生资源较少。栽培资源丰富。药材来源于栽培。 |

| 采收加工 | 胡萝卜子：夏季果实成熟时采收，除净杂质，晒干。
胡萝卜叶：冬季或春季采收，洗净，鲜用或晒干。 |

| 功能主治 | 胡萝卜子：燥湿散寒，利水杀虫。用于久痢，久泻，虫积，水肿，宫寒腹痛。
胡萝卜叶：理气止痛，利水。用于脘腹疼痛，浮肿，小便不通，淋痛。 |

| 用法用量 | 胡萝卜子：内服煎汤，3 ~ 9 g，或入丸、散剂。
胡萝卜叶：内服煎汤，30 ~ 60 g；或蒸熟。 |

马蹄芹 *Dickinsia hydrocotyloides* Franch.

| 药 材 名 | 马蹄芹（药用部位：全草。别名：大苞芹）。

| 形态特征 | 一年生草本，根茎短，须根细长。茎直立，高 20 ~ 46 cm，无节，光滑。基生叶圆形或肾形，长 2 ~ 5 cm，宽 5 ~ 11 cm，先端稍凹入，基部深心形，边缘有圆锯齿，齿的先端常微凹，很少有小尖头，齿缘或齿间有时疏生不明显的小刺毛，无毛或在脉上被短的粗伏毛，掌状脉 7 ~ 11，中部以上分歧；叶柄长 8 ~ 25 cm，无毛。总苞片 2，着生于茎的先端，叶状，对生，长 2 ~ 3 cm，宽 5 ~ 6 cm，无柄。花序梗 3 ~ 6，生于两叶状苞片之间，不等长，长 1.5 ~ 3 cm，通常两侧的较短，中间的与总苞片近等长或稍超出；伞形花序有花 9 ~ 40，花梗幼时软弱，果实成熟时粗壮，长 0.6 ~ 1.1 cm，花梗

基部有阔线形或披针形的小总苞片；花瓣白色或草绿色，卵形，长 1.2 ～ 1.4 mm，宽 1 ～ 1.1 mm；花柱短，长约 0.3 mm，向外反曲。果实背腹扁压，近四棱形，长 3 ～ 3.5 mm，宽 2.2 ～ 2.8 mm，背面有主棱 5，边缘扩展成翅状。花果期 4 ～ 10 月。

| 生境分布 | 生于海拔 1 500 ～ 2 000 m 的阴湿林下或水沟边。分布于湖南张家界（桑植）等。

| 资源情况 | 野生资源稀少。药材来源于野生。

| 采收加工 | 夏、秋季采收，洗净，晒干或鲜用。

| 药材性状 | 本品须根细长，茎无节。叶圆形或肾形，先端稍凹入，齿缘掌状脉 7 ～ 11，中部以上分歧。

| 功能主治 | 祛风清热，燥湿止痒。用于感冒，头痛，麻疹，斑疹，皮肤瘙痒。

| 用法用量 | 内服煎汤，9 ～ 15 g。

伞形科 Umbelliferae 刺芹属 Eryngium

刺芹
Eryngium foetidum L.

| 药 材 名 | 刺芫荽（药用部位：全草。别名：野芫荽）。

| 形态特征 | 二年生或多年生草本，高 11 ~ 40 cm。主根纺锤形。茎绿色直立，无毛，有槽纹，上部有 3 ~ 5 歧聚伞式的分枝。基生叶披针形，不分裂，革质，长 5 ~ 25 cm，宽 1.2 ~ 4 cm，先端钝，基部渐窄有膜质叶鞘，边缘有骨质尖锐锯齿，近基部的锯齿狭窄呈刚毛状，表面深绿色，背面淡绿色，两面无毛，羽状网脉；叶柄短，基部有鞘可达 3 cm；叶着生在茎每一叉状分枝的基部，对生，无柄，边缘有深锯齿，齿尖刺状，先端不分裂或 3 ~ 5 深裂。头状花序生于茎的分叉处及短枝上，呈圆柱形，长 0.5 ~ 1.2 cm，宽 3 ~ 5 mm，无花序梗；总苞片 4 ~ 7，长 1.5 ~ 3.5 cm，宽 4 ~ 10 mm，叶状，披针形，边缘有 1 ~ 3 刺状锯齿；小总苞片阔线形至披针形，长 1.5 ~ 1.8 mm，

宽约 0.6 mm，边缘透明膜质；萼齿卵状，长 0.5 ~ 1 mm，先端尖锐；花瓣与萼齿近等长，倒披针形至倒卵形，先端内折，白色、淡黄色或草绿色；花丝长约 1.4 mm；花柱直立或稍倾斜，长约 1.1 mm，略长过萼齿。果卵圆形或球形，长 1.1 ~ 1.3 mm，宽 1.2 ~ 1.3 mm，表面有瘤状突起，果棱不明显。花果期 4 ~ 12 月。

| 生境分布 | 生于海拔 100 ~ 1 540 m 的丘陵、山地林下、路旁、沟边等湿润处。分布于湖南湘西州（古丈）、永州（江华）等。

| 资源情况 | 野生资源稀少。栽培资源较少。药材来源于栽培。

| 采收加工 | 夏、秋季采收，阴干或鲜用。

| 药材性状 | 本品茎具分枝，叶呈披针形，对生，无柄，有深锯齿。

| 功能主治 | 疏风解热，健胃。用于感冒，咳喘，咽痛，水肿，腹泻；外用于跌打肿痛，蛇咬伤。

| 用法用量 | 内服煎汤，6 ~ 15 g。外用适量，捣敷；或擦。

伞形科 Apiaceae 茴香属 Foeniculum

小茴香 *Foeniculum vulgare* Mill.

| 药 材 名 |

小茴香(药用部位:果实。别名:茴香、小茴)。

| 形态特征 |

草本,高 0.4 ～ 2 m。茎直立,光滑,灰绿色或苍白色,多分枝。较下部的茎生叶叶柄长 5 ～ 15 cm,中部或上部的茎生叶叶柄部分或全部呈鞘状;叶鞘边缘膜质;叶片阔三角形,长 4 ～ 30 cm,宽 5 ～ 40 cm,4 ～ 5回羽状全裂,末回裂片线形,长 1 ～ 6 cm,宽约 1 mm。复伞形花序顶生和侧生;花序梗长 2 ～ 25 cm;伞幅 6 ～ 29,不等长,长 1.5 ～ 10 cm;小伞形花序有花 14 ～ 39;花梗纤细,不等长;无萼齿;花瓣黄色,倒卵形或近倒卵圆形,长约 1 mm,先端有内折的小舌片,中脉 1;花丝略长于花瓣,花药卵圆形,淡黄色;花柱基圆锥形,花柱极短,向外叉开或贴伏在花柱基上。果实长圆形,长 4 ～ 6 mm,宽 1.5 ～ 2.2 mm,主棱 5,尖锐,每棱槽内有油管 1,合生面有油管 2;胚乳腹面近平直或微凹。花期 5 ～ 6 月,果期 7 ～ 9 月。

| 生境分布 |

生于丘陵、岗地、低山。湖南有广泛分布。

| **资源情况** | 野生资源丰富。药材来源于野生。 |

| **采收加工** | 8 ~ 10 月果实呈黄绿色，并有淡黑色纵线时采收，选晴天割取地上部分，脱粒，扬净；亦可采摘成熟果实，晒干。 |

| **药材性状** | 本品呈细圆柱形，两端略尖，有时略弯曲，长 4 ~ 8 mm，直径 1.5 ~ 2.5 mm，表面黄绿色至棕色，光滑无毛，先端有圆锥形黄棕色花柱基，有时基部有小果柄；分果长椭圆形，背面隆起，有 5 纵直棱线，接合面平坦，中央色较深，有纵沟纹。横切面近五边形，背面的 4 边近等长。气特异而芳香，味微甜、辛。 |

| **功能主治** | 辛、温。温肾暖肝，行气止痛，和胃止呕。用于寒疝腹痛，睾丸偏坠，脘腹冷痛，食少吐泻，胁痛，肾虚腰痛，痛经。 |

| **用法用量** | 内服煎汤，3 ~ 6 g；或入丸、散剂。外用适量，研末调敷；或炒热温熨。 |

伞形科 Apiaceae 独活属 *Heracleum*

短毛独活 *Heracleum moellendorffii* Hance

| 药 材 名 |

山独活（药用部位：根）。

| 形态特征 |

多年生草本，高 1 ~ 2 m。根圆锥形，粗大，多分枝，灰棕色。茎直立，有棱槽，上部分枝开展。叶柄长 10 ~ 30 cm；叶片广卵形，薄膜质，三出式分裂，裂片广卵形至圆形、心形，不规则 3 ~ 5 裂，长 10 ~ 20 cm，宽 7 ~ 18 cm，边缘具粗大的锯齿，先端锐尖至长尖；小叶柄长 3 ~ 8 cm；茎上部叶有显著扩展的叶鞘。复伞形花序顶生和侧生；花序梗长 4 ~ 15 cm；总苞片少数，线状披针形；伞幅 12 ~ 30，不等长；小总苞片 5 ~ 10，披针形；花梗细长，长 4 ~ 20 mm；萼齿不显著；花瓣白色，二型；花柱基短圆锥形，花柱叉开。分生果圆状倒卵形，先端凹陷，背部扁平，直径约 8 mm，有稀疏的柔毛或近光滑，背棱和中棱线状凸起，侧棱宽阔，每棱槽内有油管 1，合生面有油管 2，油管棒形，长为分生果的一半；胚乳腹面平直。花期 7 月，果期 8 ~ 10 月。

| 生境分布 |

生于阴湿山坡的林下或灌丛中。分布于湖南

常德（桃源）、永州（蓝山）等。

| 资源情况 | 野生资源较少。药材来源于野生。

| 采收加工 | 栽后 2 ～ 3 年秋季采挖，除去茎叶和细根，洗净，晒干。

| 功能主治 | 辛、苦，微温。祛风除湿，发表散寒，止痛。用于风寒关节痛，伤风头痛，腰腿酸痛。

| 用法用量 | 内服煎汤，3 ～ 9 g；或入丸、散剂；或浸酒。外用适量，煎汤漱口。

伞形科 Apiaceae 独活属 *Heracleum*

少管短毛独活 *Heracleum moellendorffii* Hance var. *paucivittatum* Shan et T. S. Wang

| 药 材 名 | 牛尾独活（药用部位：根。别名：绵阳独活、山独活）。

| 形态特征 | 多年生草本，高 1 ~ 2 m。根圆锥形，粗大，多分枝，灰棕色。茎直立，有棱槽，上部分枝开展。叶柄长 10 ~ 30 cm；叶片广卵形，薄膜质，三出式分裂，裂片广卵形至圆形、心形，不规则 3 ~ 5 裂，长 10 ~ 20 cm，宽 7 ~ 18 cm，边缘具粗大的锯齿，先端锐尖至长尖；小叶柄长 3 ~ 8 cm；茎上部叶有显著扩展的叶鞘。复伞形花序顶生和侧生；花序梗长 4 ~ 15 cm；总苞片少数，线状披针形；伞幅 12 ~ 30，不等长；小总苞片 5 ~ 10，披针形；花梗细长，长 4 ~ 20 mm；萼齿不显著；花瓣白色，二型；花柱基短圆锥形，花柱叉开。分生果近圆形或长椭圆形，长 6 ~ 8 mm，宽 4 ~ 7 mm，

每棱槽中有油管 1 或无，合生面有油管 2，油管棒形，长为分生果的一半；胚乳腹面平直。花期 7 月，果期 8 ~ 10 月。

| **生境分布** | 生于中山、丘陵岗地。分布于湖南湘西州（泸溪）、怀化（麻阳）、永州（道县）等。

| **资源情况** | 野生资源较少。栽培资源较少。药材来源于野生和栽培。

| **采收加工** | 栽后 2 ~ 3 年 9 ~ 10 月采挖，除去茎叶和细根，晒干。

| **功能主治** | 辛、苦，微温。祛风散寒，胜湿止痛。用于感冒，头痛，牙痛，风寒湿痹，腰膝疼痛，鹤膝风，痈疡漫肿。

| **用法用量** | 内服煎汤，3 ~ 9 g；或入丸、散剂；或浸酒。外用适量，煎汤漱口。

| 伞形科 | Umbelliferae | 独活属 | *Heracleum* |

椴叶独活 *Heracleum tiliifolium* Wolff

| 药 材 名 |

椴叶独活（药用部位：根）。

| 形态特征 |

多年生草本，高 1 ~ 2 m。根圆锥形，粗大，分歧。茎直立，上部多分枝。叶具柄，叶柄长 10 ~ 30 cm，基部有宽展叶鞘；叶片广卵形，3 分裂，呈 3 小叶状，裂片圆状卵形，长 6 ~ 9 cm，宽 5 ~ 14 cm，不分裂或 3 浅裂，基部心形，先端长尖，边缘有锯齿或圆齿，叶上表面光滑或有稀疏的粗毛，下表面有细刺毛；茎上部叶与茎下部叶相似，有柄或无柄简化成宽展的叶鞘。复伞形花序顶生和侧生，花序梗长 5 ~ 14 cm，有柔毛；无总苞；伞幅 10 ~ 15，不等长；小总苞片线状披针形，花黄色；花梗细长，长 7 ~ 14 mm；萼齿不显著；花柱基短圆锥形，花柱短，直立。果实倒卵形或梨形，背部极扁平，先端凹陷，长 6 ~ 10 mm，宽 4 ~ 6 mm，光滑，背棱和中棱不凸出，侧棱宽阔，长不超过 1 mm，背部每棱槽中有油管 1，线形，合生面油管 2，其长度为分生果的 1/2 或 2/3，胚乳腹面平直。花期 7 ~ 8 月，果期 9 ~ 10 月。

| **生境分布** | 生于向阳山坡的灌丛林中或溪谷林缘地。分布于湖南衡阳（南岳）、邵阳（洞口）、张家界（永定）等。 |

| **资源情况** | 野生资源较少。药材来源于野生。 |

| **采收加工** | 拣去杂质，洗净切片，干燥。 |

| **药材性状** | 本品根茎部略膨大，长 2.5 ～ 5 cm，有密集的环状叶痕及环纹，根单一，少有分枝；表面略粗糙，有不规则皱缩沟纹。质较坚硬，折断面不平坦，具粉性。气微香，味微甜。以粗壮、分枝少、气浓者为佳。 |

| **功能主治** | 祛风，胜湿，散寒，止痛。 |

| **用法用量** | 内服煎汤，3 ～ 9 g。 |

伞形科 Apiaceae 天胡荽属 Hydrocotyle

中华天胡荽
Hydrocotyle chinensis (Dunn) Craib

| 药 材 名 | 大铜钱菜（药用部位：全草）。

| 形态特征 | 多年生匍匐草本，直立部分高 8 ~ 37 cm，除托叶、苞片、花梗无毛外，其余均被疏或密而反曲的柔毛，毛白色或紫色，有时在叶背面具紫色疣基毛。茎节着土后易生须根。叶片薄，圆肾形，长 2.5 ~ 7 cm，宽 3 ~ 8 cm，表面深绿色，背面淡绿色，掌状 5 ~ 7 浅裂，裂片阔卵形或近三角形，边缘有不规则的锐锯齿或钝齿，基部心形；叶柄长 4 ~ 23 cm；托叶膜质，卵圆形或阔卵形。伞形花序单生于节上，腋生或与叶对生；花序梗通常长于叶柄；小伞形花序有 25 ~ 50 花；花梗长 2 ~ 7 mm；小总苞片膜质，卵状披针形，长 1.2 ~ 1.8 mm，先端尖，边缘有时略呈撕裂状；花在蕾期草绿色，开放后白色；花

瓣膜质，长 1 ~ 1.2 mm，先端短尖，有淡黄色至紫褐色腺点。果实近圆形，基部心形或截形，两侧压扁，长 1.3 ~ 2 mm，宽 1.5 ~ 2.1 mm，侧面 2 棱明显隆起，表面平滑或折皱，黄色或紫红色。花果期 5 ~ 11 月。

| 生境分布 | 生于山区河边及阴湿的路旁草地。湖南有广泛分布。

| 资源情况 | 野生资源丰富。药材来源于野生。

| 采收加工 | 夏、秋季采收，洗净，鲜用或晒干。

| 药材性状 | 本品多皱缩，形状不规则。茎细小而弯曲，茎节着生多数须根。叶片薄，多皱缩，完整叶呈圆肾形，长 2.5 ~ 7 cm，宽 3 ~ 8 cm，表面绿褐色，掌状 5 ~ 7 浅裂，裂片阔卵形或近三角形，边缘有不规则的锐锯齿或钝齿，基部心形；叶柄长 4 ~ 23 cm。茎、叶均被疏或密而反曲的柔毛。气微，味淡。

| 功能主治 | 理气止痛，利湿解毒。用于脘腹痛，肝炎，黄疸，小便不利，湿疹。

| 用法用量 | 内服煎汤，3 ~ 9 g。外用适量，捣敷。

| 附　注 | 本种的拉丁学名在 FOC 中被修订为 *Hydrocotyle hookeri* (C. B. Clarke) subsp. *chinensis* (Dunn ex R. H. Shan et S. L. Liou) M. F. Watson et M. L. Sheh。

伞形科 Apiaceae 天胡荽属 Hydrocotyle

红马蹄草 *Hydrocotyle nepalensis* Hook.

| 药 材 名 | 红马蹄草（药用部位：全草）。

| 形态特征 | 多年生草本，高 5 ~ 45 cm。茎匍匐，有斜上分枝，节上生根。叶片膜质至硬膜质，圆形或肾形，长 2 ~ 5 cm，宽 3.5 ~ 9 cm，边缘通常 5 ~ 7 浅裂，裂片有钝锯齿，基部心形，掌状脉 7 ~ 9，疏生短硬毛；叶柄长 4 ~ 27 cm，上部密被柔毛，下部无毛或有毛；托叶膜质，先端钝圆或有浅裂，长 1 ~ 2 mm。伞形花序数个簇生于茎端叶腋内；花序梗短于叶柄，长 0.5 ~ 2.5 cm，有柔毛；小伞形花序有 20 ~ 60 花，常密集成球形头状花序；花梗极短，长 0.5 ~ 1.5 mm，稀长超过 2 mm 或无梗，基部有卵形或倒卵形的膜质小总苞片；无萼齿；花瓣卵形，白色或乳白色，有时有紫红

色斑点；花柱幼时内卷，花后向外反曲，基部隆起。果实长 1 ~ 1.2 mm，宽
1.5 ~ 1.8 mm，基部心形，两侧压扁，光滑或有紫色斑点，成熟后常呈黄褐色
或紫黑色，中棱和背棱显著。花果期 5 ~ 11 月。

| 生境分布 | 生于山坡、路旁、阴湿地、水沟和溪边草丛中。湖南有广泛分布。

| 资源情况 | 野生资源丰富。药材来源于野生。

| 采收加工 | 夏、秋季采收，洗净，鲜用或晒干。

| 药材性状 | 本品茎纤细柔软而弯曲，有分枝，疏被毛，节上生根。叶柄基部有叶鞘，被毛；
叶多皱缩，展开后长 15 ~ 30 cm，完整叶呈圆肾形，掌状 5 ~ 7 浅裂，裂片
先端钝，基部心形，边缘有缺齿，具掌状叶脉，两面被紫色短硬毛。气微，味淡。

| 功能主治 | 苦、寒。清热祛湿，化瘀止血，消肿止痛，解毒。用于风热感冒，咳嗽，痰中
带血，痢疾，痛经，月经不调，跌打肿痛，外伤出血，疮疡肿毒。

| 用法用量 | 内服煎汤，6 ~ 15 g；或浸酒。外用适量，捣敷；或煎汤洗。

伞形科 Apiaceae 天胡荽属 Hydrocotyle

天胡荽 *Hydrocotyle sibthorpioides* Lam.

| 药 材 名 | 天胡荽（药用部位：全草）。

| 形态特征 | 多年生草本，有气味。茎细长而匍匐，平铺于地面成片，节上生根。叶片膜质至草质，圆形或肾状圆形，长 0.5 ~ 1.5 cm，宽 0.8 ~ 2.5 cm，基部心形，2 叶耳有时相接，不分裂或 5 ~ 7 裂，裂片阔倒卵形，边缘有钝齿，表面光滑，背面脉上疏被粗伏毛，有时两面光滑或密被柔毛；叶柄长 0.7 ~ 9 cm，无毛或先端有毛；托叶略呈半圆形，薄膜质，全缘或稍有浅裂。伞形花序与叶对生，单生于节上；花序梗纤细，长 0.5 ~ 3.5 cm，短于叶柄 1 ~ 3.5 倍；小总苞片卵形至卵状披针形，长 1 ~ 1.5 mm，膜质，有黄色透明腺点，背部有 1 不明显的脉；小伞形花序有 5 ~ 18 花；花无柄或有极短的柄；花瓣卵形，

长约 1.2 mm，绿白色，有腺点；花丝与花瓣等长或稍长于花瓣，花药卵形；花柱长 0.6 ~ 1 mm。果实略呈心形，长 1 ~ 1.4 mm，宽 1.2 ~ 2 mm，两侧压扁，成熟时中棱极隆起，幼时表面草黄色，成熟时有紫色斑点。花果期 4 ~ 9 月。

| 生境分布 | 生于湿润草地、林缘及溪沟边。湖南有广泛分布。

| 资源情况 | 野生资源丰富。药材来源于野生。

| 采收加工 | 夏、秋季采收，洗净，鲜用或晒干。

| 药材性状 | 本品根呈细圆柱形，外表淡黄色或灰黄色。茎细长弯曲，黄绿色，节处残留须根或根痕。叶多皱缩或破碎，圆形或近肾形，掌状 5 ~ 7 浅裂或裂至叶片中部，淡绿色，具扭曲的叶柄。有香气。

| 功能主治 | 辛、微苦，凉。清热解毒，利尿通淋，止咳化痰，明目退翳。用于湿热黄疸，赤白痢，感冒咳嗽，湿热淋证，咽喉肿痛，风火目痛，痈肿，丹毒，目赤生翳，带状疱疹。

| 用法用量 | 内服煎汤，9 ~ 15 g；或捣汁。外用适量，捣敷；或塞鼻；或捣汁涂；或煎汤洗。

破铜钱 *Hydrocotyle sibthorpioides* Lam. var. *batrachium* (Hance) Hand.-Mazz. ex Shan

| 药 材 名 | 破铜钱（药用部位：全草）。

| 形态特征 | 本种与天胡荽 *Hydrocotyle sibthorpioides* Lam. 的区别在于本种叶片较小，3 ~ 5 深裂几达基部，侧裂片间有一侧或两侧仅裂至基部1/3 处，裂片均呈楔形。

| 生境分布 | 生于湿润草地、路旁、滩沟、溪谷及山地。分布于湘西北、湘西南等。

| 资源情况 | 野生资源丰富。药材来源于野生。

| 采收加工 | 夏、秋季采收，洗净，鲜用或晒干。

| 药材性状 | 本品皱缩成团。茎纤细。叶多破碎，完整叶展平后近圆形，叶片

3 ～ 5 深裂至近基部，侧裂片间有一侧或两侧仅裂至基部 1/3 处，裂片楔形。气微香，味淡。

| **功能主治** | 清热利湿，祛痰止咳。用于黄疸，臌胀，胆结石，小便淋痛，感冒咳嗽，乳蛾，目翳。

| **用法用量** | 内服煎汤，9 ～ 15 g，鲜品 30 ～ 60 g；或捣汁。外用适量，捣敷；或捣汁涂。

伞形科 Apiaceae 天胡荽属 Hydrocotyle

肾叶天胡荽 *Hydrocotyle wilfordii* Maxim.

| 药 材 名 | 毛叶天胡荽（药用部位：全草）。

| 形态特征 | 多年生草本。茎直立或匍匐，高 15 ~ 45 cm，有分枝，节上生根。叶片膜质至草质，圆形或肾状圆形，长 1.5 ~ 3.5 cm，宽 2 ~ 7 cm，边缘不明显 7 裂，裂片通常有 3 钝圆齿，基部心形或弯缺处开展成锐角，两面光滑或在背面脉上被极疏的短刺毛；叶柄长 3 ~ 19 cm，上部被柔毛，下部光滑或有疏毛；托叶膜质，圆形。花序梗纤细，单生于枝条上部，与叶对生，长于或等长于叶柄；花序常 2 ~ 3 簇生于节上，小伞形花序有多数花；花无柄或有极短的柄，密集成头状；小总苞片膜质，细小，具紫色斑点；花瓣卵形，白色至淡黄色。果实长 1.2 ~ 1.8 mm，宽 1.5 ~ 2.1 mm，基部心形，两侧压扁，中

棱明显隆起，幼时草绿色，成熟时紫褐色或黄褐色，有紫色斑点。花果期5～9月。

| 生境分布 | 生于海拔350～1400 m的阴湿山谷、田野、沟边、溪旁。分布于湖南株洲（茶陵）、怀化（靖州、通道）、张家界（慈利）等。

| 资源情况 | 野生资源丰富。药材来源于野生。

| 采收加工 | 夏、秋季采收，洗净，鲜用或晒干。

| 药材性状 | 本品多缠绕成团。茎纤细，长而弯曲，无毛。叶多皱缩，完整叶呈圆肾形，直径1.5～6 cm，有5～7裂片，基部深心形，稍张开或相接近，两面无毛或有疏毛；叶柄长2.5～19 cm，有短硬毛。气微，味淡、苦。

| 功能主治 | 苦，微寒。归心、肝、大肠、膀胱经。清热解毒，利湿。用于赤白痢，黄疸，小便淋痛，疮肿，鼻炎，耳痛，口疮。

| 用法用量 | 内服煎汤，6～15 g。外用适量，捣敷；或绞汁涂。

伞形科 Apiaceae 藁本属 Ligusticum

川芎
Ligusticum chuanxiong Hort.

| 药 材 名 | 川芎（药用部位：根茎）。

| 形态特征 | 多年生草本，高 40 ~ 60 cm，具浓烈香气。根茎发达，形成不规则的结节状拳形团块。茎直立，圆柱形，具纵条纹，上部多分枝，下部茎节膨大成盘状。茎下部叶具柄，叶柄长 3 ~ 10 cm，基部扩大成鞘，叶片卵状三角形，长 12 ~ 15 cm，宽 10 ~ 15 cm，三出式 3 ~ 4 回羽状全裂，羽片 4 ~ 5 对，卵状披针形，长 6 ~ 7 cm，宽 5 ~ 6 cm，末回裂片线状披针形至长卵形，长 2 ~ 5 mm，宽 1 ~ 2 mm，具小尖头；茎上部叶渐简化。复伞形花序顶生或侧生；总苞片 3 ~ 6，线形，长 0.5 ~ 2.5 cm；伞幅 7 ~ 24，不等长，长 2 ~ 4 cm，内侧粗糙；小总苞片 4 ~ 8，线形，长 3 ~ 5 mm，粗糙；萼齿不发

育；花瓣白色，倒卵形至心形，长 1.5 ~ 2 mm，先端具内折的小尖头；花柱基圆锥状，花柱 2，长 2 ~ 3 mm，向下反曲。幼果两侧压扁，长 2 ~ 3 mm，宽约 1 mm，背棱槽内有油管 1 ~ 5，侧棱槽内有油管 2 ~ 3，合生面有油管 6 ~ 8。花期 7 ~ 8 月，幼果期 9 ~ 10 月。

| **生境分布** | 栽培于海拔 800 m 以上的山坡。分布于湖南湘西州（龙山）、张家界（永定）等。

| **资源情况** | 栽培资源稀少。药材来源于栽培。

| **采收加工** | 栽后翌年 5 月下旬至 6 月上旬采挖，抖掉泥土，除去茎叶，炕干。

| **药材性状** | 本品为不规则的结节状拳形团块，直径 2 ~ 7 cm。表面黄褐色，粗糙，皱缩，有多数平行隆起的轮节，先端有凹窝状类圆形茎痕，下侧及轮节上有多数细小的瘤状根痕。质坚实，不易折断，断面黄白色或灰黄色，可见波状环纹（形成层）及错综纹理，散有黄棕色油点（油室）。香气特异、浓郁，味苦、辛，嚼之稍有麻舌感，后微甜。以个大、质坚实、断面色黄白、油性大、香气浓者为佳。

| **功能主治** | 辛，温。归肝、胆、心包经。活血祛瘀，行气开郁，祛风止痛。用于月经不调，经闭，痛经，产后血瘀腹痛，癥瘕，胸胁疼痛，头痛，眩晕，风寒湿痹，跌打损伤，痈疽疮疡。

| **用法用量** | 内服煎汤，3 ~ 10 g；或研末，每次 1 ~ 1.5 g；或入丸、散剂。外用适量，研末撒；或煎汤漱口。

伞形科 Apiaceae 藁本属 *Ligusticum*

藁本
Ligusticum sinense Oliv.

| 药 材 名 | 藁本（药用部位：根茎）。

| 形态特征 | 多年生草本，高达 1 m。根茎发达，具膨大的结节。茎直立，圆柱形，中空，具条纹。基生叶具长柄，叶柄长可达 20 cm，叶片宽三角形，长 10 ~ 15 cm，宽 15 ~ 18 cm，三出式 2 回羽状全裂，一回羽片长圆状卵形，长 6 ~ 10 cm，宽 5 ~ 7 cm，下部羽片具柄，柄长 3 ~ 5 cm，基部略扩大，小羽片卵形，长约 3 cm，宽约 2 cm，边缘齿状浅裂，具小尖头，顶生小羽片先端渐尖至尾状；茎中部叶较大；茎上部叶简化。复伞形花序顶生或侧生，果时直径 6 ~ 8 cm；总苞片 6 ~ 10，线形，长约 6 mm；伞幅 14 ~ 30，长达 5 cm，四棱形，粗糙；小总苞片 10，线形，长 3 ~ 4 mm；花白色；花梗粗糙；萼

齿不明显；花瓣倒卵形，先端微凹，具内折的小尖头；花柱基隆起，花柱长，向下反曲。分生果幼嫩时宽卵形，两侧稍压扁，成熟时长圆状卵形，背腹压扁，长 4 mm，宽 2 ～ 2.5 mm，背棱凸起，侧棱略扩大成翅状，背棱槽内有油管 1 ～ 3，侧棱槽内有油管 3，合生面有油管 4 ～ 6；胚乳腹面平直。花期 8 ～ 9 月，果期 10 月。

| **生境分布** | 生于海拔 1 000 ～ 2 700 m 的林下、沟边草丛及湿润的水滩边。分布于湖南长沙（浏阳）、株洲（炎陵）、郴州（桂东）等。

| **资源情况** | 野生资源稀少。栽培资源一般。药材来源于野生和栽培。

| **采收加工** | 栽种翌年 9 ～ 10 月倒苗后采挖，除去泥土及残茎，晒干或炕干。

| **药材性状** | 本品呈不规则的结节状圆柱形，稍扭曲，有分枝，长 3 ～ 10 cm，直径 1 ～ 2 cm。表面棕褐色或暗棕色，粗糙，有纵皱纹，上侧残留数个凹陷的圆形茎痕，下侧有多数点状凸起的根痕及残根。体轻，易折断，断面黄色或黄白色，纤维状。

| **功能主治** | 辛，温。归膀胱、肝经。祛风除湿，散寒止痛。用于风寒头痛，巅顶痛，风湿痹痛，心腹气痛，疥癣，寒湿泄泻，瘕瘕。

| **用法用量** | 内服煎汤，3 ～ 10 g；或入丸、散剂。外用适量，煎汤洗；或研末调涂。

伞形科 Apiaceae 白苞芹属 Nothosmyrnium

白苞芹
Nothosmyrnium japonicum Miq.

| 药 材 名 |　紫茎芹（药用部位：根。别名：石防风）。

| 形态特征 |　多年生草本，高 0.5 ~ 1.2 m。主根较短，长 3 ~ 4 cm，有较多须状支根。茎直立，分枝，有纵纹。叶卵状长圆形，长 10 ~ 20 cm，宽 8 ~ 15 cm，2 回羽状分裂，一回裂片有柄，柄长 2 ~ 5 cm，二回裂片有柄或无柄，卵形至卵状长圆形，长 2 ~ 8 cm，宽 2 ~ 4 cm，先端尖锐，边缘有重锯齿，下面有疏柔毛，叶柄基部有鞘；茎上部的叶逐渐变小，羽状分裂，有鞘。复伞形花序顶生和腋生；花序梗长 5 ~ 17 cm；总苞片 3 ~ 4，长 15 mm，宽 7 mm，披针形或卵形，先端长尖，有多脉，反折，边缘膜质；小总苞片 4 ~ 5，长 7 mm，宽 5 mm，广卵形或披针形，先端尖锐，淡黄色，有多脉，反折，边

缘膜质；伞幅 7 ~ 15，弧形展开，长 1.5 ~ 8 cm；花白色；花梗线形，长 5 ~ 10 mm。果实球状卵形，基部略呈心形，先端渐窄狭，长 2 ~ 3 mm，宽 1 ~ 2 mm，果棱线形，油管多数；分生果侧面扁平，横剖面圆形，略带五边形；胚乳腹面凹陷。花果期 9 ~ 10 月。

| **生境分布** | 生于山坡林下阴湿草丛中或杂木林下。分布于湖南郴州（桂东）等。

| **资源情况** | 野生资源较少。药材来源于野生。

| **采收加工** | 秋季采挖，除去茎叶，洗净，晒干。

| **功能主治** | 祛风散寒，舒筋活血。用于风寒感冒，头痛，风寒湿痹，筋骨疼痛，骨折伤痛。

| **用量用法** | 内服煎汤，20 ~ 24 g。

伞形科 Apiaceae 白苞芹属 *Nothosmyrnium*

川白苞芹

Nothosmyrnium japonicum Miq.var. *sutchuensis* de Boiss.

| 药 材 名 | 川白苞芹（药用部位：根）。 |

| 形态特征 | 本种与白苞芹 *Nothosmyrnium japonicum* Miq. 的区别在于本种叶裂片呈披针形或披针状椭圆形，边缘有不规则的深裂齿。 |

| 生境分布 | 生于海拔 1 500 m 的林下草丛。分布于湖南怀化（麻阳）、湘西州（龙山）等。 |

| 资源情况 | 野生资源较少。药材来源于野生。 |

| 采收加工 | 秋季采挖，除去茎叶，洗净，晒干。 |

| **功能主治** | 辛、苦，微温。止咳平喘，舒筋止痛。用于咳嗽，哮喘，筋骨疼痛，头痛。 |

| **用法用量** | 内服煎汤，3 ~ 9 g。 |

| 伞形科 | Apiaceae | 水芹属 | Oenanthe

短辐水芹 *Oenanthe benghalensis* Benth. et Hook. f.

| **药 材 名** | 水芹菜（药用部位：全草。别名：野芹菜）。

| **形态特征** | 多年生草本，高 17 ～ 60 cm，全体无毛。须根较多。茎自基部多分枝，有棱。叶片三角形，1 ～ 2 回羽状分裂，末回裂片卵形至菱状披针形，长 1.5 ～ 2 cm，宽约 0.5 cm，先端钝，边缘有钝齿。复伞形花序顶生和侧生；花序梗通常与叶对生，长 1 ～ 2 cm；无总苞片；伞幅 4 ～ 10，较短，长 0.5 ～ 1 cm，直立并开展；小总苞片披针形，多数，长 2 ～ 2.5 mm；小伞形花序有 10 余花；花梗长 1.5 ～ 2 mm；萼齿线状披针形，长 0.3 ～ 0.4 mm；花瓣白色，倒卵形，长 1 mm，宽不及 0.8 mm，先端有一内折的小舌片；花柱基圆锥形，花柱直立或两侧分开，长约 0.5 mm。果实椭圆形或筒状长圆形，长 2 ～ 3 mm，

宽 1 ~ 1.5 mm，侧棱较背棱和中棱隆起，木栓质，分生果横剖面半圆形，棱槽内有油管 1，合生面有油管 2。花期 5 月，果期 5 ~ 6 月。

| 生境分布 | 生于山坡、林下、溪边、沟旁、水边湿地中。分布于湘西南，以及郴州（桂东）等。

| 资源情况 | 野生资源较少。药材来源于野生。

| 采收加工 | 春、夏季采收，洗净，切段，晒干或鲜用。

| 药材性状 | 本品多皱缩成团，长 20 ~ 40 cm，全体无毛。茎多分枝，具棱。叶为 1 ~ 2 回羽状复叶，下部小叶常呈卵形，上部小叶呈披针形，先端渐尖，基部楔形，侧生小叶基部偏斜，边缘有钝齿；叶柄长 2 ~ 7 cm。质脆。气微香，味微辛。

| 功能主治 | 辛、微甘，凉。归肺、肝经。平肝，解表，透疹。用于麻疹初期，高血压，失眠。

| 用法用量 | 内服煎汤，10 ~ 30 g；或捣汁。

伞形科 Apiaceae 水芹属 *Oenanthe*

细叶水芹 *Oenanthe dielsii* de Boiss. var. *stenophylla* de Boiss.

| 药 材 名 | 细叶水芹（药用部位：全草）。

| 形态特征 | 多年生草本，高 50 ~ 80 cm，全体无毛。有短根茎，支根须状或细长纺锤形。茎直立或匍匐，下部节上生根，上部叉式分枝，开展。叶有柄，长 2 ~ 8 cm，基部有较短叶鞘；叶片三角形，叶片有较多回的羽状分裂，末回裂片线形。花序梗长 2 ~ 23 cm，与叶对生；无总苞；伞幅 5 ~ 12，长 1 ~ 3 cm；小总苞片线形，少数，较花梗短；小伞形花序有花 13 ~ 30，花梗长 2 ~ 4 mm；萼齿细小，卵形；花瓣白色，倒卵形，先端凹陷，有内折的小舌片；花柱基短圆锥形，花柱长 1.5 ~ 2 mm。果实长圆形或近圆球形，背棱和中棱明显，侧棱较膨大，棱槽显著，分生果横剖面呈半圆形，每棱槽内有油管 1，

合生面有油管 2。花期 6 ～ 8 月，果期 8 ～ 10 月。

| **生境分布** | 生于海拔 1 500 ～ 2 000 m 的山谷杂木林下、溪旁、水边草丛中。分布于湘西北，以及邵阳（邵东）、怀化（洪江）、株洲（渌口）、岳阳（平江）、郴州（桂东）等。

| **资源情况** | 野生资源较少。药材来源于野生。

| **采收加工** | 9 ～ 10 月采收，鲜用或晒干。

| **功能主治** | 苦，凉。清热解毒，利尿消肿。用于咽喉肿痛，风热咳嗽，肾炎性水肿，高血压。

| **用法用量** | 内服煎汤，30 ～ 60 g。

伞形科 Apiaceae 水芹属 Oenanthe

水芹
Oenanthe javanica (Bl.) DC.

| 药 材 名 | 水芹（药用部位：全草或根。别名：芹菜、水芹菜、野芹菜）、芹花（药用部位：花）。

| 形态特征 | 多年生草本，高 15 ~ 80 cm。茎直立或基部匍匐。基生叶叶柄长达 10 cm，基部有叶鞘，叶片三角形，1 ~ 2 回羽状分裂，末回裂片卵形至菱状披针形，长 2 ~ 5 cm，宽 1 ~ 2 cm，边缘有牙齿或圆齿状锯齿；茎上部叶无柄，裂片和基生叶裂片相似，较小。复伞形花序顶生；花序梗长 2 ~ 16 cm；无总苞片；伞幅 6 ~ 16，不等长，长 1 ~ 3 cm，直立并开展；小总苞片 2 ~ 8，线形，长 2 ~ 4 mm；小伞形花序有 20 余花；花梗长 2 ~ 4 mm；萼齿线状披针形，与花柱基等长；花瓣白色，倒卵形，长 1 mm，宽 0.7 mm，有一长而内折

的小舌片；花柱基圆锥形，花柱直立或两侧分开，长 2 mm。果实近四角状椭圆形或筒状长圆形，长 2.5 ~ 3 mm，宽 2 mm，侧棱较背棱和中棱隆起，木栓质，分生果横剖面近五边状半圆形，每棱槽内有油管 1，合生面有油管 2。花期 6 ~ 7 月，果期 8 ~ 9 月。

| 生境分布 | 生于低湿洼地或水沟中。湖南各地均有分布。

| 资源情况 | 野生资源丰富。药材来源于野生。

| 采收加工 | 水芹：9 ~ 10 月采收，洗净，鲜用或晒干。
芹花：6 ~ 7 月花开时采收，晒干。

| 功能主治 | 水芹：甘，凉。清热，利水。用于暴热烦渴，黄疸，水肿，淋病，带下，瘰疬，疥腮。
芹花：苦，寒。退热，除湿。用于发热，呕吐腹泻。

| 用法用量 | 水芹：内服煎汤，50 ~ 100 g；或捣汁。外用适量，捣敷。
芹花：内服煎汤，3 ~ 9 g。

伞形科 Apiaceae 水芹属 *Oenanthe*

线叶水芹 *Oenanthe linearis* Wall. ex DC.

| 药 材 名 | 水芹（药用部位：全草。别名：水英、芹菜）。

| 形态特征 | 多年生草本，高 30 ~ 60 cm，光滑无毛。茎直立，上部分枝，下部节上生不定根。叶柄长 1 ~ 3 cm；叶鞘边缘薄膜质；叶片呈广卵形或长三角形，2 回羽状分裂；茎基部叶末回裂片卵形，长 1 cm，边缘分裂；茎上部叶末回裂片线形，长 5 ~ 8 cm，宽 2.5 ~ 3 cm，基部楔形，先端渐尖，全缘。复伞形花序顶生和腋生；花序梗长 2 ~ 10 cm；总苞片 1 或无，线形，长 0.5 ~ 0.8 cm；伞幅 6 ~ 12，不等长，长 0.5 ~ 2 cm；小总苞片少数，线形，长 2 ~ 3 mm；每小伞形花序有 20 余花；花梗长 2 ~ 5 mm；萼齿披针状卵形；花瓣白色，倒卵形，先端内折；花柱基圆锥形，较萼齿短，花柱直立，

叉式分开，长不及 1 mm。果实近四方状椭圆形或球形，长 2 mm，宽 1.5 mm，侧棱较中棱和背棱隆起，背棱线形，每棱槽内有油管 1，合生面有油管 2。

| **生境分布** | 生于丘陵岗地。分布于湖南怀化（麻阳）、永州（零陵）、邵阳（邵阳）等。

| **资源情况** | 野生资源一般。药材来源于野生。

| **采收加工** | 9 ~ 10 月采收，鲜用或晒干。

| **功能主治** | 辛、甘，凉。归肺、肝、膀胱经。清热解毒，利尿，止血。用于感冒，烦渴，浮肿，小便淋痛不利，尿血，便血，吐血，衄血，崩漏，目赤，咽痛，口疮，牙疳，乳痈，瘰疬，痄腮，带状疱疹，麻疹不透，痔疮，跌打伤肿。

| **用法用量** | 内服煎汤，30 ~ 60 g；或捣汁。外用适量，捣敷；或捣汁涂。

伞形科 Apiaceae 水芹属 Oenanthe

卵叶水芹 *Oenanthe rosthornii* Diels

| 药 材 名 | 卵叶水芹（药用部位：全草。别名：长茎野芹菜）。

| 形态特征 | 多年生草本，高 50 ～ 70 cm，粗壮。茎下部匍匐，上部直立，有棱，被柔毛。叶片广三角形或卵形，长 7 ～ 15 cm，宽 8 ～ 12 cm，末回裂片菱状卵形或长圆形，长 3 ～ 5 cm，宽 1.5 ～ 2 cm，先端长渐尖，边缘有楔形齿。复伞形花序顶生和侧生；花序梗长 16 ～ 20 cm；无总苞片；伞幅 10 ～ 24，不等长，长 2 ～ 6 cm，直立并开展；小总苞片 6 ～ 12，披针形，长 4 ～ 6 mm；小伞形花序有 30 余花；花梗长 2 ～ 5 mm；萼齿披针形，长不及 1 mm；花瓣白色，倒卵形，长 1 ～ 1.5 mm，宽 0.7 ～ 0.8 mm，先端有一内折的小舌片；花柱基圆锥形，花柱直立，长 1 ～ 1.5 mm。果实椭圆形或长圆形，长 3 ～ 4 mm，

宽约 2 mm，侧棱较背棱和中棱隆起，木栓质，分生果横剖面半圆形，每棱槽内有油管 1，合生面有油管 2。花期 8 ~ 9 月，果期 10 ~ 11 月。

| 生境分布 | 生于山谷、林下、水沟旁草丛中。分布于湖南永州（双牌）、湘西州（凤凰）、邵阳（绥宁）等。

| 资源情况 | 野生资源一般。药材来源于野生。

| 采收加工 | 夏、秋季采收，洗净，鲜用或晒干。

| 药材性状 | 本品多皱缩成团。茎多分枝，被柔毛。叶多皱缩，完整叶片呈卵形至矩圆形，长 3 ~ 15 cm，宽 5 ~ 12 cm，三出式 2 回羽状复叶；小叶菱状卵形或长卵形，长 4 ~ 5 cm，宽 1.5 ~ 2 cm，先端渐尖或尾尖，边缘有尖锯齿，两面无毛；叶柄长 5 ~ 14 cm。气香，味淡。

| 功能主治 | 甘、酸，平。归心、肝、脾经。补益气血，止血，利尿消肿。用于气血亏虚，头目眩晕，身面浮肿，创伤出血。

| 用法用量 | 内服煎汤，10 ~ 20 g；或捣汁。外用适量，捣敷。

| 附　　注 | 本种的拉丁学名在 FOC 中被修订为 *Oenanthe javanica* (Blume) DC. subsp. *rosthornii* (Diels) F. T. Pu。

伞形科 Umbelliferae 香根芹属 Osmorhiza

香根芹

Osmorhiza aristata (Thunb.) Makino et Yabe

| 药 材 名 |

香根芹根（药用部位：根）、香根芹果（药用部位：果实）。

| 形态特征 |

多年生草本，高 25 ~ 70 cm。主根圆锥形，长 2 ~ 5 cm，有香气。茎圆柱形，有分枝，草绿色，嫩时有毛，老后光滑。基生叶片呈阔三角形或近圆形，通常 2 ~ 3 回羽状分裂或羽状复叶，羽片 2 ~ 4 对，下部第 2 回羽片卵状长圆形或三角形，长 2 ~ 7 cm，宽 1.5 ~ 3.5 cm，边缘有缺刻，羽状裂，有短柄，末回裂片卵形，长 1 ~ 3 cm，宽 0.5 ~ 2 cm，先端钝，边缘有粗锯齿，缺刻或羽状浅裂，表面深绿色，背面淡绿色，两面被白色粗硬毛；叶柄长 5 ~ 26 cm，基部有膜质叶鞘；茎生叶的分裂形状如基生叶。复伞形花序顶生或腋生，花序梗上升，长 4 ~ 22 cm；总苞片 1 ~ 4，长 0.5 ~ 1.2 cm，膜质，早落；伞幅 3 ~ 5，长 3 ~ 8 cm；小总苞片 4 ~ 5，长 2 ~ 5 mm，宽 1 ~ 1.5 mm，背面或边缘有毛，反折；小伞形花序有孕育花 1 ~ 6，不孕花的花梗丝状，短小；花瓣倒卵圆形，长约 1.2 mm，宽 1 mm，先端有内曲的小舌片；花丝短于花瓣，花药卵圆形；花柱基

部圆锥形，花柱略长于花柱基部；子房被白色扁平软毛。果实线形或棍棒状，长 1 ~ 2.2 cm，宽 2 ~ 2.5 mm，基部尾状尖，果棱有刺毛，基部较密；分生果横剖面圆状五角形，胚乳腹面内凹。花果期 5 ~ 7 月。

| 生境分布 | 生于海拔 1 600 ~ 2 000 m 的林下、山沟及河边草地。分布于湖南张家界（永定）、怀化（沅陵、芷江）、湘西州（凤凰、永顺、龙山）等。

| 资源情况 | 野生资源稀少。药材来源于野生。

| 采收加工 | 香根芹根：夏季采挖，去其茎叶，洗净，晒干。
香根芹果：6 ~ 7 月果实成熟时采收，晒干。

| 功能主治 | 香根芹根：健脾消食，养肝明目。用于消化不良，夜盲症。
香根芹果：辛、苦，温。驱虫，止痢，利尿。用于蛔虫病，慢性痢疾，肾炎性水肿。

| 用法用量 | 香根芹根：内服煎汤，15 ~ 30 g。
香根芹果：内服煎汤，3 ~ 9 g；或研末冲服。

伞形科 Apiaceae 山芹属 Ostericum

隔山香 *Ostericum citriodorum* (Hance) Yuan et Shan

| 药 材 名 | 隔山香（药用部位：全草或根）。

| 形态特征 | 多年生草本，高 0.5 ～ 1.3 m，全株光滑无毛。根颈有残存的须状叶鞘；根近纺锤形，棕黄色，有数条支根。茎单生，圆柱形，直径 2 ～ 5 mm，上部分枝。基生叶及茎生叶均 2 ～ 3 回羽状分裂；叶柄长 5 ～ 30 cm，基部略膨大成短三角形叶鞘；叶鞘稍抱茎，长 0.5 ～ 1.5 cm；叶片长圆状卵形至阔三角形，长 15 ～ 22 cm，宽 13 ～ 20 cm，末回裂片长圆状披针形至长披针形，长 3 ～ 6.5 cm，宽 0.4 ～ 2.5 cm，先端急尖，有小凸尖头，边缘及中脉干后波状皱曲，密生极细的齿，无柄或有短柄。复伞形花序；花序梗长 6 ～ 9 cm；总苞片 6 ～ 8，披针形，有多条纵纹，长约 4 mm；伞幅 5 ～ 12；小

伞形花序有 10 余花；小总苞片 5 ~ 8，狭线形，反折，长 2 ~ 3 mm；花白色；萼齿明显，三角状卵形；花瓣倒卵形，先端内折；花柱基短圆锥形，花柱叉开。果实椭圆形至广卵圆形，长 3 ~ 4 mm，宽 3 ~ 3.5 mm，金黄色，有光泽，背棱有狭翅，侧棱有宽翅，翅宽于果体，棱槽中有油管 1 ~ 3，合生面有油管 2。花期 6 ~ 8 月，果期 8 ~ 10 月。

| 生境分布 | 生于山坡、灌木林下、林缘、草丛中。分布于湖南郴州（嘉禾、汝城）、永州（东安）、衡阳（衡东）等。

| 资源情况 | 野生资源较少。药材来源于野生。

| 采收加工 | 全草，夏、秋季采收，除去泥沙及杂质，鲜用或晒干。根，秋后采挖，除去茎叶，洗净，鲜用或晒干。

| 功能主治 | 疏风清热，活血化瘀，行气止痛。用于风热咳嗽，心绞痛，胃痛，疟疾，痢疾，经闭，带下，跌打损伤等。

| 用法用量 | 内服煎汤，6 ~ 15 g；或研末；或浸酒。外用适量，捣敷；或煎汤洗。

伞形科 Umbelliferae 前胡属 Peucedanum

竹节前胡
Peucedanum dielsianum Fedde ex Wolff

| 药 材 名 | 川防风（药用部位：根及根茎）。

| 形态特征 | 多年生草本，高 60 ~ 90 cm。根颈粗壮而长，表皮灰褐色，有明显节痕。基生叶数片，具长柄，叶柄长 6 ~ 22 cm，圆柱形，坚实，劲直，平滑无毛，基部有较短的卵状叶鞘；叶片为广三角状卵形，长 10 ~ 30 cm，宽 9 ~ 26 cm，具一回羽片 5 ~ 7 对，具二回羽片 1 ~ 4 对，末回裂片卵状披针形，边缘具锯齿，小裂片披针形、菱形或椭圆形，长 1 ~ 4 cm，宽 0.4 ~ 1.5 cm，具 1 ~ 3 锯齿，稍革质，下面粉绿色。茎圆柱形，髓部充实，有纵长细条纹轻微凸起，节间皮层纵向条裂，有光泽，平滑无毛。花顶生或侧生于叶腋中，花序梗粗短，伞形花序直径 4 ~ 8 cm，无总苞片或偶有 1 ~ 2，

线形，膜质；伞幅 12 ~ 26，长 1 ~ 4 cm，四棱形，内侧有鳞片状短毛；小总苞片 2 ~ 4，线形，膜质，比花梗短，萼齿细小不显著；花柱细而短，弯曲，花柱基圆锥形。分生果长椭圆形，长约 6 mm，宽约 3 mm，背部扁压，无毛，背棱及中棱线形突起，侧棱扩展成宽翅，翅较厚；棱槽内有油管 1 ~ 2，合生面油管 4 ~ 6；胚乳腹面微凹。花期 7 ~ 8 月，果期 9 ~ 10 月。

| 生境分布 | 生长于海拔 600 ~ 1 500 m 的山坡湿润岩石上。分布于湖南张家界（武陵源）等。

| 资源情况 | 野生资源较少。药材来源于野生。

| 采收加工 | 春、秋季采挖，除去茎叶，洗净，晒干。

| 药材性状 | 本品呈圆锥形，稍弯曲，长 6 ~ 12 cm，直径 1 ~ 1.5 cm。表面棕色，栓皮脱落处显黄棕色斑，具不规则的纵沟和较密的侧根痕，根头先端有残茎，略呈分枝状，环纹不明显。质轻，易折断，断面致密。气微，味甘。

| 功能主治 | 发表，祛风，胜湿，止痛。用于风寒感冒，感冒夹湿，头痛。

| 用法用量 | 内服煎汤，3 ~ 9 g；或入丸、散剂。

伞形科 Apiaceae 前胡属 Peucedanum

鄂西前胡 Peucedanum henryi Wolff

| 药 材 名 | 鄂西前胡（药用部位：根）。

| 形态特征 | 植株高约 50 cm。根长纺锤形，不分枝，直径约 1 cm，木质化。茎圆柱形，质坚硬，略呈空管状，分枝稀疏而细长。基生叶小；叶柄与叶片近等长；叶鞘极短；叶片三出式 3 回分裂，羽片具长柄；小叶楔状倒卵形或卵形，长达 20 cm，宽 14 cm，通常较小，无柄或具短柄，质坚实，下表面粉绿色，近深裂，具狭裂片或小裂片。伞形花序很少；花序梗与伞幅等长；无总苞片和小总苞片；伞幅 5 ~ 6，不等长，长达 5 cm，果期叉开；小伞形花序有约 20 花；花梗丝状，近等长；萼齿显著，细小；花瓣长圆形，非常弯曲，先端细，小舌片内曲，淡黄色至黄绿色；花柱基非常发达，圆锥形，花柱反曲。

果实椭圆形，背部十分压扁，无毛且平滑，分生果有时弯曲，略呈肾形，背棱线形，侧棱极狭窄，棱槽内有油管 3 ~ 4，合生面有油管 4；胚乳腹面凹陷。

| **生境分布** | 生于低山、中山、丘陵岗地。分布于湖南湘西州（古丈、永顺、凤凰、保靖）、张家界（桑植）等。 |

| **资源情况** | 野生资源较丰富。药材来源于野生。 |

| **采收加工** | 冬季至翌年春季茎叶枯萎或未抽花茎时采挖，除去须根，洗净，晒干或低温干燥。 |

| **功能主治** | 清热，祛痰。用于痰热咳喘，咳痰黄稠，风热咳嗽痰多。 |

| **用法用量** | 内服煎汤，3 ~ 9 g。 |

伞形科 Apiaceae 前胡属 *Peucedanum*

华中前胡 *Peucedanum medicum* Dunn

药 材 名

光头前胡（药用部位：根）。

形态特征

多年生草本，高 0.5 ~ 2 m。根颈长，圆柱形，直径 1 ~ 1.2 cm，有明显的环状叶痕，表皮灰棕色，略带紫色；根圆柱形，下部常有 3 ~ 5 分叉，表皮粗糙，有不规则的纵沟纹。茎圆柱形，多细条纹，光滑无毛。叶具长柄，基部有宽阔的叶鞘；叶片广三角状卵形，长 14 ~ 40 cm，宽 7 ~ 20 cm，三出式 2 ~ 3 回分裂或 2 回羽状分裂，一回羽片 3 ~ 4 对，下面 1 对羽片具长柄，3 全裂，两侧裂片斜卵形，长 2 ~ 5 cm，宽 1.5 ~ 5 cm，中间裂片卵状菱形，3 浅裂或深裂，较两侧裂片长，稍革质，上表面绿色，有光泽，下表面粉绿色，边缘具粗大锯齿，齿端有小尖头，网状脉明显，尤以背面较凸起，主脉上有短毛。伞形花序很大，直径 7 ~ 15（~ 20）cm，伞幅 15 ~ 30 或更多，不等长；总苞片大，早落；小总苞片多数，线状披针形，较花梗短；小伞形花序有 10 ~ 30 花，伞幅及花梗均有短柔毛；花瓣白色；花柱基圆锥形。果实椭圆形，背部压扁，长 6 ~ 7 mm，宽 3 ~ 4 mm，褐色或灰褐色，中棱和背棱呈线形凸起，侧棱呈狭翅状，每棱槽内有油管 3，合生面有油管 8 ~ 10。花期 7 ~ 9 月，果期 10 ~ 11 月。

| **生境分布** | 生于海拔 700 ~ 2 000 m 的山坡草丛中和湿润的岩石上。分布于湖南邵阳（邵阳、隆回）、张家界（桑植、武陵源）、怀化（麻阳、新晃）、娄底（娄星）、湘西州（永顺、龙山、凤凰、保靖）等。

| **资源情况** | 野生资源较丰富。药材来源于野生。

| **采收加工** | 秋、冬季地上部分枯萎时或未开花前采挖，除去茎叶，洗净，晒干或炕干。

| **药物性状** | 本品呈长圆锥形，下部分枝或弯曲，长 10 ~ 25 cm，宽 0.3 ~ 1.5 cm，表面黄棕色，具纵向皱纹及皮孔样突起，有时突起密集成环，使表面略呈竹节样，上部可见少量纤维状叶柄残基。质坚，易折断，断面平坦，皮部白色，木质黄色。气微，味略苦。

| **功能主治** | 清热化痰，止咳，散寒，祛风除湿。用于风热感冒，风湿痛，惊风。

| **用法用量** | 内服煎汤，3 ~ 9 g；或研末；或浸酒。

伞形科 Apiaceae 前胡属 Peucedanum

白花前胡 *Peucedanum praeruptorum* Dunn

| 药 材 名 | 前胡（药用部位：根。别名：鸡脚前胡、棕苞前胡、岩川芎）。

| 形态特征 | 多年生草本，高 0.6 ~ 1 m。根颈粗壮，直径 1 ~ 1.5 cm，灰褐色，残存多数越年的枯鞘纤维；根圆锥形，末端细瘦，常分叉。茎圆柱形，下部无毛，上部分枝多有短毛，髓部充实。基生叶具长柄，叶柄长 5 ~ 15 cm，基部有卵状披针形叶鞘，叶片宽卵形或三角状卵形，三出式 2 ~ 3 回分裂，一回羽片具柄，柄长 3.5 ~ 6 cm，末回裂片菱状倒卵形，先端渐尖，基部楔形至截形，无柄或具短柄，边缘具不整齐的 3 ~ 4 粗锯齿或圆锯齿，有时下部锯齿呈浅裂或深裂状，长 1.5 ~ 6 cm，宽 1.2 ~ 4 cm，下表面叶脉明显凸起，两面无毛，有时下表面叶脉上及边缘有稀疏短毛；茎下部叶具短柄，叶片形状

与基生叶相似；茎上部叶无柄，叶鞘稍宽，边缘膜质，叶片三出分裂，裂片狭窄，基部楔形，中间 1 裂片基部下延。复伞形花序多数，顶生或侧生；伞形花序直径 3.5 ~ 9 cm；花序梗上端多短毛；总苞片无或 1 至数片，线形；伞幅 6 ~ 15，不等长，长 0.5 ~ 4.5 cm，内侧有短毛；小总苞片 8 ~ 12，卵状披针形，在同一小伞形花序上，宽度和大小常有差异，较花梗长，与果柄近等长，有短糙毛；小伞形花序有 15 ~ 20 花；花瓣卵形，小舌片内曲，白色；萼齿不显著；花柱短，弯曲，花柱基圆锥形。果实卵圆形，背部压扁，长约 4 mm，宽 3 mm，棕色，有稀疏短毛，背棱呈线形，稍凸起，侧棱呈翅状，较果体窄，稍厚，棱槽内有油管 3 ~ 5，合生面有油管 6 ~ 10；胚乳腹面平直。花期 8 ~ 9 月，果期 10 ~ 11 月。

| 生境分布 | 生于山坡林缘、路旁或半阴性的山坡草丛中。湖南有广泛分布。

| 资源情况 | 野生资源较丰富。栽培资源丰富。药材来源于栽培。

| 药材性状 | 本品近圆柱形、圆锥形或纺锤形，稍扭曲，下部有分枝，长 3 ~ 15 cm，直径 1 ~ 2 cm，根头部常有茎痕及纤维状叶鞘残基。表面棕灰色至黑褐色，有不规则纵沟及纵皱纹，并有横向皮孔，上部有密集的环纹。质较柔软，干后质硬，可折断，折断面不整齐，疏松，有众多细小的黄棕色油点散在，皮部厚，淡黄色。气芳香，味微苦、辛。

| 采收加工 | 栽后 2 ~ 3 年秋、冬季采挖，除去地上茎及泥土，晒干。

| 功能主治 | 疏散风热，降气化痰。用于外感风热，肺热痰郁，咳嗽痰多，痰黄黏稠，呕逆食少，胸膈满闷。

| 用法用量 | 内服煎汤，5 ~ 10 g；或入丸、散剂。

伞形科 Apiaceae 茴芹属 Pimpinella

锐叶茴芹
Pimpinella arguta Diels

| 药 材 名 |

锐叶茴芹（药用部位：全草）。

| 形态特征 |

多年生草本，高 0.4 ~ 1 m。根圆柱形。茎
直立，上部 1 ~ 2 分枝。基生叶叶柄长约
10 cm，叶片 2 回三出分裂或三出式 2 回羽
状分裂，末回裂片卵形、倒卵形，长 2 ~ 6 cm，
宽 1 ~ 3 cm，基部楔形，先端通常尾尖或
渐尖，边缘有锐锯齿，背面叶脉上有毛；茎
中、下部叶与基生叶同形；茎上部叶较小，
无柄，叶片 3 裂，裂片卵状披针形或披针
形。总苞片 2 ~ 6 或无，线形、披针形；伞
幅 9 ~ 20，不等长，长 2 ~ 7 cm；小总苞
片 3 ~ 8，线形，短于果柄；小伞形花序有
10 ~ 25 花；萼齿三角形或披针形；花瓣卵
形或倒卵形，白色，基部楔形，先端凹陷，
有内折的小舌片；花柱基圆锥形，花柱长于
花柱基，向两侧弯曲。果实卵形，有的仅 1
分生果发育，长约 4 mm，无毛，果棱不明显，
每棱槽内有油管 3，合生面有油管 4；胚乳
腹面平直。花果期 6 ~ 9 月。

| 生境分布 |

生于山地沟谷中或林缘草地上。分布于湖南

衡阳（南岳、祁东）、张家界（桑植）、湘西州（永顺）、怀化（溆浦）等。

| **资源情况** | 野生资源一般。药材来源于野生。

| **功能主治** | 清热解毒，活血化瘀，消肿，止泻。

| **用法用量** | 内服煎汤，6 ~ 15 g。

伞形科 Apiaceae 茴芹属 Pimpinella

异叶茴芹
Pimpinella diversifolia DC. Prodr.

| 药 材 名 | 异叶茴芹（药用部位：全草）。

| 形态特征 | 多年生草本，高 0.3 ~ 2 m。根通常为须根，稀为圆锥状根。茎直立，有条纹，被柔毛，中上部分枝。叶异形；基生叶有长柄，连叶鞘长 2 ~ 13 cm，叶片三出分裂，裂片卵圆形，两侧裂片基部偏斜，先端裂片基部心形或楔形，长 1.5 ~ 4 cm，宽 1 ~ 3 cm，稀不分裂或羽状分裂，纸质；茎中、下部叶片三出分裂或羽状分裂；茎上部叶较小，有短柄或无柄，具叶鞘，叶片羽状分裂或 3 裂，裂片披针形，边缘有锯齿。总苞片通常无，稀 1 ~ 5，披针形；伞幅 6 ~ 15（~ 30），长 1 ~ 4 cm；小总苞片 1 ~ 8，短于花梗；小伞形花序有 6 ~ 20 花；花梗不等长；无萼齿；花瓣倒卵形，白色，基部楔形，先端凹陷，

小舌片内折，背面有毛；花柱基圆锥形，花柱长为花柱基的 2 ~ 3 倍，幼果期直立，后向两侧弯曲。幼果卵形，有毛，成熟果实卵球形，基部心形，近无毛，果棱线形，每棱槽内有油管 2 ~ 3，合生面有油管 4 ~ 6；胚乳腹面平直。花果期 5 ~ 10 月。

| 生境分布 | 生于山坡草丛、沟边或林下。湖南有广泛分布。

| 资源情况 | 野生资源丰富。药材来源于野生。

| 采收加工 | 夏、秋季采收，除去杂质，晒干或鲜用。

| 功能主治 | 辛、甘，微温。散寒消积，健脾止泻，祛瘀消肿。用于风寒感冒，泄泻，疳积，皮肤瘙痒。

| 用法用量 | 内服煎汤，9 ~ 15 g。外用适量，鲜品捣敷；或煎汤洗。

伞形科 Apiaceae 茴芹属 Pimpinella

城口茴芹
Pimpinella fargesii de Boiss.

| 药 材 名 |　城口茴芹（药用部位：全草）。

| 形态特征 |　多年生草本，高 0.4 ～ 1 m。直根或须根。茎直立，中、上部分枝，无毛。基生叶叶柄长 3 ～ 10 cm，叶片羽状分裂，裂片 2 ～ 3 对，下面 1 对有柄，长 1 ～ 3 cm，宽 1.5 ～ 3 cm，稀 2 回羽状分裂，裂片卵形或长卵形，长 3 ～ 4 cm，宽 1.5 ～ 3 cm，基部楔形或微心形，先端长尖，边缘有锯齿；茎中、下部叶与基生叶同形；茎上部叶较小，无柄，叶片基部有膜质叶鞘，3 裂，裂片线状披针形。总苞片通常无，稀 1，线形；伞幅 7 ～ 15，近等长，长 2 ～ 3 cm；小总苞片 1 ～ 5，线形，短于花梗；小伞形花序有 10 ～ 20 花；无萼齿；花瓣卵形、倒卵形，白色，基部楔形，先端微凹，有内折的小舌片；

花柱基圆锥形，花柱长为花柱基的 2 ~ 3 倍，向两侧弯曲。果实卵球形，基部心形，微被柔毛，果棱不明显，每棱槽内有油管 2 ~ 3，合生面有油管 4；胚乳腹面平直。花果期 7 ~ 9 月。

| **生境分布** | 生于沟边、林下或草坡上。分布于湖南邵阳（昭阳）、湘西州（泸溪、花垣、古丈、保靖）等。

| **资源情况** | 野生资源一般。药材来源于野生。

| **功能主治** | 祛风散寒，清热解毒，活血化瘀，消肿。

| **用法用量** | 内服煎汤，6 ~ 15 g。

伞形科 Umbelliferae 茴芹属 Pimpinella

菱叶茴芹
Pimpinella rhomboidea Diels

| 药 材 名 | 菱叶茴芹（药用部位：根）。

| 形态特征 | 多年生草本，高 0.5 ~ 1 m。根圆柱形，长 10 ~ 20 cm，直径约 1 cm。茎直立，有条纹，2 ~ 4 分枝。基生叶少，叶柄长 10 ~ 20 cm；叶片 2 回 3 出分裂，两侧的裂片卵形或长卵形，长 5 ~ 8 cm，宽 2 ~ 5 cm，基部楔形或截形，先端渐尖，中间的裂片宽卵形或菱形，长 7 ~ 9 cm，宽 3 ~ 9 cm，基部楔形，先端尖尾状；茎中、下部叶与基生叶同形，向上逐渐变小；茎上部叶无柄，叶片 3 裂，全部裂片边缘有不规则的缺刻状齿或粗齿，沿叶脉有毛。花序直径 5 ~ 10 cm，无总苞片，或偶有 1 ~ 5，线形；伞幅 10 ~ 25，近等长，长 2 ~ 6.5 cm；小总苞片 2 ~ 5，线形，长近或短于花梗；花杂性，小伞形花序有花 15 ~ 30；无萼齿；花瓣长圆形，白色，基部楔形，

先端全缘或微凹；花柱基圆锥形，果实成熟后花柱向两侧弯曲，长约为果实长的 1/2。果柄长 3 ~ 5 mm；果实卵球形，基部心形，果棱不明显，无毛；每棱槽内有油管 3，合生面有油管 6；胚乳腹面微凹。花果期 5 ~ 9 月。

| **生境分布** | 生于海拔 1 200 ~ 2 000 m 的林下、沟边灌丛或草地上。分布于湖南张家界（桑植）、湘西州（古丈）等。

| **资源情况** | 野生资源较少。药材来源于野生。

| **功能主治** | 用于消肿止痛。

伞形科 Apiaceae 囊瓣芹属 Pternopetalum

囊瓣芹
Pternopetalum davidii Franch.

| 药 材 名 | 紫金砂（药用部位：根）。

| 形态特征 | 多年生草本，高 20 ～ 45 cm。根茎棕褐色，具节；根粗线状。茎 1 ～ 3，中部以上一般有 1 叶片，稀有 2 叶片。基生叶有长柄，叶柄纤细，长 8 ～ 15 cm，有稀疏的柔毛，基部有深褐色宽膜质叶鞘，叶片 2 回三出分裂，裂片有柄或近无柄，有粗伏毛，卵形、长卵形或菱形，基部截形或略呈楔形，全缘，中部以上有钝齿或锯齿，先端短尖至长尖，沿叶脉两侧有粗伏毛；茎生叶无柄或有短柄，与基生叶同形。复伞形花序有长花序梗；无总苞片；伞幅 6 ～ 25，通常 15 ～ 20，果实成熟时长可达 3 ～ 3.5 cm，一侧密生粗伏毛；小总苞片 2 ～ 3，线状披针形；小伞形花序有 2 ～ 4 花；花梗一侧有粗伏毛；萼齿钻形，

不等长；花瓣白色，长倒卵形，先端微凹，有内折的小舌片，基部狭窄；花药深紫蓝色；花柱基圆锥形，花柱较花柱基长，直立。果实圆卵形，成熟后直径约 3 mm，果棱上具丝状细齿，每棱槽内通常有油管 1。花果期 4 ~ 10 月。

| **生境分布** | 生于山谷、沟边、林下阴湿地带。分布于湘东、湘西北等。

| **资源情况** | 野生资源稀少。药材来源于野生。

| **采收加工** | 夏季采挖，除去茎叶，洗净，晒干。

| **功能主治** | 辛、微苦，微温。归肝、胃、肺经。散寒理气，通络止痛，止咳安神。用于胃寒痛，胸胁痛，风湿痹痛，头痛，咳嗽，失眠。

| **用法用量** | 内服煎汤，3 ~ 9 g；或浸酒；或研末。

伞形科 Apiaceae 囊瓣芹属 *Pternopetalum*

裸茎囊瓣芹 *Pternopetalum nudicaule* (de Boiss) Hand.-Mazz.

| 药 材 名 | 药芹菜根（药用部位：根）。

| 形态特征 | 多年生草本。茎光滑。叶基生；叶柄细长；叶基部有褐色宽膜质叶鞘；叶片三出分裂；小叶有短柄，小叶片卵形或菱形，长 6 ~ 8.5 cm，宽 3.5 ~ 5 cm，沿叶脉两侧、叶缘和小叶柄上密被粗伏毛，齿端有腺体。复伞形花序无总苞片；伞幅 10 ~ 30，长 3 ~ 5 cm，有毛；小总苞片 2 ~ 3，线状披针形，不等长；小伞形花序有 2 ~ 3 花；萼齿钻形；花瓣白色，长倒卵形，基部狭窄，先端凹缺内折；花柱基圆锥形，花柱伸长，直立。果实长卵形，每棱槽内有油管 2 ~ 3，合生面有油管 4。

生境分布	生于海拔 600 ~ 1 000 m 的背阴潮湿地、沟边、林下、山谷。分布于湖南怀化（鹤城、中方、辰溪、麻阳、通道）、湘西州（花垣、永顺、保靖）等。
资源情况	野生资源较丰富。药材来源于野生。
采收加工	夏季采挖，除去茎叶，洗净，鲜用或晒干。
功能主治	苦，寒。归肺经。清热解毒。用于痈疖。
用法用量	内服煎汤，9 ~ 15 g。

伞形科 Apiaceae 囊瓣芹属 Pternopetalum

光滑囊瓣芹
Pternopetalum nudicaule (de Boiss) Hand.-Mazz. var. *esetosum* Hand.-Mazz.

| 药 材 名 | 光滑囊瓣芹（药用部位：根）。

| 形态特征 | 植株光滑无毛。茎光滑。叶基生；叶柄细长；叶基部有褐色宽膜质叶鞘；叶片三出分裂；小叶有短柄，小叶片较小，长 3.5 ～ 6 cm，宽 2 ～ 3.5 cm，边缘有圆齿或钝锯齿，有小尖头。复伞形花序无总苞片；伞幅 10 ～ 30，长 3 ～ 5 cm，有毛；小总苞片 2 ～ 3，线状披针形，不等长；小伞形花序有 2 ～ 3 花；萼齿钻形；花瓣白色，长倒卵形，基部狭窄，先端凹缺内折；花柱基圆锥形，花柱伸长，直立。果实狭长卵形，每棱槽内有油管 1 ～ 2。

| 生境分布 | 生于丘陵岗地、低山、中山。分布于湖南张家界（桑植）、湘西州（吉首、凤凰）等。

| **资源情况** | 野生资源较丰富。药材来源于野生。 |

| **采收加工** | 秋、冬季采收，晒干。 |

| **功能主治** | 辛，温。活血通络，解毒。用于劳伤，疮毒。 |

| **用法用量** | 内服煎汤，9 ~ 15 g。 |

伞形科 Apiaceae 囊瓣芹属 Pternopetalum

川鄂囊瓣芹

Pternopetalum rosthornii (Diels) Hand.-Mazz.

| 药 材 名 | 川鄂囊瓣芹（药用部位：全草）。

| 形态特征 | 多年生草本，高 30 ~ 80 cm。根棕褐色，长 10 ~ 15 cm。茎 1 ~ 2，不分枝，有时 1 ~ 2 分枝或二叉分枝。基生叶有长柄，叶柄长 10 ~ 20 cm，基部有褐色膜质叶鞘，叶 2 回三出分裂，两侧裂片卵状披针形或长卵形，长 1 ~ 4 cm，宽 0.5 ~ 1.5 cm，中间裂片狭长，长 7 ~ 11 cm，宽 1.5 ~ 2.5 cm，基部楔形，先端长尾状，裂片有短柄或无柄，边缘有微向内弯的圆齿状锯齿或重锯齿；茎生叶与基生叶同形，最上部的茎生叶 1 ~ 2 回三出分裂，无柄或有短柄。复伞形花序无总苞片；伞幅 7 ~ 40，长 2 ~ 4 cm；小伞形花序有 2 ~ 3 花；小总苞片披针形，2 ~ 3；萼齿钻形；花瓣倒卵形，基部狭窄，先端

凹缺，有内折的小舌片；花柱基圆锥形，花柱伸长，直立。果实卵形至广卵形，长 3 mm，宽 2 mm，果棱线形，每棱槽中有油管 1 ~ 3，合生面有油管 2 ~ 4。花果期 4 ~ 8 月。

| 生境分布 | 生于山坡沟谷、潮湿岩石、河岸和竹林下。分布于湘西北等。

| 资源情况 | 野生资源稀少。药材来源于野生。

| 采收加工 | 夏季采收，洗净，鲜用或晒干。

| 功能主治 | 辛、苦，温。清热解毒，祛风除湿，散寒解表，收敛止血，消炎。用于咳嗽，头痛，胃痛，风湿痹痛，跌打损伤，创伤出血，蛇咬伤。

| 用法用量 | 内服煎汤，3 ~ 9 g。

伞形科 Apiaceae 囊瓣芹属 Pternopetalum

膜蕨囊瓣芹

Pternopetalum trichomanifolium (Franch.) Hand.-Mazz. Symb. Sin.

| 药 材 名 | 亮火虫草（药用部位：全草）。

| 形态特征 | 多年生草本，高约 40 cm，有根茎。茎 1 ~ 3，有条纹，基部微被柔毛，多数不分枝，稀有 1 分枝。叶几乎全部基生，有长柄；叶柄长 5 ~ 18 cm；叶基部有深褐色阔膜质叶鞘；叶片菱形，近三出式 3 ~ 4 回羽状分裂，一回裂片有柄，末回裂片狭窄，先端短尖，长 1.5 ~ 4 mm，宽不及 1 mm。无总苞片；伞幅 7 ~ 40，长 3 ~ 4 cm；小总苞片 2 ~ 4，线状披针形，大小不等；小伞形花序通常有 2 ~ 4 花；花梗不等长，一般中间 1 花的花梗较长；萼齿钻形，大小不等；花瓣白色，倒卵形，大小不等，基部狭长，先端微凹，有内折的小舌片；花柱基圆锥形，花柱伸长，直立。果实狭长卵形，仅 1 心皮

发育，每棱槽内有油管 1 ~ 3。花果期 3 ~ 5 月。

| 生境分布 | 生于林下、沟边及阴湿的岩石上。分布于湖南郴州（宜章、汝城）、永州（蓝山）、常德（石门）、益阳（安化）、怀化（通道）等。

| 资源情况 | 野生资源一般。药材来源于野生。

| 采收加工 | 夏季采收，洗净，鲜用或晒干。

| 功能主治 | 清热解毒，祛风除湿，活血止血。用于咳嗽，头痛，胃痛，风湿痹痛，跌打损伤，外伤出血，蛇咬伤。

| 用法用量 | 内服煎汤，3 ~ 9 g。外用适量，研末撒；或鲜品捣敷。

伞形科 Umbelliferae 囊瓣芹属 Pternopetalum

五匹青 *Pternopetalum vulgare* (Dunn) Hand.-Mazz.

药材名

紫金沙（药用部位：全草或根）。

形态特征

多年生草本，高 20 ～ 50 cm。根茎粗糙，有节，根肉质，粗线形。茎单生或 2 ～ 3，中空，多数只有 1 分枝，中部以上 1 叶片，少数 2 ～ 3。基生叶通常 2 ～ 5，有长柄，长 10 ～ 20 cm，基部有宽膜质叶鞘，叶片通常是 1 回 3 出分裂，或近 2 回 3 出分裂，裂片纸质，卵形、长卵形或菱形，常 2 ～ 3 裂，基部楔形或截形，全缘，中部以上有锯齿，先端短尖，沿叶脉和叶缘有粗伏毛；茎生叶和基生叶同形，无柄或有短柄。复伞形花序无总苞；伞幅 15 ～ 30，一般长 3 ～ 4 cm，果实成熟后长可达 6 cm；小总苞片 1 ～ 4，线状披针形，大小不等；小伞形花序有花 2 ～ 5，萼齿大小不等，与花柱基近等长或长于花柱基；花瓣白色至浅紫色，倒卵形至长圆形。果实长卵形，基部宽而钝圆，成熟后长 4 ～ 5 mm，宽 2 ～ 3 mm，果棱微粗糙或有丝状细齿，每棱槽内有油管 1 ～ 3。花果期 4 ～ 7 月。

生境分布	生于海拔 1 400 ~ 2 000 m 的山谷、沟边或林下背阴湿润处。分布于湖南张家界（桑植）、湘西州（古丈）等。
资源情况	野生资源较少。药材来源于野生。
采收加工	夏季采挖，洗净，切片，晒干。
功能主治	散寒理气，通络止痛，止咳安神。用于胃痛，腹痛，胸胁痛，风湿痹痛，咳嗽，失眠。
用法用量	内服煎汤，3 ~ 9 g；或浸酒；或研末冲服。

伞形科 Umbelliferae 变豆菜属 Sanicula

变豆菜 *Sanicula chinensis* Bunge

| 药 材 名 |

变豆菜（药用部位：全草。别名：山芹菜）。

| 形态特征 |

多年生草本。高达 1 m。茎粗壮，无毛。基生叶近圆肾形或圆心形，常 3（～ 5）裂，中裂片倒卵形，基部近楔形，侧裂片深裂，稀不裂，裂片有不规则锯齿，叶柄长7 ～ 30 cm；茎生叶有柄或近无柄。伞形花序 2 ～ 3 回叉状分枝；总苞片叶状，常 3 深裂，小总苞片 8 ～ 10，卵状披针形或线形，长 1.5 ～ 2 mm；伞形花序有花 6 ～ 10，雄花 3 ～ 7，两性花 3 ～ 4；萼齿果实成熟时喙状；花瓣白色或绿白色，先端内凹；花柱与萼齿等长，稀稍长于萼齿。果实圆卵形，长 4 ～ 5 mm，直径 3 ～ 4 mm，有钩状且基部膨大的皮刺，合生面油管显著。花果期4 ～ 10 月。

| 生境分布 |

生于阴湿的山坡路旁、杂木林下、竹园边、溪边等的草丛中。湖南各地均有分布。

| 资源情况 | 野生资源丰富。药材来源于野生。

| 功能主治 | 散寒止咳，行血通经。用于风寒咳嗽，百日咳，月经不调，经闭，腰痛。

伞形科 Umbelliferae 变豆菜属 *Sanicula*

薄片变豆菜 *Sanicula lamelligera* Hance

| 药 材 名 | 大肺经草（药用部位：全草）。

| 形态特征 | 多年生草本。高达 30 cm。茎 2 ~ 7，上部有少数分枝。基生叶圆心形或近五角形，长 2 ~ 6 cm，宽 3 ~ 9 cm，掌状 3 裂成 3 小叶，小叶有缺刻和锯齿；叶柄长 4 ~ 18 cm。花序常 2 ~ 4 回二叉分枝或 2 ~ 3 叉，分叉之间的伞形花序短；总苞片细小；伞幅 3 ~ 7，长 0.2 ~ 1 cm；小总苞片 4 ~ 5，线形；伞形花序有雄花 4 ~ 5，两性花 1；萼齿线形或刺毛状；花瓣白色、粉红色或淡蓝紫色，倒卵形，基部渐窄，先端内凹。果实长卵形或卵形，长约 2.5 mm，直径 2 mm，幼果有啮蚀状或微波状薄片，成熟后成短直皮刺，皮刺基部连成薄片或鸡冠状突起；油管 5；胚乳腹面平直。花果期 4 ~ 11 月。

| 生境分布 | 生于海拔 500 ~ 2 000 m 的山坡林下、沟谷和溪边。分布于湖南衡阳（南岳）、邵阳（洞口、新宁、城步）、常德（石门）、张家界（永定、慈利、桑植）、郴州（宜章）、怀化（沅陵）、湘西州（吉首、凤凰、花垣、保靖、永顺）等。 |

| 资源情况 | 野生资源一般。药材来源于野生。 |

| 功能主治 | 甘、辛，温。散寒止咳，活血通经。用于风寒咳嗽，月经不调，经闭，腰痛，顿咳。 |

伞形科 Umbelliferae 变豆菜属 *Sanicula*

直刺变豆菜 *Sanicula orthacantha* S. Moore

| 药 材 名 | 黑鹅脚板（药用部位：全草）。

| 形态特征 | 多年生草本。高达 35（~ 50）cm。茎直立，上部分枝。基生叶圆心形或心状五角形，长 2 ~ 7 cm，宽 3.5 ~ 7 cm，掌状 3 全裂，侧裂片常 2 裂至中部或近基部，有不规则锯齿，叶柄长 5 ~ 26 cm；茎生叶稍小于基生叶，具柄，掌状 3 裂。花序常 2 ~ 3 次分枝；总苞片 3 ~ 5，长约 2 cm；伞形花序有雄花 5 ~ 6、两性花 1；萼齿窄线形或刺毛状，长达 1 mm；花瓣白色、淡蓝色或淡紫红色，倒卵形，先端内凹。果实卵形，长 2.5 ~ 3 mm，有短直皮刺，有时皮刺基部连成薄片；油管不明显。花期 4 ~ 9 月。

| 生境分布 | 生于海拔 300 ~ 2 000 m 的山涧林下、沟谷和溪边。湖南各地均有

分布。

| **资源情况** | 野生资源丰富。药材来源于野生。

| **功能主治** | 苦，凉。清热解毒。用于麻疹余热未尽，耳热瘙痒，跌打损伤。

伞形科 Apiaceae 窃衣属 Torilis

小窃衣 *Torilis japonica* (Houtt.) DC.

药材名

窃衣（药用部位：果实。别名：破子草、大叶山胡萝卜）。

形态特征

一年生或多年生草本，高 20 ～ 120 cm。主根细长，圆锥形，棕黄色；支根多数。茎有纵条纹及刺毛。叶柄长 2 ～ 7 cm，下部有窄膜质叶鞘；叶片长卵形，1 ～ 2 回羽状分裂，两面疏生紧贴的粗毛；一回羽片卵状披针形，长 2 ～ 6 cm，宽 1 ～ 2.5 cm，先端渐窄，边缘羽状深裂至全缘，有长 0.5 ～ 2 cm 的短柄，末回裂片披针形至长圆形，边缘有条裂状粗齿至缺刻或分裂。复伞形花序顶生或腋生；花序梗长 3 ～ 25 cm，有倒生的刺毛；总苞片 3 ～ 6，长 0.5 ～ 2 cm，通常线形，极少叶状；伞幅 4 ～ 12，长 1 ～ 3 cm，开展，有向上的刺毛；小总苞片 5 ～ 8，线形或钻形，长 1.5 ～ 7 mm，宽 0.5 ～ 1.5 mm；小伞形花序有 4 ～ 12 花；花梗长 1 ～ 4 mm，短于小总苞片；萼齿细小，三角形或三角状披针形；花瓣白色、紫红色或蓝紫色，倒圆卵形，先端内折，长、宽均 0.8 ～ 1.2 mm，外面中间至基部有紧贴的粗毛；花丝长约 1 mm，花药圆卵形，长约 0.2 mm；花柱基部平压状或圆锥形，花柱幼时直立，果实成熟时向外反曲。果实圆卵形，长1.5 ~ 4 mm，宽 1.5 ~ 2.5 mm，通常有内弯或呈钩状的皮刺，皮刺基部阔展，粗糙，每棱槽有油管 1；胚乳腹面凹陷。花果期 4 ~ 10 月。

| **生境分布** | 生于杂木林下、林缘、路旁、沟边及溪边草丛中。湖南有广泛分布。

| **资源情况** | 野生资源丰富。药材来源于野生。

| **采收加工** | 夏末秋初采收，晒干或鲜用。

| **药材性状** | 本品呈长圆形，多裂为分果，分果长 3 ~ 4 mm，宽 1.5 ~ 2 mm。表面棕绿色或棕黄色，先端有微突的残存花柱，基部圆形，常残留有小果柄，背面隆起，密生钩刺，刺的长短与排列均不整齐，状似刺猬，接合面凹陷成槽状，中央有 1 脉纹。体轻。搓碎时有特异香气，味微辛、苦。

| **功能主治** | 苦、辛，平。归脾、大肠经。杀虫止泻，收湿止痒。用于虫积腹痛，泻痢，疮疡溃烂，阴痒，带下，风疹，湿疹。

| **用法用量** | 内服煎汤，6 ~ 9 g。外用适量，捣汁涂；或煎汤洗。

伞形科 Apiaceae 窃衣属 Torilis

窃衣

Torilis scabra (Thunb.) DC.

| 药 材 名 | 窃衣（药用部位：果实）。

| 形态特征 | 一年生或多年生草本，高 10 ～ 70 cm，全体有贴生短硬毛。茎单生，有分枝，有细直纹和刺毛。叶卵形，1 ～ 2 回羽状分裂；小叶片披针状卵形，羽状深裂，末回裂片披针形至长圆形，长 2 ～ 10 mm，宽 2 ～ 5 mm，边缘有条裂状粗齿至缺刻或分裂。复伞形花序顶生和腋生；花序梗长 2 ～ 8 cm；总苞片通常无，稀 1，钻形或线形；伞幅 2 ～ 4，长 1 ～ 5 cm，粗壮，有纵棱及向上紧贴的硬毛；小总苞片 5 ～ 8，钻形或线形；小伞形花序有 4 ～ 12 花；萼齿细小，三角状披针形；花瓣白色，倒圆卵形，先端内折；花柱基圆锥状，花柱向外反曲。果实长圆形，长 4 ～ 7 mm，宽 2 ～ 3 mm，有内弯或呈

钩状的皮刺，粗糙，每棱槽下方有油管 1。花果期 4 ~ 10 月。

| **生境分布** | 生于山坡、林下、河边、荒地及草丛中。湖南有广泛分布。

| **资源情况** | 野生资源丰富。药材来源于野生。

| **采收加工** | 夏末秋初采收，晒干或鲜用。

| **药材性状** | 本品呈长圆形，多裂为分果，分果长 3 ~ 4 mm，宽 1.5 ~ 2 mm。表面棕绿色或棕黄色，先端有微突的残存花柱，基部圆形，常残留有小果柄，背面隆起，密生钩刺，刺的长短与排列均不整齐，状似刺猬，接合面凹陷成槽状，中央有 1 脉纹。体轻。搓碎时有特异香气，味微辛、苦。

| **功能主治** | 杀虫止泻，收湿止痒。用于虫积腹痛，泻痢，疮疡溃烂，阴痒，带下，风疹，湿疹。

| **用法用量** | 内服煎汤，6 ~ 9 g。外用适量，捣汁涂；或煎汤洗。

榿叶树科 Clethraceae 榿叶树属 Clethra

单毛榿叶树
Clethra bodinieri Lévl.

| 药 材 名 |

单毛榿叶树（药用部位：根。别名：小山柳）。

| 形态特征 |

常绿灌木或小乔木，高 2 ~ 5 m。小枝圆柱形。叶革质，披针形或椭圆形。总状花序单生于枝端，花序轴、花梗和苞片均密被灰色单伏毛；花梗细；花萼 5 ~ 6 深裂，边缘具纤毛；花瓣 5 ~ 6，白色或淡红色，芳香，内侧密被绢状长髯毛；雄蕊 10 ~ 12，与花瓣等长或稍长，花丝密被锈色微硬毛，花药倒箭头形；子房密被锈色绢状长硬毛，花柱先端柱头略膨大。蒴果近球形，具宿存萼，直径约 4 mm，密被绢状硬毛，宿存花柱长 8 ~ 10 mm；种子黄褐色，卵圆形，有棱。花期 6 ~ 7 月，果期 8 ~ 9 月。

| 生境分布 |

生于海拔 230 ~ 1 600 m 的山坡或山谷密林、疏林或灌丛中。分布于湖南怀化（新晃）等。

| 资源情况 |

野生资源稀少。药材来源于野生。

| 采收加工 | 夏、秋季采挖，洗净，切片，鲜用。 |

| 功能主治 | 苦，寒。清热解毒。用于热毒疮疖，痈疮。 |

| 用法用量 | 外用适量，鲜品捣汁涂。 |

桤叶树科 Clethraceae 桤叶树属 Clethra

城口桤叶树

Clethra fargesii Franch.

| 药 材 名 | 城口桤叶树根（药用部位：根。别名：华中山柳）。

| 形态特征 | 落叶灌木或小乔木。小枝圆柱形，黄褐色，嫩时密被星状绒毛及混杂于其中成簇的微硬毛。叶硬纸质，披针状椭圆形、卵状披针形或披针形，长 6 ～ 14 cm，宽 2.5 ～ 5 cm，边缘具锐尖锯齿；叶柄长 10 ～ 20 mm。总状花序 3 ～ 7 枝，成近伞形圆锥花序；花序轴和花梗均密被灰白色柔毛；苞片脱落；花萼 5 深裂，密被灰黄色星状绒毛，边缘具纤毛；花瓣 5，白色，倒卵形，内侧近基部被疏柔毛；雄蕊 10，长于花瓣；花柱长 3 ～ 4 mm，先端 3 深裂。蒴果近球形，下弯，宿存花柱长 5 ～ 6 mm，果柄长 10 ～ 13 mm；种子黄褐色，不规则卵圆形。花期 7 ～ 8 月，果期 9 ～ 10 月。

生境分布	生于海拔 700 ~ 1 800 m 的山地疏林及灌丛中。分布于湖南永州（双牌）、怀化（洪江）、湘西州（古丈）等。
资源情况	野生资源较少。药材来源于野生。
采收加工	夏、秋季采挖，洗净，切片，鲜用。
功能主治	苦，寒。清热解毒。用于热毒痈疮。
用法用量	外用适量，鲜品捣汁涂洗。

栲叶树科 Clethraceae 栲叶树属 Clethra

贵州栲叶树 *Clethra kaipoensis* Lévl.

| **药 材 名** | 大叶山柳（药用部位：根。别名：正安山柳）。

| **形态特征** | 落叶灌木或乔木，干径可达 30 cm。小枝粗壮，圆柱形，略具纵棱。芽长卵圆形，鳞片卵状披针形，密被锈色绢状长伏毛。叶纸质，长圆状椭圆形或卵状椭圆形；叶柄长 10 ～ 25 mm。总状花序 4 ～ 8 枝，成伞形花序；花序轴粗壮，与花梗和苞片均密被金锈色至锈色星状及成簇长硬毛；苞片脱落；花萼 5 深裂，裂片长圆状卵形，具短尖头，密被锈色星状绒毛；花瓣 5，白色，倒卵状长圆形；雄蕊花丝几与花瓣等长，花药倒心形；子房密被锈色绢状长硬毛，花柱长 2 ～ 4 mm，先端 3 浅裂。蒴果近球形，直径 4 mm，果柄长 4 mm；种子黄褐色，卵圆形或长圆形，种皮上有蜂窝状凹槽。花期 7 ～ 8 月，果期 9 ～ 10 月。

| 生境分布 | 生于海拔 250 ～ 1 600 m 的山地路旁、溪边或山谷密林、疏林及灌丛中。分布于湖南衡阳（耒阳）、邵阳（新邵、洞口）、郴州（北湖、永兴、临武、汝城）、永州（东安、双牌、江永、蓝山、新田）、怀化（新晃）等。 |

| 资源情况 | 野生资源丰富。药材来源于野生。 |

| 采收加工 | 夏、秋季采挖，洗净，切片，鲜用。 |

| 功能主治 | 苦，寒。清热解毒。用于热毒痈疮。 |

| 用法用量 | 外用适量，鲜品捣汁涂洗。 |

恺叶树科 Clethraceae 恺叶树属 Clethra

单穗恺叶树
Clethra monostachya Rehd. et Wils.

| 药 材 名 | 单穗山柳（药用部位：根）。

| 形态特征 | 落叶灌木或小乔木。小枝嫩时疏被锈色成簇细星状绒毛。芽有柄，密被黄褐色绢状长毛。叶膜质，卵状椭圆形，长 6 ~ 16 cm，宽 2.5 ~ 5 cm，边缘具硬尖锯齿；叶柄边缘稍呈翅状。总状花序单一；花序轴和花梗均密被锈色星状毛；苞片披针形，早落；花萼 5 深裂，裂片卵形，边缘具纤毛；花瓣 5，白色，倒卵状长圆形；雄蕊稍长于花瓣，花丝密被锈色长硬毛；子房密被锈色星状绒毛及绢状长硬毛；花柱几与雄蕊等长，先端 3 深裂。蒴果近球形，下垂，密被星状绒毛，宿存花柱长 7 ~ 10 mm，果柄长 12 ~ 18 mm；种子黄褐色，卵圆形至椭圆形，有不规则的角棱。花期 7 ~ 8 月，果期 9 ~ 10 月。

生境分布	生于海拔 680 ~ 1 600 m 的森林中。分布于湖南郴州（临武）等。
资源情况	野生资源较少。药材来源于野生。
采收加工	夏、秋季采挖，洗净，切片，鲜用。
功能主治	苦，寒。清热解毒。用于热毒痈疮。
用法用量	外用适量，鲜品捣汁涂洗。

鹿蹄草科 Pyrolaceae　假水晶兰属 *Monotropastrum*

球果假水晶兰 *Monotropastrum humile* (D. Don) H. Hara

| 药 材 名 | 梦兰花（药用部位：全草）。

| 形态特征 | 多年生腐生草本，全株无色，干后变黑，肉质，纤细，高 11 ～ 15 cm。茎直径 2 ～ 3 mm，上部常有毛。根细，有分枝，集成鸟巢状。叶鳞片状，互生，长圆形，长 9 ～ 11 mm，宽 4 ～ 5 mm，先端具钝头，全缘。花单一，顶生，下垂，稍带淡黄色；花冠狭管状，长 12 ～ 16 mm，直径 3 ～ 5 mm；萼片倒披针形，先端渐尖；花瓣 5，倒卵状长楔形，长 13 ～ 17 mm，上部较宽，宽 3 ～ 5 mm，先端圆钝，基部渐狭而成小囊状，两侧均有疏毛；雄蕊 10，花药橙黄色，花丝有柔毛；子房有粗毛，侧膜胎座；花柱长 4 ～ 4.5 mm，柱头盘状，中间凹下，周围密被长毛。花期 6 月。

| 生境分布 | 生于海拔 900 ~ 1 900 m 的针阔叶混交林或阔叶林下。分布于常德（石门）等。 |

| 资源情况 | 野生资源稀少。药材来源于野生。 |

| 采收加工 | 夏季采收，鲜用。 |

| 功能主治 | 微咸，平。归肺经。补虚止咳。用于肺虚咳嗽。 |

| 用法用量 | 内服煎汤，5 ~ 10 g；或适量炖肉食。 |

鹿蹄草科 Pyrolaceae 水晶兰属 *Monotropa*

水晶兰 *Monotropa uniflora* L.

| 药 材 名 | 水晶兰（药用部位：全草。别名：梦兰花、水兰草）。

| 形态特征 | 腐生草本，高 10 ~ 30 cm，全株白色，干后变黑褐色。茎直立，不分枝。根细，交结成鸟巢状。叶鳞片状，互生。花单生于茎顶，先下垂，后直立；花冠筒状钟形；苞片鳞片状，与叶同形；萼片鳞片状，早落；花瓣 5 ~ 6，离生，楔形或倒卵状长圆形，早落；雄蕊 10 ~ 12，花丝有粗毛，花药黄色；花盘 10 齿裂；子房中轴胎座，5 室，花柱长 2 ~ 3 mm，柱头膨大成漏斗状。蒴果椭圆状球形，直立，向上，长 1.3 ~ 1.4 cm。花期 8 ~ 9 月，果期 10 ~ 11 月。

| 生境分布 | 生于海拔 800 ~ 1 500 m 的潮湿落叶林或混交林下。分布于湖南怀化（沅陵）、湘西州（凤凰）等。

| **资源情况** | 野生资源稀少。药材来源于野生。 |

| **采收加工** | 夏季采收，多鲜用。 |

| **功能主治** | 甘，平。归肺经。补肺止咳。用于肺虚咳嗽。 |

| **用法用量** | 内服煎汤，9 ~ 15 g；或适量炖肉食。 |

鹿蹄草科 Pyrolaceae 鹿蹄草属 Pyrola

鹿蹄草 *Pyrola calliantha* H. Andr.

| **药 材 名** | 鹿衔草（药用部位：全草。别名：破血丹、鹿寿茶）。

| **形态特征** | 常绿草本状小半灌木，高 15 ～ 30 cm。根茎细长，横生，有分枝。叶基生，革质，椭圆形或圆卵形，长 3 ～ 5.2 cm，宽 2.2 ～ 3.5 cm，近全缘或有疏齿，上面绿色，下面常有白霜；叶柄长 2 ～ 5.5 cm。花葶有 1 ～ 2 卵状披针形或披针形鳞片状叶；总状花序长 12 ～ 16 cm，密生 9 ～ 13 花；花倾斜，花冠广开，较大，直径 1.5 ～ 2 cm，白色，具短梗，腋间有长舌形苞片；萼片舌形，近全缘；花瓣倒卵状椭圆形；雄蕊 10，花药长圆柱形，有小角，黄色；柱头 5 圆裂。蒴果扁球形。花期 6 ～ 8 月，果期 8 ～ 9 月。

| **生境分布** | 生于海拔 700 ～ 1 600 m 的山地针叶林、针阔叶混交林或阔叶林下。

分布于湖南株洲（醴陵）、邵阳（武冈）、张家界（慈利）等。

| 资源情况 | 野生资源一般。药材来源于野生。

| 采收加工 | 全年均可采收，洗净泥土，晒至叶片较软、略抽缩时堆压发热，使叶片两面变成紫红色或紫褐色，再晒干。

| 药材性状 | 本品根茎细长。茎圆柱形或具纵棱，长 5 ～ 30 cm。叶基生，长卵圆形或近圆形，长 3 ～ 5 cm，暗绿色或紫褐色，先端圆或稍尖，全缘或有稀疏的小锯齿，边缘略反卷，上表面有时沿脉具白色的斑纹，下表面有时具白粉。总状花序有超过 9 花；花半下垂；萼片 5，舌形或卵状长圆形；花瓣 5，早落；雄蕊 10，花药基部有小角，顶孔开裂；花柱外露，有环状凸起的柱头盘。蒴果扁球形，直径 7 ～ 10 mm，5 纵裂，裂瓣边缘有蛛丝状毛。气微，味淡、微苦。

| 功能主治 | 甘、苦，温。归肝、肾经。祛风湿，强筋骨，止血，止咳。用于风湿痹痛，肾虚腰痛，腰膝无力，月经过多，久咳劳嗽。

| 用法用量 | 内服煎汤，15 ～ 30 g；或研末，6 ～ 9 g。外用适量，捣敷；或研撒；或煎汤洗。

鹿蹄草科 Pyrolaceae 鹿蹄草属 Pyrola

普通鹿蹄草 *Pyrola decorata* H. Andr.

| 药 材 名 |

鹿衔草（药用部位：全草。别名：破血丹、鹿蹄草）。

| 形态特征 |

常绿草本状小半灌木，高 15 ~ 35 cm。根茎细长，横生，斜升，有分枝。叶 3 ~ 6，近基生，薄革质，长圆形、倒卵状长圆形或匙形，边缘有疏齿。花葶细，常带紫色，有褐色鳞片状叶，叶狭披针形；总状花序长 2.5 ~ 4 cm，有 4 ~ 10 花；花倾斜，半下垂；花冠碗形，淡绿色、黄绿色或近白色；萼片卵状长圆形；花瓣倒卵状椭圆形，长 6 ~ 8 mm，宽 5.5 ~ 7 mm，先端圆形；雄蕊 10，具小角，黄色；花柱长 5 ~ 10 mm，伸出花冠，柱头5 圆裂。蒴果扁球形，直径 7 ~ 10 mm。花期 6 ~ 7 月，果期 7 ~ 8 月。

| 生境分布 |

生于海拔 600 ~ 1 400 m 的山地阔叶林或灌丛下。分布于湖南益阳（安化）等。

| 资源情况 |

野生资源较少。药材来源于野生。

| 采收加工 | 全年均可采收，晒至发软，堆积发汗，叶片变紫红色或紫褐色后，晒干或炕干。

| 药材性状 | 本品长 14 ~ 30 cm，全体无毛。根茎细长，具细根及鳞叶；稍具纵棱。叶互生；基生叶 3 ~ 6，具棱；叶片革质，长卵形，表面枯绿色，背面紫红色。花葶高 15 ~ 30 cm；总状花序具花 5 ~ 8；花广钟状；花萼 5 深裂。蒴果深棕色，扁球形。

| 功能主治 | 甘、苦，温。归肝、肾经。补肾强骨，祛风除湿，止咳，止血。用于肾虚腰痛，风湿痹痛，筋骨痿软，咳嗽，吐血，衄血，崩漏，外伤出血。

| 用法用量 | 内服煎汤，15 ~ 30 g；或研末吞服，6 ~ 9 g。外用适量，捣敷；或研撒；或煎汤洗。

鹿蹄草科 Pyrolaceae 鹿蹄草属 *Pyrola*

长叶鹿蹄草 *Pyrola elegantula* H. Andr.

| 药 材 名 | 长叶鹿蹄草（药用部位：全草）。

| 形态特征 | 常绿草本状小半灌木，高 14 ~ 25 cm。根茎细长，横生，斜升，有分枝。叶 3 ~ 6，基生，薄革质，狭长圆形，长（3.5 ~）4 ~ 8 cm，宽 1.6 ~ 3 cm，先端急尖，基部楔形，下延于叶柄，上面暗绿色，下面淡绿色，边缘有疏细齿；叶柄长 2 ~ 3 cm。花葶细，有 1 ~ 2 鳞片状叶，狭披针形，长 7 ~ 8 mm，宽 1.2 ~ 1.5 mm，先端短渐尖，基部稍抱花葶；总状花序长 2 ~ 4 cm，有 4 ~ 6 花，花倾斜，半下垂，花冠广碗状，直径 1.2 ~ 1.5 cm，白色，常带粉红色；花梗长 4 ~ 9 mm；腋间有膜质苞片，披针形，长 4 ~ 9 mm；萼片长舌形，向上渐变狭，先端短渐尖，长 3.5 ~ 6 mm，宽 1.1 ~ 2 mm；

花瓣倒卵状长圆形，长 7 ～ 10 mm，宽 4 ～ 6 mm，先端圆钝；雄蕊 10，花丝无毛，长 5 ～ 6 mm，花药长 3.5 ～ 4 mm，宽 1 ～ 1.5 mm，具小角，黄色；花柱长 9 ～ 13 mm，倾斜，上部弯曲，先端有环状突起，伸出花冠，柱头 5 圆裂。蒴果扁球形，直径 8 ～ 10 mm。花期 6 月，果期 7 月。

| 生境分布 | 生于海拔 1 200 ～ 1 780 m 的山地林下。分布于湖南衡阳（南岳）、邵阳（武冈）等。

| 资源情况 | 野生资源较少。药材来源于野生。

| 药材性状 | 本品长 14 ～ 20 cm，全体无毛，棕绿色或近浅红棕色。根茎细长，具细根及鳞叶；稍具纵棱。叶片较厚，长卵形，先端钝尖，有小突尖头，叶缘有稀疏小齿；表面枯绿色，背面紫红色，花广钟状，花萼 5 深裂。蒴果深棕色，扁球形。

| 功能主治 | 补肾强骨，祛风除湿，止咳，止血。用于肾虚腰痛，风湿痹痛，新久咳嗽，吐血，外伤出血。

| 用法用量 | 内服煎汤，15 ～ 30 g。外用研末敷，6 ～ 9 g。

杜鹃花科 Ericaceae 吊钟花属 *Enkianthus*

灯笼树 *Enkianthus chinensis* Franch.

药 材 名	灯笼树花（药用部位：花。别名：钩钟花）。
形态特征	落叶灌木或小乔木。幼枝灰绿色，老枝深灰色；芽圆柱状，芽鳞宽披针形，微红色。叶常聚生于枝顶，纸质，长圆形至长圆状椭圆形，长 3 ~ 4 cm，宽 2 ~ 2.5 cm。花多数组成伞形花序状总状花序；花下垂；花萼 5 裂，裂片三角形，有缘毛；花冠阔钟形，长、宽均为 1 cm，肉红色，口部 5 浅裂；雄蕊 10，着生于花冠基部，花药 2 裂，芒长约 1 mm；子房球形，具 5 纵纹，疏被白色短毛，花柱长约 5.5 mm，被疏微毛。蒴果卵圆形，室背开裂为 5 果瓣；种子长约 6 mm，具皱纹，有翅，每室有种子多数。花期 5 月，果期 6 ~ 10 月。
生境分布	生于海拔 900 ~ 1 600 m 的山坡疏林中。分布于湖南邵阳（新邵）、

郴州（宜章、临武）、永州（双牌、道县、蓝山）、娄底（新化）等。

| **资源情况** | 野生资源一般。药材来源于野生。

| **采收加工** | 5月花开时采摘，晒干。

| **功能主治** | 辛、酸，微寒。活血散瘀，凉血祛风。用于月经不调，产后乳肿，皮肤瘙痒，痤疮等。

| **用法用量** | 内服适量，代茶饮。

杜鹃花科 Ericaceae 吊钟花属 Enkianthus

齿缘吊钟花 *Enkianthus serrulatus* (Wils.) Schneid.

| 药 材 名 |

齿缘吊钟花根（药用部位：根）。

| 形态特征 |

落叶灌木或小乔木。小枝光滑；芽鳞宿存。叶密生于枝顶，厚纸质，长圆形，长 6 ~ 8 cm，宽 3.2 ~ 3.5 cm，边缘具细锯齿，背面中脉下部被白色柔毛；叶柄较纤细。伞形花序顶生，每花序有花 2 ~ 6，花下垂；花梗长 1 ~ 1.5 cm，果时直立；花萼绿色，萼片 5，三角形；花冠钟形，白绿色，长约 1 cm，口部 5 浅裂，反卷；雄蕊 10，花丝白色；子房圆柱形，5 室，每室有胚珠 10 ~ 15。蒴果椭圆形，长约 1 cm，干后黄褐色，具棱，先端有宿存花柱，5 裂，每室有种子数粒；种子瘦小，具 2 膜质翅。花期 4 月，果期 5 ~ 7 月。

| 生境分布 |

生于海拔 800 ~ 1 800 m 的山坡。分布于湖南郴州（宜章）、永州（东安、双牌）、怀化（洪江）、湘西州（吉首、花垣、永顺）、衡阳（常宁）、张家界（慈利）等。

| **资源情况** | 野生资源较丰富。药材来源于野生。

| **采收加工** | 秋季采挖，洗净，切片，晒干或鲜用。

| **功能主治** | 微涩，平。祛风除湿，活血。用于风湿疼痛，产后腹痛，跌打损伤等。

| **用法用量** | 内服煎汤，30 ～ 60 g。

杜鹃花科 Ericaceae 白珠树属 Gaultheria

滇白珠

Gaultheria leucocarpa Bl. var. *crenulata* (Kurz) T. Z. Hsu

| 药 材 名 |

白珠树根（药用部位：根。别名：老虎尿）。

| 形态特征 |

常绿灌木。树皮灰黑色；枝条细长，左右曲折，具纵纹，无毛。叶卵状长圆形，边缘具锯齿，有光泽；叶柄短，粗壮。总状花序腋生，被柔毛；花 10 ~ 15，疏生；花梗长约 1 cm，无毛；苞片卵形，凸尖，被白色缘毛；花萼裂片 5，卵状三角形，具缘毛；花冠白绿色，钟形，长约 6 mm，口部 5 裂；雄蕊 10，着生于花冠基部，花药 2 室，每室先端具 2 芒；子房球形，花柱无毛，短于花冠。浆果状蒴果球形，直径约 5 mm，黑色，5 裂；种子多数。花期 5 ~ 6 月，果期 7 ~ 11 月。

| 生境分布 |

生于海拔 2 000 m 以下的山上。湖南各地均有分布。

| 资源情况 |

野生资源较丰富。药材来源于野生。

| 采收加工 | 夏、秋季采收，晒干或鲜用。

| 功能主治 | 辛，温。祛风除湿，舒筋活络，活血止痛。用于风湿性关节炎，跌打损伤，胃寒疼痛，风寒感冒。

| 用法用量 | 内服煎汤，30 ～ 60 g；或浸酒。

杜鹃花科 Ericaceae 珍珠花属 Lyonia

珍珠花 *Lyonia ovalifolia* (Wall.) Drude

| 药 材 名 | 碎米花叶（药用部位：茎叶。别名：南烛、米饭花）、碎米花果（药用部位：果实）。

| 形态特征 | 常绿或落叶灌木或小乔木。枝淡灰褐色，无毛；冬芽长卵圆形，淡红色，无毛。叶革质，卵形或椭圆形，脉上被毛；叶柄长 4 ~ 9 mm。总状花序长 5 ~ 10 cm，着生于叶腋，近基部有 2 ~ 3 叶状苞片，小苞片早落；花梗长约 6 mm；花萼 5 深裂，裂片长椭圆形；花冠圆筒状，长约 8 mm，直径约 4.5 mm，外面疏被柔毛，上部 5 浅裂，裂片向外反折；雄蕊 10，花丝线形，先端有 2 芒状附属物；子房近球形，柱头头状，略伸出花冠外。蒴果球形，缝线增厚，直径 4 ~ 5 mm；种子短线形，无翅。花期 5 ~ 6 月，果期 7 ~ 9 月。

| 生境分布 | 生于海拔 700 ~ 1 800 m 的林中。湖南各地均有分布。

| 资源情况 | 野生资源较丰富。药材来源于野生。

| 采收加工 | **碎米花叶：**全年均可采收。
碎米花果：秋季采收，晒干。

| 功能主治 | **碎米花叶、碎米花果：**辛、微苦，温；有毒。活血，祛瘀，止痛。外用于跌打损伤，闭合性骨折。

| 用法用量 | **碎米花叶、碎米花果：**外用适量，捣敷。

杜鹃花科 Ericaceae 珍珠花属 Lyonia

小果珍珠花

Lyonia ovalifolia (Wall.) Drude var. *elliptica* (Sieb. et Zucc.) Hand.-Mazz.

| 物种别名 |

贴梗海棠。

| 药 材 名 |

小果米饭花（药用部位：枝叶。别名：小叶南烛、缤木、饱饭花）。

| 形态特征 |

常绿或落叶灌木或小乔木。枝淡灰褐色，无毛；冬芽长卵圆形，淡红色，无毛。叶薄，纸质，卵形，先端渐尖或急尖，脉上被毛；叶柄长 4 ~ 9 mm。总状花序长 5 ~ 10 cm，着生于叶腋，近基部有 2 ~ 3 叶状苞片，小苞片早落；花梗长约 6 mm；花萼 5 深裂，裂片长椭圆形；花冠圆筒状，长约 8 mm，直径约 4.5 mm，外面疏被柔毛，上部 5 浅裂，裂片向外反折；雄蕊 10，花丝线形，先端有 2 芒状附属物；子房近球形，柱头头状，略伸出花冠外。蒴果球形，直径约 3 mm；果序长 12 ~ 14 cm；种子短线形，无翅。花期 5 ~ 6 月，果期 7 ~ 9 月。

| 生境分布 |

生于阳坡灌丛中。湖南有广泛分布。

| 资源情况 | 野生资源丰富。药材来源于野生。 |

| 采收加工 | 枝叶，夏、秋季采收，鲜用或晒干。 |

| 功能主治 | 甘，温。祛风解毒，活血强筋。用于跌打损伤，刀伤，腰脚无力，全身酸麻。 |

| 用法用量 | 内服煎汤，9～30 g。外用适量，鲜叶捣敷。 |

杜鹃花科 Ericaceae 珍珠花属 Lyonia

狭叶珍珠花
Lyonia ovalifolia (Wall.) Drude var. *lanceolata* (Wall.) Hand.-Mazz.

| 药 材 名 | 烧香树（药用部位：茎叶）。

| 形态特征 | 常绿或落叶灌木或小乔木。枝淡灰褐色，无毛；冬芽长卵圆形，淡红色，无毛。叶革质，椭圆状披针形，先端钝尖或渐尖，基部狭窄，楔形或阔楔形，脉上被毛；叶柄长 6 ～ 8 mm。总状花序长 5 ～ 10 cm，着生于叶腋，近基部有 2 ～ 3 叶状苞片，小苞片早落；花梗长约 6 mm；花萼 5 深裂，萼片较狭，披针形；花冠圆筒状，长约 8 mm，直径约 4.5 mm，外面疏被柔毛，上部 5 浅裂，裂片向外反折；雄蕊 10，花丝线形，先端有 2 芒状附属物；子房近球形，柱头头状，略伸出花冠外。蒴果球形，缝线增厚，直径 4 ～ 5 mm；种子短线形，无翅。花期 5 ～ 6 月，果期 7 ～ 9 月。

生境分布	生于海拔 700 ~ 1 500 m 的林中。分布于湖南株洲（茶陵）、郴州（临武）、永州（双牌、新田）等。
资源情况	野生资源一般。药材来源于野生。
采收加工	春、夏、秋季均可采收，鲜用。
功能主治	辛、微苦，温；有毒。活血，祛瘀，止痛。外用于跌打损伤，闭合性骨折。
用法用量	外用适量，捣敷。

杜鹃花科 Ericaceae 马醉木属 Pieris

美丽马醉木

Pieris formosa (Wall.) D. Don

| 药 材 名 | 美丽马醉木（药用部位：叶）。

| 形态特征 | 常绿灌木或小乔木。小枝圆柱形，无毛，枝上有叶痕。叶革质，披针形至长圆形，长 4 ～ 10 cm，宽 1.5 ～ 3 cm，中脉显著；叶柄长 1 ～ 1.5 cm。总状花序簇生于枝顶的叶腋，长 4 ～ 10 cm；花梗被柔毛；萼片宽披针形，长约 3 mm；花冠白色，坛状，外面有柔毛，上部 5 浅裂；雄蕊 10，花丝线形，花药黄色；子房扁球形，花柱长约 5 mm，柱头小，头状。蒴果卵圆形，直径约 4 mm；种子黄褐色，纺锤形。花期 5 ～ 6 月，果期 7 ～ 9 月。

| 生境分布 | 生于海拔 900 ～ 1 700 m 的灌丛中。湖南有广泛分布。

| 资源情况 | 野生资源丰富。药材来源于野生。

| **采收加工** | 春、夏、秋季均可采收，鲜用或晒干。

| **功能主治** | 苦，凉；有大毒。杀虫。外用于疥疮。

| **用法用量** | 外用适量，煎汤洗。

| 杜鹃花科 | Ericaceae | 马醉木属 | Pieris |

马醉木

Pieris japonica (Thunb.) D. Don ex G. Don

| 药 材 名 | 马醉木（药用部位：叶）。

| 形态特征 | 灌木或小乔木。树皮棕褐色；冬芽倒卵形，呈覆瓦状排列。叶革质，密生于枝顶，椭圆状披针形，稀近全缘，微被柔毛。总状花序或圆锥花序顶生或腋生，长 8 ~ 14 cm，直立或俯垂，花序轴有柔毛；萼片三角状卵形，长约 3.5 mm，宽约 1 mm，内面疏生短柔毛；花冠白色，坛状，无毛，上部 5 浅裂，裂片近圆形；雄蕊 10，有长柔毛；子房近球形，花柱细长，长约 6 mm，柱头细小，头状。蒴果近扁球形，直径 3 ~ 5 mm。花期 4 ~ 5 月，果期 7 ~ 9 月。

| 生境分布 | 生于海拔 800 ~ 1 200 m 的灌丛中。分布于湖南湘潭（岳塘、湘潭）、衡阳（祁东）、邵阳（新宁）、岳阳（云溪）、张家界（武陵源、慈利）、

郴州（宜章）、永州（冷水滩、蓝山）、怀化（新晃）等。

| **资源情况** | 野生资源较丰富。药材来源于野生。

| **采收加工** | 春、夏、秋季均可采收，鲜用或晒干。

| **功能主治** | 苦，凉；有大毒。杀虫。外用于疥疮。

| **用法用量** | 不宜内服。外用适量，煎汤洗。

杜鹃花科 Ericaceae 杜鹃属 Rhododendron

锦绣杜鹃 *Rhododendron pulchrum* Sweet

| 药 材 名 | 锦绣杜鹃根（药用部位：根）、锦绣杜鹃叶（药用部位：叶）。

| 形态特征 | 半常绿灌木。枝开展，淡灰褐色，被淡棕色糙伏毛。叶薄革质，椭圆状长圆形，长 2 ~ 7 cm，宽 1 ~ 2.5 cm，边缘反卷，全缘；叶柄密被棕褐色糙伏毛。花芽卵球形，鳞片外面沿中部具淡黄褐色毛，内有黏质。伞形花序顶生，有花 1 ~ 5；花萼大，绿色，5 深裂，裂片披针形，被糙伏毛；花冠玫瑰紫色，阔漏斗形，直径约 6 cm，裂片 5，阔卵形，具深红色斑点；雄蕊 10，近等长，花丝线形，下部被微柔毛；子房卵球形，密被黄褐色刚毛状糙伏毛，花柱比花冠稍长，无毛。蒴果长圆状卵球形，长 0.8 ~ 1 cm，被刚毛状糙伏毛，花萼宿存。花期 4 ~ 5 月，果期 9 ~ 10 月。

| **生境分布** | 栽培于疏松、肥沃、富含腐殖质的偏酸性土壤中。湖南各地均有分布。 |

| **资源情况** | 栽培资源一般。药材来源于栽培。 |

| **采收加工** | 锦绣杜鹃根：夏、秋季采挖，洗净，切片，晒干。
锦绣杜鹃叶：夏季采收，鲜用或阴干。 |

| **功能主治** | 锦绣杜鹃根：利尿，驳骨，祛风湿。用于跌打腹痛。
锦绣杜鹃叶：止血。用于外伤出血。 |

| **用法用量** | 锦绣杜鹃根：内服煎汤，6 ~ 10 g。
锦绣杜鹃叶：外用适量，捣敷。 |

杜鹃花科 Ericaceae 杜鹃属 *Rhododendron*

耳叶杜鹃 *Rhododendron auriculatum* Hemsl.

| 药 材 名 | 耳叶杜鹃根（药用部位：根）。

| 形态特征 | 常绿灌木或小乔木，高 5 ～ 10 m；树皮灰色；幼枝密被长腺毛，老枝无毛；冬芽大，顶生，尖卵圆形，长 3.5 ～ 5.5 cm，外面鳞片狭长形，长 3.5 cm，有较长的渐尖头，无毛。叶革质，长圆形，长9 ～ 22 cm，宽 3 ～ 6.5 cm，有短尖头，基部稍不对称，圆形或心形，上面绿色，无毛，中脉凹下，侧脉 20 ～ 22 对，下面淡绿色，幼时密被柔毛；叶柄稍粗壮，长 1.8 ～ 3 cm，密被腺毛。顶生伞形花序大，疏松，有花 7 ～ 15；总轴长 2 ～ 3 cm，密被腺体；花梗长 2 ～ 3 cm，密被长柄腺体；花萼小，长 2 ～ 4 mm，盘状，裂片 6，不整齐，膜质，外面具有柄腺体；花冠漏斗形，长 6（～ 10）cm，直径 6 cm，银

白色，有香味，筒状部外面有长柄腺体，裂片 7，卵形，开展，长 2 cm，宽 1.8 cm；雄蕊 14 ～ 16，不等长，长 2.5 ～ 3.4（～ 4）cm，花丝纤细，无毛，花药长倒卵状圆形，长 5.5 mm；子房椭圆状卵球形，长 6 mm，有肋纹，密被腺体，花柱粗壮，长约 3 cm，密被短柄腺体，柱头盘状，有 8 浅裂片，宽 4.2 mm。蒴果长圆柱形，微弯曲，长 3 ～ 4 cm，8 室，有腺体残迹。花期 7 ～ 8 月，果期 9 ～ 10 月。

| **生境分布** | 生于海拔 600 ～ 2 000 m 的山坡上或沟谷森林。分布于湖南株洲（炎陵）、张家界（桑植）等。

| **资源情况** | 野生资源较少。药材来源于野生。

| **功能主治** | 理气，止咳。

杜鹃花科 Ericaceae 杜鹃属 Rhododendron

腺萼马银花

Rhododendron bachii Lévl.

| 药 材 名 | 腺萼马银花（药用部位：根）。

| 形态特征 | 常绿灌木。小枝灰褐色，被短柔毛和稀疏的腺头刚毛。叶散生，薄革质，卵形或卵状椭圆形，边缘浅波状，具刚毛状细齿；叶柄长约5 mm，被短柔毛和腺毛。花芽圆锥形，密被白色短柔毛。花1，侧生于上部枝条叶腋；花萼5深裂，具钝头；花冠淡紫色、淡紫红色或淡紫白色，辐状，5深裂；雄蕊5，不等长，花丝扁平，花药长圆形；子房密被短柄腺毛，花柱比雄蕊长，微弯曲，伸出花冠外。蒴果卵球形，密被短柄腺毛。花期4～5月，果期6～10月。

| 生境分布 | 生于海拔600～1 600 m的疏林内。分布于湖南邵阳（邵阳）、郴州（临武）、永州（双牌、新田）、怀化（鹤城、中方、辰溪、会

同、通道、麻阳）、湘西州（吉首、花垣、古丈、永顺）等。

| **资源情况** | 野生资源较丰富。药材来源于野生。

| **采收加工** | 夏、秋季采挖，洗净，切片，晒干。

| **功能主治** | 苦，平。归膀胱经。清湿热，解疮毒。用于湿热带下，痈肿，疔疮。

| **用法用量** | 内服煎汤，1.5 ~ 3 g。外用适量，煎汤洗。

杜鹃花科 Ericaceae 杜鹃属 Rhododendron

短脉杜鹃
Rhododendron brevinerve Chun et Fang

| 药 材 名 |　短脉杜鹃花（药用部位：花）。

| 形态特征 |　小乔木，高 4 ～ 5 m；树皮灰褐色；小枝细瘦，直径 2 ～ 3 mm，无毛。叶薄革质，椭圆状披针形至阔披针形，长 10 ～ 15 cm，宽 2 ～ 4.5 cm，先端渐尖，基部宽楔形，两面光滑无毛，中脉在上面下陷成浅沟纹，在下面显著凸起，倒脉 9 ～ 15 对，在上面平坦，在下面微凸；叶柄圆柱形，长 1 ～ 2.5 cm，无毛；顶生总状伞形花序，有花 2 ～ 4，总轴长约 5 mm，有淡黄色柔毛；花梗粗壮，长约 2 cm，密被长腺毛；花萼小，5 裂，裂片大小不等，外面及边缘密被红色腺毛，内面无毛；花冠宽钟状，长 2.5 ～ 4 cm，淡紫红色或粉红色，无斑点，5 裂，裂片倒卵形，先端钝圆而有 1 深色的脉纹；

雄蕊 10，不等长，长 2 ~ 3.5 cm，花丝无毛，花药椭圆形，长 3 ~ 4 mm；子房圆锥状卵形，长约 7 mm，密被腺头硬毛，花柱长 2.5 ~ 3 cm，下部的 1/3 到 1/2 有同样的毛，柱头膨大成头状。蒴果长圆柱形，长约 1.5 cm，常有宿存的腺头硬毛及花柱，成熟后 10 开裂。花期 3 ~ 5 月，果期 7 ~ 9 月。

| 生境分布 | 生于海拔 800 ~ 1 400 m 的山谷、河边灌木林中。分布于湖南邵阳（绥宁）等。

| 资源情况 | 野生资源较少。药材来源于野生。

| 功能主治 | 清热，止血，调经。

杜鹃花科 Ericaceae 杜鹃属 *Rhododendron*

多花杜鹃 *Rhododendron cavaleriei* Lévl.

| **药 材 名** | 多花杜鹃（药用部位：枝、叶）。

| **形态特征** | 常绿灌木，高 2 ~ 3（~ 8）m。小枝纤细，淡灰色，无毛。叶革质，
披针形或倒披针形，长 7 ~ 10（~ 15）cm，宽达 5.4 cm，先端渐
尖，具短尖头，基部楔形或狭楔形，边缘微反卷，上面深绿色，具
光泽，下面淡绿色，中脉在上面下凹，在下面显著凸起，侧脉和细
脉于两面不明显，无毛；叶柄长 0.9 ~ 1.5 cm，无毛。花芽圆锥状，
鳞片倒卵形或长圆状倒卵形，被淡黄色微柔毛；伞形花序生于枝顶
叶腋，有花 10 ~ 15（~ 17）；花梗长 2.5 ~ 4 cm，密被灰色短柔毛；
花萼裂片不明显，稀为线状，无毛；花冠白色至蔷薇色，狭漏斗形，
长 3.8 cm，5 深裂，裂片长圆状披针形，长 1.9 ~ 2.3 cm，具条纹，
花冠管狭圆筒状，长 1.5 ~ 1.9 cm；雄蕊 10，略比花冠短或与花

冠等长，中部以下被短柔毛，花药长圆形，黄色；子房长卵圆形，长约 5 mm，密被白色短柔毛，花柱比雄蕊长，长达 4.5 cm，伸出于花冠外，无毛，柱头头状，褐色。蒴果圆柱形，长 3 ~ 4 cm，稀达 5.5 cm，直径 3 ~ 4.5 mm，先端渐尖，密被褐色短柔毛。花期 4 ~ 5 月，果期 6 ~ 11 月。

| **生境分布** | 生于海拔 1 000 ~ 2 000 m 的疏林或密林。分布于湖南郴州（宜章）、永州（江华）等。

| **资源情况** | 野生资源较少。药材来源于野生。

| **功能主治** | 清热解毒，止血活络。

杜鹃花科 Ericaceae 杜鹃属 Rhododendron

刺毛杜鹃
Rhododendron championae Hook.

| 药 材 名 | 刺毛杜鹃（药用部位：根）。

| 形态特征 | 常绿灌木，高 2 ~ 5 m。枝褐色，被腺头刚毛和短柔毛。叶厚纸质，长圆状披针形，边缘密被长刚毛和疏腺头毛；叶柄长 1.2 ~ 1.7 cm。花芽长圆状锥形，外面及边缘被短柔毛。伞形花序生于枝顶叶腋，有花 2 ~ 7，无毛；花萼裂片形状多变，5 深裂，裂片常呈三角状长圆形，边缘具腺头刚毛；花冠白色或淡红色，狭漏斗状，5 深裂，裂片长圆形；雄蕊 10，不等长，花药长圆形，黄色；子房长圆形，被淡黄褐色刚毛，花柱比雄蕊长，伸出花冠外。蒴果圆柱形，微弯曲，具 6 纵沟，花柱宿存，果柄长 2.5 cm。花期 4 ~ 5 月，果期 5 ~ 11 月。

| 生境分布 | 生于海拔 500 ~ 1 300 m 的山谷疏林内。分布于湖南邵阳（洞口、绥宁）、郴州（北湖、桂阳、临武、汝城）、怀化（通道）等。 |

| 资源情况 | 野生资源较少。药材来源于野生。 |

| 采收加工 | 夏、秋季采挖，洗净，切片，晒干。 |

| 功能主治 | 苦，平。归膀胱经。清湿热，解疮毒。用于湿热带下，痈肿，疔疮。 |

| 用法用量 | 内服煎汤，1.5 ~ 3 g。外用适量，煎汤洗。 |

杜鹃花科 Ericaceae 杜鹃属 *Rhododendron*

喇叭杜鹃 *Rhododendron discolor* Franch.

| 药 材 名 | 喇叭杜鹃（药用部位：根皮）、喇叭杜鹃花（药用部位：花）。

| 形态特征 | 常绿灌木或小乔木，高 1.5 ~ 8 m；树皮褐色；枝粗壮，无毛；腋芽卵形，黄褐色，无毛，长 4 ~ 6 mm。叶革质，长圆状椭圆形至长圆状披针形，长 9.5 ~ 18 cm，宽 2.4 ~ 5.4 cm，先端钝，基部楔形，稀略近心形，边缘反卷，上面深绿色，下面淡黄白色，无毛，中脉在上面凹下，在下面凸起，侧脉约 21 对，在上面稍凹入，在下面不明显；叶柄粗壮，长 1.5 ~ 2.5 cm，无毛。顶生短总状花序，有花 6 ~ 8（~ 10）；总轴长 1.5 ~ 3 cm，多少散生腺体；花梗长 2 ~ 2.5 cm，无毛或略有腺体；花萼小，长 2 ~ 5 mm，裂片 7，波状三角形或卵形，有稀疏的腺体，边缘有纤毛及短柄腺体；花冠漏斗状钟形，长 5.5 cm，宽约 6 cm，淡红色至白色，内面无毛，裂片 7，近圆形，长 2 cm，

宽 2.5 cm，先端有缺刻；雄蕊 14 ～ 16，不等长，长 3 ～ 3.8 cm，花丝白色，无毛，花药长圆形，白色，长 3.2 ～ 3.8 mm；子房卵状圆锥形，长 7 mm，直径 4.8 mm，密被淡黄白色短柄腺体，花柱细圆柱形，通体被淡黄白色短柄腺体，柱头小，头状，宽约 3 mm。蒴果长圆柱形，微弯曲，长 4 ～ 5 cm，直径约 1.5 cm，9 ～ 10 室，有肋纹及腺体残迹。花期 6 ～ 7 月，果期 9 ～ 10 月。

| **生境分布** | 生于海拔 900 ～ 1 900 m 的林下或密林。分布于湖南张家界（桑植）、邵阳（新宁）等。

| **资源情况** | 野生资源较少。药材来源于野生。

| **功能主治** | 喇叭杜鹃：活血化瘀，除湿止痛。用于月经不调，痢疾，风湿关节痛，消化道出血，咯血。
喇叭杜鹃花：用于骨髓炎。

杜鹃花科 Ericaceae 杜鹃属 Rhododendron

云锦杜鹃 Rhododendron fortunei Lindl.

| **药材名** | 云锦杜鹃（药用部位：花蕾）。

| **形态特征** | 常绿灌木或小乔木。主干弯曲，树皮褐色，呈片状开裂；幼枝黄绿色，老枝灰褐色。叶厚革质，长圆形至长圆状椭圆形。顶生总状伞形花序疏松，有花 6 ～ 12，有香味；总轴长 3 ～ 5 cm，淡绿色；花萼小，长约 1 mm，边缘有浅裂片 7，具腺体；花冠漏斗状钟形，长4.5 ～ 5.2 cm，直径 5 ～ 5.5 cm，粉红色，裂片 7，阔卵形；雄蕊14，不等长，花丝白色，花药长椭圆形，黄色；子房圆锥形，淡绿色，密被腺体，10 室，花柱长约 3 cm，柱头小，头状。蒴果长圆状卵形至长圆状椭圆形，褐色。花期 4 ～ 5 月，果期 8 ～ 10 月。

| **生境分布** | 生于海拔 620 ～ 2 000 m 的山脊阳处或林下。分布于郴州（宜章、

临武）、永州（蓝山）、怀化（洪江）、岳阳（平江）等。

| **资源情况** | 野生资源较少。药材来源于野生。

| **采收加工** | 4 ~ 5 月采收，晒干或鲜用。

| **功能主治** | 苦、涩，寒。归心经。清热解毒，生肌敛疮。用于痈疽疮疡，关节红肿疼痛，咽喉肿痛，丹毒，烫火伤，创口久不收，溃疡不愈等。

| **用法用量** | 内服煎汤，3 ~ 10 g。外用适量，煎汤洗；或研末敷。

杜鹃花科 Ericaceae 杜鹃属 *Rhododendron*

粉白杜鹃 *Rhododendron hypoglaucum* Hemsl.

| 药 材 名 | 粉白杜鹃（药用部位：叶）、粉白杜鹃花（药用部位：花）。

| 形态特征 | 常绿大灌木，高 3 ～ 10 m；树皮灰白色，有裂纹；幼枝淡绿色，光滑无毛。叶常 4 ～ 7 密生于枝顶，革质，椭圆状披针形，长 6 ～ 10 cm，宽 2 ～ 3.5 cm，先端急尖，有短尖尾，基部楔形，边缘质薄向下反卷，上面绿色，光滑无毛，下面被银白色薄层毛被，紧贴而有光泽，中脉在上面微下陷，呈浅沟纹，侧脉 10 ～ 14 对，在两面均不明显；叶柄长 1 ～ 2 cm，在上面有沟槽，下面圆柱状，无毛。总状伞形花序，有花 4 ～ 9；总轴长 0.5 ～ 1.5 m，初有淡黄色疏柔毛，后无毛；花梗长 2 ～ 3 cm，淡红色，无毛；花萼小，5 裂，萼片膜质，卵状三角形，长约 2 mm；花冠乳白色稀粉红色，漏斗状钟形，

长 2.5 ~ 3.5 cm，管口直径 3 cm，基部狭窄，有深红色至紫红色斑点，5 裂，裂片近圆形，长约 1 cm，宽约 1.5 cm，先端微凹缺；雄蕊 10，长 1.5 ~ 3 cm，不等长，花丝线形，基部较宽，有开展的白色绒毛，花药卵圆形，长约 3 mm，黄色；子房圆柱状，长 4 ~ 5 mm，无毛或仅先端有少许腺毛，花柱长 2 ~ 2.5 cm，无毛，柱头微膨大。蒴果圆柱形，长 2 ~ 2.5 cm，直径 6 mm，无毛，成熟后常 6 瓣开裂。花期 4 ~ 5 月，果期 7 ~ 9 月。

| **生境分布** | 生于海拔 1 500 ~ 2 000 m 的山坡林中。分布于湖南常德（石门）等。

| **资源情况** | 野生资源较少。药材来源于野生。

| **功能主治** | **粉白杜鹃、粉白杜鹃花：** 止咳，平喘。

杜鹃花科 Ericaceae 杜鹃属 Rhododendron

鹿角杜鹃
Rhododendron latoucheae Franch.

| 药 材 名 | 鹿角杜鹃根（药用部位：根。别名：岩杜鹃）。

| 形态特征 | 常绿灌木或小乔木，高 2 ~ 3 m。小枝开展，灰色或淡白色。叶密生于枝顶，近轮生，革质，卵状椭圆形或长圆状披针形；叶柄长 1.2 cm。花芽长圆状锥形，先端锐尖，边缘具微柔毛或细腺点。花单生于枝顶叶腋，枝端具花 1 ~ 4；花冠白色或带粉红色，长 3.5 ~ 4 cm，5 深裂，裂片开展，长圆形，先端微凹，被微柔毛，花冠管向基部渐狭；雄蕊 10，不等长；子房圆柱状，褐色，具纵沟，花柱长约 3.5 cm，柱头 5 裂。蒴果圆柱形，长 3.5 ~ 4 cm，直径约 4 mm，具纵肋，花柱宿存。花期 3 ~ 4 月，稀 5 ~ 6 月，果期 7 ~ 10 月。

| 生境分布 | 生于海拔 1 000 ～ 2 000 m 的杂木林内。湖南各地均有分布。 |

| 资源情况 | 野生资源较丰富。药材来源于野生。 |

| 采收加工 | 夏、秋季采挖，洗净，切片，晒干。 |

| 功能主治 | 甘、酸，温。祛风止痛，清热解毒。用于风湿骨痛，肺痈。 |

| 用法用量 | 内服煎汤，6 ～ 10 g。 |

杜鹃花科 Ericaceae 杜鹃属 *Rhododendron*

岭南杜鹃 *Rhododendron mariae* Hance

药材名

紫杜鹃（药用部位：叶）。

形态特征

落叶灌木，高 1 ～ 3 m，分枝多。幼枝密被红棕色糙伏毛；老枝灰褐色。叶革质，集生于枝端，椭圆状披针形至椭圆状倒卵形；叶柄密被红棕色或深褐色糙伏毛。花芽卵球形，外面近顶部被淡黄棕色糙伏毛。伞形花序顶生，具花 7 ～ 16；花冠狭漏斗状，长 1.5 ～ 2.2 cm，丁香紫色，花冠管圆柱状，长 1.3 cm，裂片 5；雄蕊 5，不等长，伸出花冠外，花药长圆形；子房卵球形，干后黑色，密被绢状红棕色长糙伏毛，花柱比雄蕊长。蒴果长卵球形。花期 3 ～ 6 月，果期 7 ～ 11 月。

生境分布

生于海拔 500 ～ 1 250 m 的山丘灌丛中。分布于湖南怀化（通道）、长沙（浏阳）等。

资源情况

野生资源一般。药材来源于野生。

| 采收加工 | 夏季采收，鲜用或阴干。 |

| 功能主治 | 苦，平。镇咳，祛痰，平喘。用于咳嗽，哮喘，支气管炎。 |

| 用法用量 | 内服煎汤，50 g，鲜品 100 g。 |

杜鹃花科 Ericaceae 杜鹃属 Rhododendron

满山红 *Rhododendron mariesii* Hemsl. et Wils.

| 药 材 名 | 满山红（药用部位：花。别名：红踯躅）。

| 形态特征 | 落叶灌木，高 1 ~ 4 m。枝轮生，幼时被淡黄棕色柔毛。叶厚纸质或近革质，常 2 ~ 3 集生于枝顶，椭圆形、卵状披针形或三角状卵形；叶柄长 5 ~ 7 mm。花芽卵球形，鳞片阔卵形。花通常 2 顶生，先花后叶；花梗直立，密被黄褐色柔毛；花萼环状，5 浅裂，密被黄褐色柔毛；花冠漏斗形，淡紫红色或紫红色，5 深裂，上方裂片具紫红色斑点；雄蕊 8 ~ 10，不等长，花丝扁平，花药紫红色；子房卵球形，花柱比雄蕊长。蒴果椭圆状卵球形，长 6 ~ 9 mm，密被亮棕褐色长柔毛。花期 4 ~ 5 月，果期 6 ~ 11 月。

| 生境分布 | 生于海拔 600 ~ 1 500 m 的山地稀疏灌丛。栽培于富含腐殖质、疏

松、湿润的酸性土壤中。湖南有广泛分布。

| **资源情况** | 野生资源较丰富。栽培资源一般。药材来源于野生和栽培。

| **采收加工** | 4 ~ 5 月采收，晒干或阴干，或鲜用。

| **功能主治** | 酸、甘，温。归肝、脾、肾经。和血，调经，祛风湿。用于月经不调，闭经，崩漏，跌打损伤，风湿痛，吐血，衄血。

| **用法用量** | 内服煎汤，9 ~ 15 g。外用适量，捣敷。

杜鹃花科 Ericaceae 杜鹃属 Rhododendron

照山白 *Rhododendron micranthum* Turcz.

| 药 材 名 | 照山白（药用部位：枝叶）。

| 形态特征 | 常绿灌木，高可达 2.5 m。茎灰棕褐色。幼枝被鳞片及细柔毛。叶近革质，倒披针形、长圆状椭圆形至披针形，被淡棕色或深棕色有宽边的鳞片。花冠钟状，白色，长 4 ~ 10 mm，外面被鳞片，内面无毛，花裂片 5，较花管稍长；雄蕊 10，花丝无毛；子房长 1 ~ 3 mm，5 ~ 6 室，密被鳞片，花柱与雄蕊等长或较短，无鳞片。蒴果长圆形，长 5 ~ 6 mm，被疏鳞片。花期 5 ~ 6 月，果期 8 ~ 11 月。

| 生境分布 | 生于海拔 1 000 ~ 1 500 m 的山坡灌丛、山谷、峭壁及岩石上。分布于湖南张家界（永定）等。

| **资源情况** | 野生资源较少。药材来源于野生。

| **采收加工** | 夏、秋季采收，晒干。

| **功能主治** | 苦，寒；有大毒。祛风通络，调经止痛，化痰止咳。用于慢性支气管炎，风湿痹痛，腰痛，痛经，产后关节痛，痢疾，骨折。

| **用法用量** | 内服煎汤，1 ~ 5 g。外用适量，捣敷。

杜鹃花科 Ericaceae 杜鹃属 Rhododendron

羊踯躅 *Rhododendron molle* (Blume) G. Don

| 药材名 |

闹羊花（药用部位：花。别名：羊不食草）。

| 形态特征 |

落叶灌木，高 0.5 ~ 2 m。分枝稀疏，枝条直立。叶纸质，长圆形至长圆状披针形，长 5 ~ 11 cm，宽 1.5 ~ 3.5 cm；叶柄长 2 ~ 6 mm，被柔毛和少数刚毛。总状伞形花序顶生，有多达 13 花，先花后叶或花与叶同时开放；花萼裂片小，圆齿状，被微柔毛和刚毛状睫毛；花冠阔漏斗形，长 4.5 cm，黄色或金黄色，内有深红色斑点，花冠管圆筒状，裂片 5；雄蕊 5，不等长，长均不超过花冠，花丝扁平；子房圆锥状，长 4 mm，花柱长达 6 cm。蒴果圆锥状长圆形，具 5 纵肋。花期 3 ~ 5 月，果期 7 ~ 8 月。

| 生境分布 |

生于海拔 1 000 m 的山坡草地、丘陵地带的灌丛或山脊杂木林下。湖南各地均有分布。

| 资源情况 |

野生资源一般。药材来源于野生。

| 采收加工 | 春、夏季摘取初开放的花朵，晒干。

| 药材性状 | 本品多皱缩，常数朵聚生在 1 个总花梗上或单个存在，黄棕色。花萼 5 裂；花冠钟状，长 1.5 ~ 4 cm，先端常折皱，花瓣 5；雄蕊 5，长不超过花冠；雌蕊 1，长于雄蕊，均密被柔毛。气微，味微苦、辛，有麻舌感。

| 功能主治 | 辛，温；有大毒。归肝经。祛风除湿，镇痛，杀虫。用于风湿顽痹，跌打肿痛；外用于皮肤顽癣，龋齿痛。

| 用法用量 | 内服入丸、散剂，0.3 ~ 0.6 g。外用适量，捣擦；或煎汤含漱。

杜鹃花科 Ericaceae 杜鹃属 Rhododendron

毛棉杜鹃
Rhododendron moulmainense Hook. f.

| 药 材 名 |

丝线吊芙蓉（药用部位：根皮、茎皮）。

| 形态特征 |

灌木或小乔木，高 2 ～ 4（～ 8）m。幼枝粗壮，淡紫褐色，无毛，老枝褐色。叶厚革质，集生枝端，近轮生，披针形，长 5 ～ 12 cm，稀达 26 cm，宽 2.5 ～ 8 cm，先端渐尖至短渐尖，基部楔形或宽楔形，边缘反卷，上面深绿色，叶脉凹陷，下面淡黄白色或苍白色，中脉凸出，侧脉于叶缘不联结，两面无毛；叶柄粗壮，长 1.5 ～ 2.2 cm，无毛。花芽长圆锥状卵形，鳞片阔卵形或长倒卵形，两面无毛或外面近顶部被微柔毛，边缘被柔毛；数伞形花序生于枝顶叶腋，每花序有花 3 ～ 5；花梗长 1 ～ 2 cm，无毛；花萼小，裂片 5，波状浅裂，无毛；花冠淡紫色、粉红色或淡红白色，狭漏斗形，长 4.5 ～ 5.5 cm，5 深裂，裂片开展，匙形或长倒卵形，先端浑圆或微凸起，花冠管长 2 ～ 2.5 cm，基部直径 3 ～ 4 mm，向上扩大；雄蕊 10，不等长，长 4.1 ～ 4.7 cm，略比花冠短，花丝扁平，中部以下被银白色糠皮状柔毛；子房长圆筒形，长约 1 cm，微具纵沟，深褐色，无毛，花柱稍长过雄蕊，但常比花冠短，

无毛。蒴果圆柱状，长 3.5 ~ 6 cm，直径 4 ~ 6 mm，先端渐尖，花柱宿存。花期 4 ~ 5 月，果期 7 ~ 12 月。

| **生境分布** | 生于海拔 700 ~ 1 500 m 的灌丛或疏林中。分布于湖南邵阳（绥宁）、永州（江永）、郴州（宜章）等。

| **资源情况** | 野生资源较少。药材来源于野生。

| **采收加工** | 夏、秋季采收，切片，鲜用或晒干。

| **功能主治** | 利水，活血。用于水肿，肺结核，跌打损伤。

| **用法用量** | 内服煎汤，10 ~ 15 g。

杜鹃花科 Ericaceae 杜鹃属 *Rhododendron*

马银花 *Rhododendron ovatum* (Lindl.) Planch. ex Maxim.

| 药 材 名 | 马银花（药用部位：根）。

| 形态特征 | 常绿灌木，高 2 ～ 4 m。小枝灰褐色。叶革质，卵形或椭圆状卵形，长 3.5 ～ 5 cm，宽 1.9 ～ 2.5 cm；叶柄长 8 mm，具狭翅，被短柔毛。花芽圆锥状，具鳞片数枚。花单生于枝顶叶腋；花梗长 0.8 ～ 1.8 cm，密被灰褐色短柔毛和短柄腺毛；花萼 5 深裂；花冠淡紫色、紫色或粉红色，辐状，5 深裂，内面具粉红色斑点，筒部内面被短柔毛；雄蕊 5，不等长，稍比花冠短，花丝扁平；子房卵球形；花柱长 2.4 cm，伸出花冠外。蒴果阔卵球形，密被灰褐色短柔毛和疏腺体。花期 4 ～ 5 月，果期 7 ～ 10 月。

| 生境分布 | 生于海拔 1 000 m 以下的灌丛中。湖南各地均有分布。

| **资源情况** | 野生资源较丰富。药材来源于野生。 |

| **采收加工** | 夏、秋季采挖，洗净，切片，晒干。 |

| **功能主治** | 苦，平；有毒。清湿热，解疮毒。用于湿热带下，痈肿，疔疮。 |

| **用法用量** | 内服煎汤，1.5 ~ 3 g。外用适量，煎汤洗。 |

杜鹃花科 Ericaceae 杜鹃属 Rhododendron

乳源杜鹃

Rhododendron rhuyuenense Chun ex Tam

| 药 材 名 |

乳源杜鹃（药用部位：全株）。

| 形态特征 |

半常绿灌木，高 3 m。小枝灰褐色，被长刚毛和短腺毛。叶革质，簇生枝端，椭圆状披针形、长披针形或阔卵形，长 2.5 ~ 6.5 cm，宽 1.5 ~ 3 cm，先端渐尖，具短尖头，基部近圆形，微不对称，边缘反卷，具长刚毛，稀具短腺头毛，上面干后深褐色，下面棕褐色，叶脉在上面凹陷，在下面凸起，侧脉未达叶缘联结，上面除沿中脉残存刚毛外，近无毛，下面散生刚毛或残留粗糙的毛基；叶柄长 0.4 ~ 1 cm，密被棕褐色长刚毛和短腺头毛。花芽黏结，鳞片阔卵形，外面近先端具淡黄棕色糙伏毛和腺体。伞形花序顶生，有花达 12；花梗长 8 ~ 10 mm，密被棕褐色长刚毛和短腺毛；花萼小，5 浅裂，裂片卵形或三角状卵形，密被长刚毛状糙伏毛；花冠粉红色或粉红带紫蓝色，辐状钟形，长 1 cm，花冠管较粗壮，长 5 mm，基径 4 mm，外面被腺毛，内面被微柔毛，5 深裂，裂片开展，卵形，长与花冠管等长，上部裂片具红色斑点；雄蕊 5，不等长，长 1.5 ~ 1.8 cm，伸出冠外较长，花丝扁平，中部以下被微柔毛；子房卵球形，被棕褐色刚毛和腺毛，花柱比雄蕊短，长约 1.2 cm，中下部被红棕色长刚毛和腺毛，柱头 5 裂，深褐色。蒴果卵球形，长 5 ~ 6 mm，直径 4 mm，被深褐色长刚毛。花期 5 ~ 6 月，果期 7 ~ 11 月。

| **生境分布** | 生于海拔 1 500 m 以下的阳坡疏林或灌丛。分布于湖南郴州（宜章、桂东）等。

| **资源情况** | 野生资源较少。药材来源于野生。

| **功能主治** | 止咳平喘。用于咳嗽痰喘，慢性支气管炎。

杜鹃花科 Ericaceae 杜鹃属 Rhododendron

溪畔杜鹃
Rhododendron rivulare Hand.-Mazz.

| 药 材 名 | 溪畔杜鹃（药用部位：花蕾。别名：贵州杜鹃）。

| 形态特征 | 常绿灌木。幼枝纤细，淡紫褐色，密被锈褐色短腺头毛；老枝灰褐色，近无毛。叶纸质，卵状披针形，长 5 ~ 9 cm，宽 1 ~ 4 cm，密被腺头睫毛。花芽圆锥状卵形，鳞片阔卵形。伞形花序顶生，有超过 10 花；花梗长 1.5 cm，密被短腺头毛及扁平长糙伏毛；花萼裂片狭三角形，被淡黄褐色短腺头毛及长糙伏毛；花冠漏斗形，紫红色，长 2.3 cm，花冠管狭圆筒形，外面无毛，内面被微柔毛，裂片 5，长圆状卵形；雄蕊 5，不等长，伸出花冠外，花丝基部被微柔毛，花药紫色，长圆形；子房卵球形，褐色，密被红棕色刚毛。蒴果长卵球形，密被刚毛状长毛。花期 4 ~ 6 月，果期 7 ~ 11 月。

| **生境分布** | 生于海拔 750 ~ 1 200 m 的山谷密林中。分布于湖南邵阳（绥宁）、郴州（苏仙、临武、汝城）、永州（冷水滩、蓝山）、怀化（会同、洪江）等。

| **资源情况** | 野生资源一般。药材来源于野生。

| **采收加工** | 春、夏季采收，鲜用或阴干。

| **功能主治** | 苦，平；有毒。清湿热，解疮毒。用于湿热带下，痈肿，疔疮。

| **用法用量** | 内服煎汤，1.5 ~ 3 g。外用适量，煎汤洗。

杜鹃花科 Ericaceae 杜鹃属 Rhododendron

毛果杜鹃
Rhododendron seniavinii Maxim.

| 药 材 名 | 满山白（药用部位：全株）、满山白根（药用部位：根皮）。

| 形态特征 | 半常绿灌木，高达 2 m；分枝多，幼枝圆柱状，密被灰棕色糙伏毛；老枝灰褐色，近无毛。叶革质，集生于枝端，卵形至卵状长圆形或长圆状披针形，长 1.5 ~ 8 cm，宽 1 ~ 4 cm，先端渐尖，具短尖头，基部宽楔形，边缘微反卷，密被黄褐色糙伏毛，上面深绿色，具光泽，无毛，下面淡黄色，密被长糙伏毛，中脉和侧脉在上面凹陷，在下面凸出，叶柄长 0.6 ~ 1.3 cm，密被糙伏毛。花芽黏结，卵球形，外部的鳞片沿中部密被黄棕色长糙伏毛，边缘具睫毛；伞形花序顶生，具花 4 ~ 10；花梗长 5 mm，密被红棕色绢状糙伏毛；花萼极小，三角状卵形，密被红棕色绢状糙伏毛；花冠漏斗形或狭漏斗形，

白色，长 2.2 cm，直径约 1.5 cm，花冠管圆筒形，长约 1.2 cm，外面被疏柔毛，裂片 5，长卵形，长 1 cm，具紫色斑点；雄蕊 5，不等长，伸出花冠外，花丝扁平，基部较宽，无毛，花药长圆形，长 2.5 mm；子房卵球形，密被红棕色绢状糙伏毛，花柱比雄蕊长，基部密被淡黄色长柔毛。蒴果长卵球形，长 7 mm，直径 4 mm，密被棕褐色糙伏毛。花期 4 ~ 5 月，果期 8 ~ 11 月。

| **生境分布** | 生于海拔 300 ~ 1 400 m 的丘陵地带。分布于湖南邵阳（武冈、洞口、城步、新宁）、怀化（洪江、通道）、株洲（炎陵）、永州（东安）等。

| **资源情况** | 野生资源较少。药材来源于野生。

| **采收加工** | 满山白：全年均可采收，切片晒干；花，4 月采摘，烘干。
满山白根：全年均可采收，切片，晒干。

| **功能主治** | 满山白：辛，凉。止咳，祛痰，平喘。用于慢性支气管炎。
满山白根：清热解毒，散瘀。

| **用法用量** | 满山白：内服煎汤，叶、花，3 ~ 5 g；茎，15 ~ 30 g。
满山白根：内服煎汤，15 ~ 30 g。

杜鹃花科 Ericaceae 杜鹃属 *Rhododendron*

猴头杜鹃 *Rhododendron simiarum* Hance

| 药 材 名 | 猴头杜鹃（药用部位：花蕾。别名：岩杜鹃）。

| 形态特征 | 常绿灌木，高 2 ~ 5 m。幼枝树皮光滑，淡棕色，老枝树皮层状剥落。叶 5 ~ 7，常密生于枝顶，厚革质，倒卵状披针形至椭圆状披针形。顶生总状伞形花序，有 5 ~ 9 花；总轴长 1 ~ 2.5 cm；花萼盘状，5裂；花冠钟状，长 3.5 ~ 4 cm，乳白色至粉红色，喉部有紫红色斑点，5 裂，裂片半圆形，先端有凹缺；雄蕊 10 ~ 12，不等长，花药椭圆形；子房圆柱状，被淡黄色分枝的绒毛及腺体，花柱细长。蒴果长椭圆形，长 1.2 ~ 1.8 cm，直径 8 mm，被锈色毛，后变无毛。花期 4 ~ 5 月，果期 7 ~ 9 月。

| 生境分布 | 生于海拔 500 ~ 1 800 m 的山坡林中。分布于湖南湘潭（湘潭）、

邵阳（武冈）、张家界（永定）、郴州（宜章）、永州（蓝山）、怀化（新晃）等。

| **资源情况** | 野生资源较少。药材来源于野生。

| **采收加工** | 春季采收，晒干。

| **功能主治** | 苦，平；有毒。清湿热，解疮毒。用于湿热带下，痈肿，疔疮。

| **用法用量** | 内服煎汤，1.5 ~ 3 g。外用适量，煎汤洗。

杜鹃花科 Ericaceae 杜鹃属 Rhododendron

杜鹃
Rhododendron simsii Planch.

| 药 材 名 | 杜鹃花（药用部位：花蕾。别名：映山红）。

| 形态特征 | 落叶灌木。分枝多而纤细，密被亮棕褐色扁平糙伏毛。叶革质，常集生于枝端，卵形、椭圆状卵形。花芽卵球形，鳞片外面中部以上被糙伏毛，边缘具睫毛。花 2 ～ 3 簇生于枝顶；花萼 5 深裂；花冠阔漏斗形，玫瑰色、鲜红色或暗红色，长 3.5 ～ 4 cm，宽 1.5 ～ 2 cm，裂片 5，倒卵形，上部裂片具深红色斑点；雄蕊 10，约与花冠等长；子房卵球形，10 室，花柱伸出花冠外。蒴果卵球形，长达 1 cm，密被糙伏毛，花萼宿存。花期 4 ～ 5 月，果期 6 ～ 8 月。

| 生境分布 | 生于海拔 500 ～ 1 200 m 的山地疏灌丛或松林下。湖南有广泛分布。

| 资源情况 | 野生资源丰富。药材来源于野生。

| 采收加工 | 4 ~ 5 月采收，晒干。

| 功能主治 | 酸、甘，温。和血，调经，祛风湿。用于月经不调，闭经，崩漏，跌打损伤，风湿痛，吐血，衄血。

| 用法用量 | 内服煎汤，25 ~ 50 g。

杜鹃花科 Ericaceae 杜鹃属 Rhododendron

长蕊杜鹃 *Rhododendron stamineum* Franch.

药 材 名

长蕊杜鹃（药用部位：全株）。

形态特征

常绿灌木或小乔木，高 3 ~ 7 m。幼枝纤细。叶常轮生于枝顶，革质，椭圆形或长圆状披针形。花芽圆锥状，鳞片卵形，覆瓦状排列，仅边缘和先端被柔毛。花常 3 ~ 5 簇生于枝顶叶腋；花萼小，微 5 裂，裂片三角形；花冠白色，有时蔷薇色，漏斗形，5 深裂，裂片倒卵形或长圆状倒卵形，上方裂片内侧具黄色斑点，花冠管筒状；雄蕊 10，细长，伸出于花冠外很长；子房圆柱形，花柱长 4 ~ 5 cm，超过雄蕊，柱头头状。蒴果圆柱形，长 2 ~ 4 cm，具 7 纵肋。花期 4 ~ 5 月，果期 7 ~ 10 月。

生境分布

生于海拔 500 ~ 1 600 m 的灌丛或疏林内。分布于湖南永州（蓝山）、湘西州（吉首、花垣）等。

资源情况

野生资源较少。药材来源于野生。

| **采收加工** | 全年均可采收，鲜用。

| **功能主治** | 用于狂犬咬伤。

| **用法用量** | 外用适量，捣敷。

杜鹃花科 Ericaceae 杜鹃属 Rhododendron

四川杜鹃 *Rhododendron sutchuenense* Franch.

| 药 材 名 | 四川杜鹃（药用部位：根）。

| 形态特征 | 常绿灌木或小乔木，高 1 ~ 8 m。树皮黑褐色至棕褐色；幼枝被灰白色薄绒毛，老枝有明显的叶痕。叶革质，倒披针状长圆形，被灰白色绒毛。顶生短总状花序，有花 8 ~ 10；花萼小，裂片 5；花冠漏斗状钟形，长 5 cm，蔷薇红色，内面上方有深红色斑点，近基部有白色微柔毛及深红色大斑块，裂片 5 ~ 6；雄蕊 16，不等长，花药紫红色，长圆形；子房圆锥形，12 室，花柱长 3.5 cm，柱头盘状。蒴果长圆状椭圆形。花期 4 ~ 5 月，果期 8 ~ 10 月。

| 生境分布 | 生于高海拔的森林中。分布于湖南株洲（醴陵）、衡阳（衡阳、衡南）、邵阳（武冈）等。

| 资源情况 | 野生资源较少。药材来源于野生。 |

| 采收加工 | 夏、秋季采挖，洗净，切片，晒干。 |

| 功能主治 | 苦，平；有毒。清湿热，解疮毒。用于湿热带下，痈肿，疔疮。 |

| 用法用量 | 内服煎汤，1.5 ~ 3 g。外用适量，煎汤洗。 |

杜鹃花科 Ericaceae 越桔属 *Vaccinium*

南烛
Vaccinium bracteatum Thunb.

| 药 材 名 |

南烛叶（药用部位：叶。别名：乌饭树）、南烛子（药用部位：果实）、南烛根（药用部位：根）。

| 形态特征 |

常绿灌木或小乔木，分枝多。老枝紫褐色。叶片薄革质，椭圆形、菱状椭圆形、披针状椭圆形至披针形，边缘有细锯齿，表面平坦，有光泽。总状花序顶生和腋生，长 4 ～ 10 cm，有多数花；苞片叶状，披针形，边缘有锯齿，小苞片 2；花梗短，长 1 ～ 4 mm；萼齿短小，三角形；花冠白色，筒状，长 5 ～ 7 mm，内面有疏柔毛，口部裂片短小，三角形，外折；雄蕊内藏，长 4 ～ 5 mm，花丝细长；花盘密生短柔毛。浆果直径 5 ～ 8 mm，成熟时紫黑色。花期 6 ～ 7 月，果期 8 ～ 10 月。

| 生境分布 |

生于丘陵地带或海拔 400 ～ 1 400 m 的山地，常见于山坡林内或灌丛中。湖南各地均有分布。

| 资源情况 | 野生资源丰富。药材来源于野生。

| 采收加工 | 南烛叶：8 ～ 9 月采收，拣净杂质，晒干。

南烛子：8 ～ 10 月果实成熟后采摘，晒干。

南烛根：全年均可采挖，鲜用或切片晒干。

| 功能主治 | 南烛叶：酸、涩，平。益肠胃，养肝肾。用于脾胃气虚，久泻，食少，肝肾不足，腰膝乏力，须发早白。

南烛子：酸、甘，平。补肝肾，强筋骨，固精气，止泻痢。用于肝肾不足，须发早白，筋骨无力，久泄梦遗，带下不止，久泻久痢。

南烛根：酸、微甘，平。散瘀，止痛。用于牙痛，跌伤肿痛。

| 用法用量 | 南烛叶：内服煎汤，6 ～ 9 g；或熬膏；或入丸、散剂。

南烛子：内服煎汤，9 ～ 15 g；或入丸剂。

南烛根：内服煎汤，9 ～ 15 g；或研末。外用适量，捣敷；或煎汤洗。

杜鹃花科 Ericaceae 越桔属 Vaccinium

短尾越桔 *Vaccinium carlesii* Dunn

| 药 材 名 | 短尾越桔（药用部位：叶。别名：小叶乌饭）。

| 形态特征 | 常绿灌木或乔木，高 1 ~ 3 m。分枝多，枝条细。叶密生，革质，卵状披针形或长卵状披针形。总状花序腋生和顶生；苞片披针形，长 2 ~ 5 mm，小苞片着生于花梗基部，披针形或线形；花梗短而纤细，长约 2 mm；萼齿三角形，长 0.8 ~ 1 mm；花冠白色，宽钟状，长 3 ~ 5 mm，口部张开，5 裂至中部，先端反折；雄蕊内藏，花丝极短；子房无毛，花柱伸出花冠外。果期果序可长至 6 cm；浆果球形，直径 5 mm，成熟时紫黑色，常被白粉。花期 5 ~ 6 月，果期 8 ~ 10 月。

| 生境分布 | 生于海拔 270 ~ 800 m 的山地疏林、灌丛或常绿阔叶林内。分布于

湖南株洲（天元、渌口）、郴州（桂阳）、永州（双牌）、衡阳（衡东）等。

| **资源情况** | 野生资源一般。药材来源于野生。

| **采收加工** | 8 ~ 9 月采收，拣净杂质，晒干或鲜用。

| **功能主治** | 酸、涩，平。益肠胃，养肝肾。用于脾胃气虚，久泻，食少，肝肾不足，腰膝乏力，须发早白。

| **用法用量** | 内服煎汤，6 ~ 9 g。

杜鹃花科 Ericaceae 越桔属 Vaccinium

黄背越桔 *Vaccinium iteophyllum* Hance

| 药 材 名 | 黄背越桔（药用部位：枝叶）、黄背越桔根（药用部位：根）。

| 形态特征 | 常绿灌木或小乔木。幼枝被淡褐色至锈色短柔毛或短绒毛。叶片革质，卵形，边缘有疏浅锯齿；叶柄短。总状花序生于枝条下部和顶部叶腋；苞片披针形，被微毛，小苞片小，早落；花冠白色，有时带淡红色，筒状或坛状，长 5 ~ 7 mm，外面 5 肋上有微毛或无毛；雄蕊药室背部有长约 1 mm 的细长的距，药管长约为药室的 4 倍，花丝长 1.5 ~ 2 mm，密被毛；花柱不伸出。浆果球形，直径 4 ~ 5 mm。花期 4 ~ 5 月，果期 6 月以后。

| 生境分布 | 生于海拔 400 ~ 1 440 m 的山地灌丛中或山坡疏、密林内。分布于湖南邵阳（邵阳）、永州（道县）、怀化（麻阳）、湘西州（吉首、

花垣）等。

| **资源情况** | 野生资源一般。药材来源于野生。

| **采收加工** | 黄背越桔：全年均可采收，洗净，鲜用或晒干。
黄背越桔根：秋、冬季采收，洗净，鲜用或切片晒干。

| **功能主治** | 黄背越桔：祛风除湿。用于风湿骨痛。
黄背越桔根：微苦，凉。清热，利尿，散瘀。用于肺热咳嗽，肝炎，水肿，月经不调，跌打损伤。

| **用法用量** | 黄背越桔：外用适量，研末调敷。
黄背越桔根：内服煎汤，10 ~ 30 g。

杜鹃花科 Ericaceae 越桔属 Vaccinium

扁枝越桔 *Vaccinium japonicum* Miq. var. *sinicum* (Nakai) Rehd.

| 药 材 名 | 扁枝越桔（药用部位：全株）。

| 形态特征 | 落叶灌木。茎直立，多分枝，枝条扁平。叶散生于枝上，叶片纸质，卵形，基部宽楔形，边缘有细锯齿，齿尖有具腺短芒，背面近无毛或中脉向基部有短柔毛；叶柄很短。花单生于叶腋，下垂；花梗纤细；小苞片 2，着生于花梗基部，披针形；萼筒无毛，萼裂片 4，三角形，基部连合；花冠白色，4 深裂至下部 1/4 处，裂片线状披针形，花开后向外反卷，花冠管长为萼裂片的 2 倍；雄蕊 8，长约 9 mm，花丝扁平，药管与药室等长。浆果直径约 5 mm，绿色，成熟后转红色。花期 6 月，果期 9 ～ 10 月。

| 生境分布 | 生于海拔 1 000 ～ 1 600 m 的山坡林下或山坡灌丛中。分布于湖南郴州（桂东）等。

| 资源情况 | 野生资源较少。药材来源于野生。

| 采收加工 | 夏、秋季采收，晒干。

| 功能主治 | 酸、苦，凉。疏风清热，降火解毒。用于感冒发热，牙痛，咽痛。

| 用法用量 | 内服煎汤，10 ～ 15 g。

杜鹃花科 Ericaceae 越桔属 Vaccinium

江南越桔 *Vaccinium mandarinorum* Diels

| 药材名 | 米饭花果（药用部位：果实）。

| 形态特征 | 常绿灌木或小乔木。老枝紫褐色或灰褐色。叶片厚革质，卵形或长圆状披针形，先端渐尖，边缘有细锯齿。总状花序腋生和生于枝顶叶腋，具多数花；小苞片 2，着生于花梗中部或近基部；花梗纤细；萼筒无毛，萼齿三角形，无毛；花冠白色，有时带淡红色，微香，筒状，口部稍缢缩或开放，内面有微毛，裂齿三角形；雄蕊内藏，花丝扁平，密被毛；花柱内藏或微伸出花冠。浆果成熟时紫黑色，直径 4 ~ 6 mm。花期 4 ~ 6 月，果期 6 ~ 10 月。

| 生境分布 | 生于海拔 180 ~ 1 600 m 的山坡灌丛、杂木林中或路边林缘。湖南各地均有分布。

| **资源情况** | 野生资源较丰富。药材来源于野生。

| **采收加工** | 8 ~ 11 月采收，晒干。

| **功能主治** | 甘，平。消肿。用于全身浮肿。

| **用法用量** | 内服煎汤，20 ~ 25 g。

紫金牛科 Myrsinaceae 紫金牛属 Ardisia

细罗伞 *Ardisia affinis* Hemsl.

| 药 材 名 | 细罗伞根（药用部位：根。别名：波叶紫金牛）。

| 形态特征 | 小灌木，有时具匍匐茎，几无分枝。叶片坚纸质或较薄，椭圆状卵形，边缘具浅波状齿，具腺点。伞形花序，着生于花枝先端；花长约 4 mm；花萼基部连合达全长的 1/3，萼片卵形，具腺点；花瓣淡粉红色，仅基部连合，卵形，具疏腺点，里面略被微柔毛或无毛；雄蕊较花瓣略短，花药披针形，背部具腺点；雌蕊与花瓣近等长，子房卵珠形，具疏腺点，胚珠 5，1 轮。果实球形，红色，略肉质，无腺点。花期 5 ~ 7 月，果期 10 ~ 12 月或翌年 1 月。

| 生境分布 | 生于海拔 100 ~ 600 m 的石灰岩山林下或溪边、路旁的石缝阴湿处。分布于湖南郴州（苏仙、桂阳、宜章、永兴、临武）、永州（东

安、道县）等。

| **资源情况** | 野生资源一般。药材来源于野生。

| **采收加工** | 秋季采挖，洗净，切片，晒干。

| **功能主治** | 辛、苦，温。归肝、肺经。散瘀活血。用于跌打损伤，喉蛾。

| **用法用量** | 内服煎汤，6 ~ 9 g。

少年红

Ardisia alyxiifolia Tsiang ex C. Chen

| **药材名** | 少年红（药用部位：全株。别名：念珠藤叶紫金牛）。 |

| **形态特征** | 小灌木，具匍匐茎。茎纤细，具细纵纹。叶片厚坚纸质至革质，卵形或披针形，边缘具浅圆齿，齿间具边缘腺点；叶柄具沟。亚伞形花序或伞房花序，侧生，密被微柔毛；花萼仅基部连合，具腺点；花瓣白色，稀粉红色，具疏腺点；雄蕊较花瓣略短，花药披针形，背部具疏腺点；雌蕊与花瓣等长，子房球形，胚珠 5，1 轮。果实球形，直径约 5 mm，红色，略肉质，具腺点。花期 6 ~ 7 月，果期 10 ~ 12 月，有时 5 月。 |

| **生境分布** | 生于海拔 600 ~ 1 200 m 的山谷疏、密林下或坡地。分布于湖南郴州（宜章、桂东）等。 |

| 资源情况 | 野生资源较少。药材来源于野生。 |

| 采收加工 | 夏、秋季采收，洗净，切碎，晒干。 |

| 功能主治 | 苦、辛，平。归肺、肝经。止咳平喘，活血散瘀。用于咳喘痰多，跌打损伤。 |

| 用法用量 | 内服煎汤，9 ~ 15 g。 |

紫金牛科 Myrsinaceae 紫金牛属 Ardisia

九管血 Ardisia brevicaulis Diels

| 药 材 名 | 九管血（药用部位：全株）。

| 形态特征 | 矮小灌木，具匍匐生根的根茎。直立茎高 10 ～ 15 cm，无分枝。叶片坚纸质，狭卵形或卵状披针形，近全缘。伞形花序，着生于花枝先端；花枝长 2 ～ 5 cm，除近先端有 1 ～ 2 叶外，其余无叶或全部无叶；花长 4 ～ 5 mm；花萼基部连合达 1/3；花瓣粉红色，卵形，具腺点；雄蕊较花瓣短，花药披针形，背部具腺点；雌蕊与花瓣等长，具腺点，胚珠 6，1 轮。果实球形，鲜红色，具腺点；宿存萼与果柄通常为紫红色。花期 6 ～ 7 月，果期 10 ～ 12 月。

| 生境分布 | 生于海拔 400 ～ 1 260 m 的密林下、阴湿处。湖南各地均有分布。

| 资源情况 | 野生资源较丰富。药材来源于野生。

| 采收加工 | 6～7月采收，切碎，鲜用或晒干。

| 功能主治 | 苦、辛，寒。清热解毒，祛风止痛，活血消肿。用于咽喉肿痛，风湿痹痛，跌打损伤，无名肿毒，毒蛇咬伤。

| 用法用量 | 内服煎汤，9～15 g；或浸酒。

紫金牛科 Myrsinaceae 紫金牛属 Ardisia

小紫金牛 *Ardisia chinensis* Benth.

| 药 材 名 | 小紫金牛（药用部位：全株。别名：华紫金牛）。

| 形态特征 | 亚灌木状矮灌木。具蔓生走茎。直立茎通常丛生，高约 25 cm，稀达 45 cm，幼时被锈色细微柔毛及灰褐色鳞片，以后毛及鳞片脱落而具皱纹。叶片坚纸质，倒卵形或椭圆形，先端钝或钝急尖，基部楔形，长 3 ~ 7.5 cm，宽 1.5 ~ 3 cm，全缘或于中部以上具疏波状齿，叶面无毛，叶脉平整，背面被疏鳞片，叶脉隆起，侧脉多数，尾端连成极近边缘的边缘脉；叶柄长 3 ~ 10 mm。亚伞形花序单生于叶腋，有花 3（~ 5）；总梗与花梗近等长，长约 1 cm，稀具多花或总梗较花梗长，二者均被疏柔毛或灰褐色鳞片；花长约 3 mm；花萼仅基部连合，萼片三角状卵形，先端急尖，长约 1 mm，具缘毛，有

时具疏腺点；花瓣白色，广卵形，先端急尖，长约 3 mm，两面无毛，无腺点；雄蕊长为花瓣的 2/3，花药卵形，先端急尖，具小尖头，背部具腺点；雌蕊与花瓣近等长，子房卵珠形，无毛，胚珠 5，1 轮。果实球形，直径约 5 mm，由红色变黑色，无毛，无腺点。花期 4 ~ 6 月，果期 10 ~ 12 月。

| **生境分布** | 生于海拔 300 ~ 800 m 的山谷、山地疏密林下阴湿处或溪旁。分布于湖南郴州（桂东）、怀化（通道）等。

| **资源情况** | 野生资源稀少。药材来源于野生。

| **采收加工** | 夏、秋季采收，洗净，晒干。

| **药材性状** | 本品根茎圆柱形，着生多数细根。茎扁圆形，直径 1.5 ~ 2 mm，表面暗褐色。叶互生，倒卵状椭圆形或椭圆形，长 3 ~ 5 cm，宽 1.5 ~ 2 cm，先端钝或钝急尖，基部楔形，边缘中部以上呈波状，上面暗棕色，下面浅棕色。气微，味微涩。

| **功能主治** | 苦，平。活血散瘀，解毒止血。用于肺结核，咯血，吐血，跌打损伤，痛经，黄疸，睾丸炎，尿路感染。

| **用法用量** | 内服煎汤，10 ~ 15 g。

紫金牛科 Myrsinaceae 紫金牛属 Ardisia

朱砂根 *Ardisia crenata* Sims

| 药 材 名 |

朱砂根（药用部位：根）。

| 形态特征 |

灌木。茎粗壮，无毛，无分枝。叶片革质或坚纸质，椭圆形、椭圆状披针形至倒披针形。伞形花序或聚伞花序，着生于花枝先端；花枝近先端常具 2 ~ 3 叶；花梗长 7 ~ 10 mm；花萼仅基部连合，全缘，具腺点；花瓣白色，稀略带粉红色，盛开时反卷，具腺点；雄蕊较花瓣短，花药三角状披针形，背面常具腺点；雌蕊与花瓣近等长，子房卵珠形，胚珠 5，1 轮。果实球形，直径 6 ~ 8 mm，鲜红色，具腺点。花期 5 ~ 6 月，果期 10 ~ 12 月，有时 2 ~ 4 月。

| 生境分布 |

生于海拔 90 ~ 1 200 m 的疏、密林下阴湿的灌丛中。湖南各地均有分布。

| 资源情况 |

野生资源丰富。药材来源于野生。

| 采收加工 |

秋、冬季采挖，洗净，晒干。

| **药材性状** | 本品簇生于略膨大的根茎上，呈圆柱形，略弯曲，长 5 ~ 30 cm，直径 0.2 ~ 1 cm。表面灰棕色或棕褐色，可见多数纵皱纹，有横向或环状断裂痕，皮部与木部易分离。质硬而脆，易折断，断面不平坦，皮部厚，约占断面的 1/3 ~ 1/2，类白色或粉红色，外侧有紫红色斑点散在，习称"朱砂点"；木部黄白色，不平坦。气微，味微苦，有刺舌感。 |

| **功能主治** | 微苦、辛，平。归肺、肝经。解毒消肿，活血止痛，祛风除湿。用于咽喉肿痛，风湿痹痛，跌打损伤。 |

| **用法用量** | 内服煎汤，3 ~ 9 g。 |

紫金牛科 Myrsinaceae 紫金牛属 Ardisia

红凉伞

Ardisia crenata Sims var. *bicolor* (E. Walker) C. Y. Wu et C. Chen

| 药 材 名 | 红凉伞（药用部位：根）。

| 形态特征 | 灌木。茎粗壮，无毛，无分枝。叶片革质或坚纸质，椭圆形、椭圆状披针形至倒披针形，带紫红色。伞形花序或聚伞花序，着生于花枝先端；花枝近先端常具 2 ~ 3 叶；花梗长 7 ~ 10 mm，带紫红色；花萼仅基部连合，全缘，具腺点，带紫红色；花瓣白色，带紫红色，盛开时反卷，具腺点；雄蕊较花瓣短，花药三角状披针形，背面常具腺点；雌蕊与花瓣近等长，子房卵珠形，胚珠 5，1 轮。果实球形，直径 6 ~ 8 mm，鲜红色，具腺点。花期 5 ~ 6 月，果期 10 ~ 12 月，有时 2 ~ 4 月。

| 生境分布 | 生于海拔 90 ~ 1 100 m 的疏、密林下阴湿的灌丛中。分布于湖南邵

阳（绥宁）、怀化（洪江）、张家界（桑植）等。

| **资源情况** | 野生资源一般。药材来源于野生。

| **采收加工** | 秋、冬季采挖，洗净，晒干。

| **功能主治** | 微苦、辛，平。归肺、肝经。解毒消肿，活血止痛，祛风除湿。用于咽喉肿痛，风湿痹痛，跌打损伤。

| **用法用量** | 内服煎汤，3 ~ 9 g。

紫金牛科 Myrsinaceae 紫金牛属 Ardisia

百两金 *Ardisia crispa* (Thunb.) A. DC.

| 药 材 名 |

百两金（药用部位：根。别名：八爪金龙、山豆根）。

| 形态特征 |

灌木，具匍匐生根的根茎。叶片膜质或近坚纸质，椭圆状披针形，全缘或略呈波状，具明显的边缘腺点。亚伞形花序，着生于花枝先端；花枝多；花梗长 1 ～ 1.5 cm；花萼仅基部连合，具腺点；花瓣白色或粉红色，卵形，具腺点；雄蕊较花瓣略短，花药狭长圆状披针形；雌蕊与花瓣等长或略长于花瓣，子房卵珠形，无毛，胚珠 5，1 轮。果实球形，直径 5 ～ 6 mm，鲜红色，具腺点。花期 5 ～ 6月，果期 10 ～ 12 月，有时植株上部开花，下部果实成熟。

| 生境分布 |

生于海拔 100 ～ 1 200 m 的山谷，山坡，疏、密林下或竹林下。湖南有广泛分布。

| 资源情况 |

野生资源丰富。药材来源于野生。

| **采收加工** | 夏、秋季采挖，除去杂质，洗净，切片，晒干。 |

| **功能主治** | 苦，平。清咽利喉，散瘀消肿。用于咽喉肿痛，跌打损伤，风湿骨痛。 |

| **用法用量** | 内服煎汤，15～25 g。 |

紫金牛科 Myrsinaceae 紫金牛属 Ardisia

剑叶紫金牛
Ardisia ensifolia Walker

| 药 材 名 | 剑叶紫金牛（药用部位：叶、根。别名：开喉剑）。

| 形态特征 | 小灌木。高约 30 cm。根茎伸长，木质；直立茎老时灰褐色，具纵纹，有明显的叶痕，除侧生特殊花枝外不分枝。叶片坚纸质或革质，狭披针形至线形，先端狭渐尖，基部楔形，长 7 ~ 12（~ 20）cm，宽 1（~ 2.5）cm，全缘，边缘反卷及具腺点，两面无毛，中脉于背面明显隆起，侧脉极不明显，连成不明显的边缘脉；叶柄长 3 ~ 8 mm。亚伞形花序，着生于先端弯曲的侧生特殊花枝先端，花枝长 2 ~ 7 cm，无叶，被细微柔毛；花梗长 1（~ 2）cm，具疏鳞片或细微柔毛；花长约 6 mm；花萼基部连合，萼片广卵形，长 2 ~ 3（~ 4）mm，先端钝或圆形，具密腺点，无毛；花瓣红色，长圆

状卵形，长 5 ~ 6 mm，具密腺点；雄蕊与花瓣几等长，花药长圆状披针形，背部多少有腺点；雌蕊与花瓣等长或略长于花瓣，子房卵珠形，无毛，胚珠约 6，1 轮。果实球形，直径约 6 mm，红色，具腺点。花期 5 ~ 7 月，果期 11 月至翌年 1 月，少有至翌年 4 月。

| 生境分布 | 生于海拔约 700 m 的密林下阴湿处或石缝间。分布于湖南郴州（桂东）等。

| 资源情况 | 野生资源稀少。药材来源于野生。

| 采收加工 | 叶，夏、秋季采收，洗净，晒干。根，夏、秋季采收，洗净，切片，晒干。

| 功能主治 | 根，苦，寒。清热解毒。用于咽喉肿痛，跌打损伤。

| 用法用量 | 根，内服煎汤，9 ~ 15 g。

紫金牛科 Myrsinaceae 紫金牛属 Ardisia

月月红

Ardisia faberi Hemsl.

| 药 材 名 | 毛青杠（药用部位：全株）。

| 形态特征 | 小灌木或亚灌木，具匍匐生根的根茎，近蔓生。叶对生或近轮生，叶片厚膜质或坚纸质，卵状椭圆形，边缘具粗锯齿。亚伞形花序，腋生或生于节间互生的钻形苞片腋间；花长 4 ~ 5 mm；花萼基部几分离，萼片狭披针形或线状披针形，外面密被长柔毛；花瓣白色至粉红色，广卵形，长 4 ~ 5 mm，具腺点；雄蕊长为花瓣的 2/3，花药卵形；雌蕊与花瓣近等长，子房卵珠形，胚珠 5，1 轮。果实球形，直径约 6 mm，红色。花期 5 ~ 7 月，果期 5 月或 11 月。

| 生境分布 | 生于海拔 1 000 ~ 1 300 m 的山谷疏、密林下，阴湿处，水旁，路边或石缝间。分布于湖南邵阳（绥宁）、张家界（永定、武陵源）、

郴州（汝城）、永州（道县、江华）、怀化（鹤城、麻阳、通道）、湘西州（吉首、古丈、永顺、保靖）等。

| 资源情况 | 野生资源较丰富。药材来源于野生。

| 采收加工 | 全年均可采收，除去杂质，晒干。

| 功能主治 | 辛、苦，平。归肝、肾经。活血通络。用于跌打损伤，风湿筋骨疼痛，腰痛。

| 用法用量 | 内服煎汤，5 ～ 15 g；或浸酒。

紫金牛科 Myrsinaceae 紫金牛属 Ardisia

大罗伞树 *Ardisia hanceana* Mez

| 药 材 名 | 凉伞盖珍珠（药用部位：根。别名：八里麻）。

| 形态特征 | 灌木，高 0.8 ~ 1.5 m。茎通常粗壮，无分枝。叶片坚纸质，椭圆状，近全缘或具边缘反卷的疏突尖锯齿，齿尖具边缘腺点，边缘通常明显反卷。复伞房状伞形花序，着生于先端下弯的侧生花枝尾端；花长 6 ~ 7 mm；花萼仅基部连合，萼片卵形；花瓣白色或带紫色，长 6 ~ 7 mm，卵形，先端急尖，具腺点；雄蕊与花瓣等长，花药箭状披针形，背部具疏大腺点；雌蕊与花瓣等长，子房卵珠形，胚珠5，1 轮。果实球形，直径约 9 mm，深红色。花期 5 ~ 6 月，果期 11 ~ 12 月。

| 生境分布 | 生于海拔 430 ~ 1 500 m 的山谷、山坡林下，阴湿处。分布于湖南

郴州（北湖）、永州（江永）等。

| **资源情况** | 野生资源较少。药材来源于野生。

| **采收加工** | 夏、秋季采挖，洗净，切片，晒干。

| **功能主治** | 苦、辛，平。归肝经。活血止痛。用于风湿痹痛，经闭，跌打损伤。

| **用法用量** | 内服煎汤，15 ~ 30 g。

紫金牛科 Myrsinaceae 紫金牛属 Ardisia

紫金牛 *Ardisia japonica* (Thunb.) Blume.

| 药材名 | 矮地茶（药用部位：全株）。

| 形态特征 | 小灌木，近蔓生，具匍匐生根的根茎。叶对生或近轮生，叶片坚纸质，椭圆形至椭圆状倒卵形，边缘具细锯齿。亚伞形花序，腋生或生于近茎先端的叶腋，有花 3 ~ 5；花长 4 ~ 5 mm，6 基数；花萼基部连合，萼片卵形；花瓣粉红色或白色，广卵形，长 4 ~ 5 mm，具密腺点；雄蕊较花瓣略短，花药披针状卵形，背部具腺点；雌蕊与花瓣等长，子房卵珠形，胚珠 15，3 轮。果实球形，鲜红色转黑色。花期 5 ~ 6 月，果期 11 ~ 12 月，有时 5 ~ 6 月仍有果实。

| 生境分布 | 生于海拔 1 200 m 以下的山间林下或竹林下，阴湿处。湖南各地均有分布。

| **资源情况** | 野生资源丰富。药材来源于野生。

| **采收加工** | 夏、秋季茎叶茂盛时采收，除去泥沙，干燥。

| **药材性状** | 本品根茎呈圆柱形，疏生须根。茎略呈扁圆柱形，稍扭曲，长 10 ～ 30 cm，直径 0.2 ～ 0.5 cm；表面红棕色，有细纵纹、叶痕及节；质硬，易折断。叶集生于茎梢；叶片略卷曲或破碎，完整者展平后呈椭圆形，长 3 ～ 7 cm，宽 1.5 ～ 3 cm；表面灰绿色、棕褐色或浅红棕色；先端尖，基部楔形，边缘具细锯齿；近革质。茎顶偶有红色球形核果。气微，味微涩。

| **功能主治** | 辛、微苦，平。归肺、肝经。化痰止咳，清利湿热，活血化瘀。用于喘满痰多，湿热黄疸，经闭瘀阻，风湿痹痛，跌打损伤。

| **用法用量** | 内服煎汤，15 ～ 30 g。

紫金牛科 Myrsinaceae 紫金牛属 Ardisia

虎舌红 *Ardisia mamillata* Hance

| 药材名 | 红毛走马胎（药用部位：全株。别名：红毛毡）。

| 形态特征 | 矮小灌木，具匍匐的木质根茎。叶互生或簇生于茎先端，叶片坚纸质，倒卵形，边缘具疏圆齿，背面腺点明显。伞形花序着生于侧生的特殊花枝先端，每植株有花枝 1 ~ 2；花枝长 3 ~ 9 cm，约有 10 花；花长 5 ~ 7 mm；花萼基部连合；花瓣粉红色，具腺点；雄蕊与花瓣近等长，花药披针形；雌蕊与花瓣等长，子房球形，胚珠 5，1 轮。果实球形，鲜红色，常具腺点。花期 6 ~ 7 月，果期 11 月至翌年 1 月。

| 生境分布 | 生于海拔 500 ~ 1 200 m 的山谷密林下、阴湿处。分布于湖南邵阳（洞口）、郴州（汝城）、怀化（通道）等。

| **资源情况** | 野生资源较少。药材来源于野生。 |

| **采收加工** | 夏、秋季采收，洗净，切段，晒干。 |

| **药材性状** | 本品根茎直径约 3 mm，褐红色，木质。幼枝被锈色长柔毛，老枝几无毛。叶多生于茎中上部，近簇状，叶片展平后呈椭圆形或倒卵形，上下两面有黑色腺点和褐色长柔毛，边缘稍具圆齿；叶柄密被毛。有时具花序或球形果实。枝质稍韧，叶纸质。气微，味淡，略苦、涩。 |

| **功能主治** | 苦、辛，凉。归肺、肝、肾、胆经。祛风利湿，清热解毒，活血止血。用于风湿痹痛，黄疸，痢疾，咯血，吐血，便血，经闭，产后恶露不尽，跌打损伤，乳痈，疔疮。 |

| **用法用量** | 内服煎汤，9 ~ 15 g；或浸酒。外用适量，研末调敷。 |

紫金牛科 | Myrsinaceae 紫金牛属 | *Ardisia*

莲座紫金牛

Ardisia primulaefolia Gardner et Champ.

| 药 材 名 | 铺地罗伞（药用部位：全株。别名：贴地空）。

| 形态特征 | 矮小灌木，被锈色长柔毛。叶基生，呈莲座状，叶片坚纸质，椭圆形，边缘有疏浅圆齿和腺点，两面紫红色，被卷曲的锈色长柔毛。聚伞花序或亚伞形花序，从莲座叶腋中抽出 1 ~ 2；花长 4 ~ 6 mm；花萼仅基部连合，具腺点和缘毛；花瓣粉红色，广卵形；雄蕊较花瓣略短，花药披针形，先端急尖，背部具疏腺点；雌蕊较花瓣略短，子房球形，被疏微柔毛，胚珠 3 ~ 4，1 轮。果实球形，略肉质，鲜红色，具疏腺点。花期 6 ~ 7 月，果期 11 ~ 12 月，有时延至 4 ~ 5 月。

| 生境分布 | 生于海拔 600 ~ 1 400 m 的山坡密林下、阴湿处。分布于湖南郴州

（汝城）等。

| **资源情况** |　野生资源稀少。药材来源于野生。

| **采收加工** |　夏、秋季采收，洗净，鲜用或晒干。

| **药材性状** |　本品叶基生，呈莲座状。完整叶片长圆状倒卵形，表面有铁锈色长柔毛，边缘有波状圆齿，具腺点，膜质。有时莲座叶中央可见伞形花序。气微，味淡，略苦、涩。

| **功能主治** |　微苦、辛，凉。祛风通络，散瘀止血，解毒消痈。用于风湿关节痛，咯血，吐血，肠风下血，闭经，恶露不尽，跌打损伤，乳痈，疔疮。

| **用法用量** |　内服煎汤，15 ～ 30 g。外用适量，鲜品捣敷。

紫金牛科 Myrsinaceae 紫金牛属 Ardisia

山血丹
Ardisia punctata Lindl.

| 药 材 名 | 血党（药用部位：根及根茎。别名：珍珠盖伞、细罗伞树）。

| 形态特征 | 灌木或小灌木。茎无分枝。叶片革质，长圆形，近全缘，边缘反卷；叶柄长 1 ~ 1.5 cm，被微柔毛。亚伞形花序，着生于花枝先端；花枝先端下弯，具少数退化叶或叶状苞片；花梗长 8 ~ 12 mm，果时达 2.5 cm；花长约 5 mm；花萼仅基部连合；花瓣白色，椭圆状卵形，具明显的腺点，里面被微柔毛；雄蕊较花瓣略短，花药披针形；雌蕊与花瓣等长，子房卵珠形，胚珠 5，1 轮。果实球形，深红色，微肉质，具疏腺点。花期 5 ~ 7 月，稀为 4、8、11 月，果期 10 ~ 12 月。

| 生境分布 | 生于海拔 270 ~ 1 150 m 的山谷、山坡密林下，水旁和阴湿处。分

布于湖南长沙（岳麓）、株洲（茶陵）、衡阳（衡南）、邵阳（邵东）、常德（桃源）、郴州（永兴）、张家界（桑植）、怀化（沅陵）等。

| **资源情况** | 野生资源较少。药材来源于野生。

| **采收加工** | 全年均可采收，洗净，鲜用或晒干。

| **药材性状** | 本品根茎略膨大，上端残留数条茎基，表面灰褐色，具不规则皱纹。根丛生，支根圆柱形，呈不规则弯曲，直径 5 ~ 13 cm，灰棕色或暗棕色，常附有黑褐色分泌物，具细纵纹及横向断裂痕。质硬，易折断，断面皮部常与木部分离，皮部厚，约占横断面的1/2，浅棕黄色，现紫褐色斑点，木部淡黄色，具放射状纹理。气微，味淡。

| **功能主治** | 苦、辛，平。归肝、胃经。祛风湿，活血调经，消肿止痛。用于风湿痹痛，痛经，经闭，跌打损伤，咽喉肿痛，无名肿痛。

| **用法用量** | 内服煎汤，9 ~ 15 g。外用适量，鲜品捣敷。

紫金牛科 Myrsinaceae 紫金牛属 Ardisia

九节龙 *Ardisia pusilla* A. DC.

| 药 材 名 | 九节龙（药用部位：全株。别名：矮茶子）。

| 形态特征 | 亚灌木状小灌木，蔓生，具匍匐茎，逐节生根。叶对生或近轮生，叶片坚纸质，椭圆形，具疏腺点，叶面被糙伏毛。伞形花序单一，侧生，被毛；花长 3 ~ 4 mm；花萼仅基部连合，萼片披针状钻形，与花瓣近等长，外面被疏柔毛及长柔毛，具腺点；花瓣白色或带微红色，广卵形，具腺点；雄蕊与花瓣近等长，花药卵形；雌蕊与花瓣等长，子房卵珠形，胚珠 6，1 轮。果实球形，红色，具腺点。花期 5 ~ 7 月，果期与花期相近。

| 生境分布 | 生于海拔 200 ~ 700 m 的山间密林下，路旁、溪边阴湿处，或石上土质肥沃处。分布于湘西州（吉首、龙山）、衡阳（衡东）、怀化（沅

陵）等。

| **资源情况** | 野生资源一般。药材来源于野生。

| **采收加工** | 全年均可采收，洗净，晒干。

| **药材性状** | 本品根茎近圆柱形，长 10 ~ 20 cm，直径 2 ~ 3 mm，表面浅褐色，有棕色卷曲毛茸；质脆，易折断，断面类白色或浅棕色。叶片近菱形，上面被棕色倒伏粗毛，下面被柔毛，中脉处毛尤多，边缘具粗锯齿。有时可见腋生的伞形花序。气微，味苦、涩。

| **功能主治** | 祛痰止咳，健胃消食，润肺。用于痰热咳嗽，干咳，津伤口渴等。

| **用法用量** | 内服煎汤，3 ~ 9 g；或浸酒。

紫金牛科 Myrsinaceae 紫金牛属 Ardisia

罗伞树
Ardisia quinquegona Bl.

| 药 材 名 | 罗伞树（药用部位：全株或根）。

| 形态特征 | 灌木或灌木状小乔木。高约 2 m，可达 6 m 以上。小枝细，无毛，有纵纹，嫩时被锈色鳞片。叶片坚纸质，长圆状披针形、椭圆状披针形至倒披针形，先端渐尖，基部楔形，长 8 ~ 16 cm，宽 2 ~ 4 cm，全缘，两面无毛，背面多少被鳞片，中脉明显，侧脉极多，不明显，连成近边缘的边缘脉，无腺点；叶柄长 5 ~ 10 mm，幼时被鳞片。聚伞花序或亚伞形花序，腋生，稀着生于侧生特殊花枝先端，长 3 ~ 5 cm，花枝长达 8 cm，多少被鳞片；花梗长 5 ~ 8 mm，多少被鳞片；花长约 3 mm；花萼仅基部连合，萼片三角状卵形，先端急尖，长 1 mm，具疏微缘毛及腺点；花瓣白色，广椭圆状卵形，先

端急尖或钝，长约 3 mm，具腺点，外面无毛，里面近基部被细柔毛；雄蕊与花瓣几等长，花药卵形至肾形，背部多少具腺点；雌蕊常超出花瓣，子房卵珠形，无毛，胚珠多数，数轮。果实扁球形，具 5 钝棱，稀棱不明显，直径 5 ~ 7 mm，无腺点。花期 5 ~ 6 月，果期 12 月或翌年 2 ~ 4 月。

| 生境分布 | 生于海拔 200 ~ 1 000 m 的山坡疏密林中。分布于湖南郴州（汝城）等。

| 资源情况 | 野生资源稀少。药材来源于野生。

| 采收加工 | 根，全年均可采收，洗净，切段，鲜用或晒干。

| 药材性状 | 本品茎圆柱形，无毛。完整叶片披针形，先端渐尖，基部楔形，全缘，侧脉多。有时可见聚伞花序。气微，味苦、涩。

| 功能主治 | 苦、辛，凉。清热解毒，散瘀止痛。用于咽喉肿痛，疮疖痈肿，跌打损伤，风湿痹痛。

| 用法用量 | 内服煎汤，15 ~ 30 g。外用适量，鲜品捣敷。

紫金牛科 Myrsinaceae 酸藤子属 Embelia

酸藤子

Embelia laeta (L.) Mez

| 药 材 名 | 酸藤木（药用部位：枝叶）、酸藤果（药用部位：果实）。

| 形态特征 | 攀缘灌木或藤本，长 1 ~ 3 m。老枝具皮孔。叶片坚纸质，倒卵形，长 3 ~ 5.5 cm，宽 1 ~ 2.5 cm，全缘，背面被薄白粉。总状花序腋生或侧生；花 3 ~ 8，基部具 1 ~ 2 轮苞片；花梗长约 1.5 mm；小苞片钻形或长圆形，具缘毛；花 4 基数；花萼基部连合达 1/3 或 1/2；花瓣白色或带黄色，分离，卵形或长圆形，具缘毛，里面密被乳头状突起；雄蕊在雌花中退化，长达花瓣的 2/3，在雄花中略超出花瓣，基部与花瓣合生，花药背部具腺点；雌蕊在雄花中退化，在雌花中较花瓣略长，子房瓶形，花柱细长，柱头扁平。果实球形，直径约 5 mm。花期 12 月至翌年 3 月，果期 4 ~ 6 月。

| 生境分布 | 生于海拔 100 ~ 1 850 m 的山坡疏、密林下，疏林缘，开阔的草坡、灌丛中。分布于湖南邵阳（绥宁）、岳阳（岳阳楼）、郴州（汝城）、娄底（涟源）、长沙（浏阳）等。

| 资源情况 | 野生资源一般。药材来源于野生。

| 采收加工 | **酸藤木：** 全年均可采收，洗净，切段，鲜用或晒干。
酸藤果： 夏季果实成熟时采收，蒸熟，晒干。

| 药材性状 | **酸藤木：** 本品多卷曲，展平后呈倒卵形至椭圆形，长 3 ~ 5.5 cm，宽 1 ~ 2.5 cm，先端钝圆或微凹，基部楔形，全缘，侧脉不明显。叶柄短，长 5 ~ 8 mm。有时可见细圆柱形小枝，长短不一，紫褐色。气微，味酸。
酸藤果： 本品圆球形，成熟时红色或紫黑色，干后黑褐色，直径 5 ~ 6 mm，平滑或有纵皱缩条纹和少数腺点。气微，味酸、甜。

| 功能主治 | **酸藤木：** 酸、涩，凉。归心、脾经。清热解毒，散瘀止血。用于咽喉红肿，齿龈出血，痢疾，泄泻，疮疖溃疡，皮肤瘙痒，痔疮肿痛，跌打损伤。
酸藤果： 酸、甘，平。强壮补血。用于胃酸缺乏，食欲不振。

| 用法用量 | **酸藤木：** 内服煎汤，9 ~ 15 g。外用适量，捣敷；或煎汤洗；或含漱。
酸藤果： 内服煎汤，9 ~ 15 g。

紫金牛科 Myrsinaceae 酸藤子属 *Embelia*

长叶酸藤子 *Embelia longifolia* (Benth.) Hemsl.

| 药 材 名 |

吊罗果（药用部位：全株）。

| 形态特征 |

攀缘灌木或藤本。小枝有明显的皮孔。叶片坚纸质，倒披针形或狭倒卵形，长 6 ~ 12 cm，宽 2 ~ 4 cm，全缘。总状花序腋生或侧生于翌年生无叶的小枝上，基部具不甚明显的苞片；花 4 基数，长 2 ~ 3 mm；花萼基部连合 1/3 ~ 1/2；花瓣浅绿色或粉红色至红色，分离，外面无毛，具明显的腺点，里面及边缘密被乳头状突起；雄蕊在雄花中伸出花冠；雌蕊在雌花中超出花冠或与花冠等长，子房瓶形，柱头扁平或略盾状。果实球形或扁球形，直径 1 ~ 1.5 cm，红色，有纵肋，具腺点，萼片脱落或反卷；果柄长约 1 cm。花期 6 ~ 8 月，果期 11 月至翌年 1 月。

| 生境分布 |

生于海拔 300 ~ 1 800 m 的山谷或山坡疏、密林中或路边灌丛中。分布于湖南永州（东安、江永）、湘西州（永顺）等。

| 资源情况 |

野生资源较少。药材来源于野生。

| **采收加工** | 全年均可采收，洗净，晒干或鲜用。

| **功能主治** | 酸、涩，平。归脾、肝经。利湿，散瘀。用于水肿，泄泻，跌打瘀肿。

| **用法用量** | 内服煎汤，30 ~ 60 g。外用适量，捣敷。

紫金牛科 Myrsinaceae 酸藤子属 Embelia

多脉酸藤子 *Embelia oblongifolia* Hemsl.

| 药 材 名 | 马桂花（药用部位：果实）。

| 形态特征 | 攀缘灌木或藤本，稀小乔木。小枝具皮孔。叶片坚纸质，长圆状卵形至椭圆状披针形，长 6 ~ 9 cm，宽 2 ~ 2.5 cm，边缘上半部具疏粗锯齿。总状花序腋生，长 1 ~ 3 cm，被锈色微柔毛；花 5 基数，长 2.5 ~ 3 mm；花萼基部连合；花瓣淡绿色或白色，分离；雄蕊在雌花中退化，在雄花中伸出花瓣，花药卵形或长圆形；雌蕊在雄花中极退化，在雌花中与花瓣近等长，子房瓶形或卵形，柱头头状或盾状。果实球形，直径 7 ~ 9 mm，红色，具腺点，宿存萼反卷。花期 10 月至翌年 2 月，果期 11 月至翌年 3 月。

| 生境分布 | 生于海拔 300 ~ 1 900 m 的山谷或山坡疏、密林中或溪边、河边林中。

分布于湖南张家界（永定）等。

| **资源情况** | 野生资源稀少。药材来源于野生。

| **采收加工** | 冬季采收，晒干。

| **功能主治** | 甘、酸，平。归肝、脾经。驱虫，止泻。用于绦虫病，腹泻。

| **用法用量** | 内服煎汤，9 ~ 15 g。

紫金牛科 Myrsinaceae 酸藤子属 Embelia

当归藤 *Embelia parviflora* Wall. ex A. DC.

| 药 材 名 | 当归藤（药用部位：根及老茎）。

| 形态特征 | 攀缘灌木或藤本。叶 2 列，叶片坚纸质，卵形，长 1 ~ 2 cm，宽 0.6 ~ 1 cm，全缘。亚伞形花序或聚伞花序，腋生，藏于叶下，长 5 ~ 10 mm，被锈色长柔毛，花 2 ~ 4 或略多；花 5 基数；花萼基部微 微连合；花瓣白色或粉红色，分离；雄蕊在雌花中退化，在雄花中 超出花瓣或与花瓣等长，着生于花瓣 1/3 处，花药背部具腺点；雌 蕊在雌花中与花瓣等长，子房卵形，花柱基部被疏微柔毛，柱头扁 平或微裂。果实球形，直径 5 mm，暗红色，宿存萼反卷。花期 12 月至翌年 5 月，果期 5 ~ 7 月。

| 生境分布 | 生于海拔 300 ~ 1 800 m 的山间密林中、林缘、灌丛中，土质肥沃处。

分布于湖南郴州（汝城）等。

| **资源情况** | 野生资源稀少。药材来源于野生。

| **采收加工** | 全年均可采收，洗净，切片，鲜用或晒干。

| **功能主治** | 苦、涩，温。归肝、肾经。补血，活血，强壮腰膝。用于血虚诸证，月经不调，闭经，产后虚弱，腰腿酸痛，跌打骨折。

| **用法用量** | 内服煎汤，15 ～ 30 g。外用适量，鲜品捣敷。

■ 紫金牛科 ■ Myrsinaceae ■ 酸藤子属 ■ *Embelia*

网脉酸藤子 *Embelia rudis* Hand.-Mazz.

| 药 材 名 | 了哥利（药用部位：根、茎。别名：白木浆果、老鸦果、蚂蟥藤）。 |

| 形态特征 | 攀缘灌木，分枝多。枝条密布皮孔。叶片坚纸质，长圆状卵形或卵形，长 5 ~ 10 cm，宽 2 ~ 4 cm，边缘具细或粗锯齿。总状花序腋生；花梗被乳头状突起；小苞片钻形；花 5 基数；花萼基部连合，萼片卵形；花瓣分离，淡绿色或白色，长 1 ~ 2 mm，具缘毛，具腺点；雄蕊在雌花中退化，在雄花中与花瓣等长，着生于花瓣 1/3 处，花药长圆形或卵形，背部具腺点；雌蕊在雌花中与花瓣等长，子房瓶形或球形，花柱常弯曲。果实球形，直径 4 ~ 5 mm，蓝黑色或带红色，具腺点，宿存萼紧贴果实。花期 10 ~ 12 月，果期 4 ~ 7 月。 |

| 生境分布 | 生于海拔 200 ~ 1 600 m 的山坡灌丛中或疏、密林中，溪边。湖南 |

有广泛分布。

| **资源情况** | 野生资源丰富。药材来源于野生。

| **采收加工** | 全年均可采收，洗净，切段，晒干。

| **功能主治** | 辛，微温。归肝经。活血通经。用于月经不调，闭经，风湿痹痛。

| **用法用量** | 内服煎汤，9 ~ 15 g。

紫金牛科 Myrsinaceae 酸藤子属 *Embelia*

瘤皮孔酸藤子

Embelia scandens (Lour.) Mez

| **药 材 名** | 假刺藤（药用部位：根）。 |

| **形态特征** | 攀缘灌木。小枝密布瘤状皮孔。叶片坚纸质至革质，长椭圆形或椭圆形，长 5 ~ 9 cm，宽 2.5 ~ 4 cm。总状花序腋生；小苞片钻形，具缘毛及腺点；花 5 基数，稀 4 基数，长约 2 mm；花萼基部连合，萼片三角形；花瓣白色或淡绿色，分离，具明显的腺点，具疏缘毛；雄蕊在雌花中退化，在雄花中较花瓣长，着生于花瓣 1/4 处，花药背部具腺点；雌蕊在雄花中退化，长不超过花瓣的 1/2，在雌花中较长，子房卵形，柱头呈头状或浅裂。果实球形，直径约 5 mm，红色，花柱宿存，宿存萼反卷。花期 11 月至翌年 1 月，果期 3 ~ 5 月。 |

| **生境分布** | 生于海拔 200 ~ 850 m 的山坡或山谷疏、密林中或疏灌丛中。分布 |

于湖南邵阳（绥宁）、郴州（嘉禾、临武）、永州（东安、新田）等。

| **资源情况** | 野生资源一般。药材来源于野生。

| **采收加工** | 全年均可采挖，洗净，切片，晒干。

| **功能主治** | 酸，平。舒筋活络，敛肺止咳。用于痹证痉挛骨痛，肺痨咳嗽。

| **用法用量** | 内服煎汤，2 ~ 12 g。

紫金牛科 Myrsinaceae 酸藤子属 Embelia

密齿酸藤子 *Embelia vestita* Roxb.

| 药 材 名 | 打虫果（药用部位：果实。别名：米汤果）。

| 形态特征 | 攀缘灌木或小乔木，高 5 m 以上。小枝具皮孔。叶片坚纸质，卵形至卵状长圆形，长 5 ～ 11 cm，宽 2 ～ 3.5 cm，边缘具细锯齿。总状花序腋生，长 2 ～ 4 cm，被细绒毛；小苞片钻形，具缘毛；花 5 基数，长约 2 mm；花萼基部连合；花瓣白色或粉红色，分离，狭长圆形或椭圆形，舌状或近匙形；雄蕊在雌花中退化，在雄花中伸出花瓣，着生于花瓣 2/5 处，花药卵形或长圆形；雌蕊在雌花中与花瓣近等长，子房卵形，花柱常下弯，柱头微裂。果实球形或略扁，直径约 5 mm，红色，具腺点。花期 10 ～ 11 月，果期 10 月至翌年 2 月。

| 生境分布 | 生于海拔 200 ～ 1 700 m 的石灰岩山坡林下。分布于湖南郴州（嘉禾、汝城）、永州（东安、江永、蓝山、新田）等。 |

| 资源情况 | 野生资源一般。药材来源于野生。 |

| 采收加工 | 秋、冬季果实成熟时采收，晒干。 |

| 功能主治 | 驱虫。用于蛔虫病，绦虫病。 |

| 用法用量 | 内服煎汤，3 ～ 9 g；或研末。 |

湖北杜茎山 *Maesa hupehensis* Rehd.

| 药 材 名 | 湖北杜茎山（药用部位：根）。

| 形态特征 | 灌木。小枝纤细，圆柱形，无毛。叶片坚纸质，披针形，全缘或具疏离的浅牙齿，侧脉 8 ~ 10 对；叶柄长 5 ~ 10 mm，无毛。总状花序腋生，长 4 ~ 10 cm；苞片披针形，全缘；花梗长 3 ~ 4 mm；小苞片卵形，贴生于花萼基部，具疏脉状腺条纹；花长 3 ~ 4 mm；萼片广卵形；花冠白色，钟形，长 3 ~ 4 mm，具密脉状腺条纹，裂片广卵形，与花冠管等长；雄蕊短，内藏，花丝细，与花药等长，花药卵形；雌蕊长不超过花冠，子房与花柱等长，柱头微 4 裂。果实球形，直径约 5 mm，白色或白黄色，具脉状腺条纹及纵行肋纹，宿存萼包裹果实达顶部，冠宿存花柱。花期 5 ~ 6 月，果期 10 ~ 12 月。

生境分布	生于海拔 500 ~ 1 700 m 的山间密林下、溪边林下、路边林缘灌丛中湿润处。分布于湖南怀化（会同、芷江、洪江、沅陵）、娄底（新化）、湘西州（古丈）、常德（石门）等。
资源情况	野生资源一般。药材来源于野生。
采收加工	全年均可采收，洗净，切段，晒干或鲜用。
功能主治	苦，寒。祛风，解疫毒，消肿胀。用于感冒头痛眩晕，寒热烦渴，水肿，腰痛。
用法用量	内服煎汤，25 ~ 50 g。外用适量，捣敷。

紫金牛科 Myrsinaceae 杜茎山属 *Maesa*

毛穗杜茎山 *Maesa insignis* Chun

| 药 材 名 | 毛穗杜茎山（药用部位：全株）。

| 形态特征 | 灌木，髓部空心。叶片坚纸质或纸质，椭圆形，两面被糙伏毛，侧脉约 10 对；叶柄密被长硬毛。总状花序腋生，长约 6 cm，总梗、苞片、花梗、花萼及小苞片均被长硬毛；苞片披针形或钻形，小苞片披针形或狭披针形，着生于花梗上部；萼片具脉状腺条纹及缘毛；花冠黄白色，长约 2 mm，钟形，裂片广卵形或近圆形；雄蕊在雌花中退化，在雄花中内藏，着生于花冠管中部，花丝与花药等长，花药卵形或广卵形，背部无腺点；雌蕊长不超过雄蕊，柱头微裂或 4 裂。果实球形，白色，略肉质，被长硬毛，花萼宿存，花柱宿存。花期 1 ~ 2 月，果期约 11 月。

| **生境分布** | 生于山坡、丘陵地疏林下。分布于湖南邵阳（邵阳）、湘西州（吉首、花垣、古丈、永顺）等。 |

| **资源情况** | 野生资源一般。药材来源于野生。 |

| **采收加工** | 全年均可采收，洗净，切段，晒干或鲜用。 |

| **功能主治** | 苦，寒。祛风邪，解疫毒，消肿胀。用于热性传染病，寒热发歇不定，身疼，烦躁，口渴，水肿，跌打肿痛，外伤出血。 |

| **用法用量** | 内服煎汤，15 ~ 30 g。外用适量，煎汤洗；或捣敷。 |

紫金牛科 Myrsinaceae 杜茎山属 Maesa

杜茎山
Maesa japonica (Thunb.) Moritzi. ex Zoll.

| 药 材 名 | 杜茎山（药用部位：全株。别名：金砂根、白茅茶、野胡椒）。

| 形态特征 | 灌木，直立。小枝具细条纹，疏生皮孔。叶片革质，椭圆形至披针状椭圆形，全缘或中部以上具疏锯齿。总状花序或圆锥花序，单一或 2 ~ 3 腋生，长 1 ~ 4 cm，无毛；苞片卵形；小苞片广卵形或肾形，紧贴花萼基部；花萼长约 2 mm；花冠白色，长钟形，花冠管长 3.5 ~ 4 mm，具明显的脉状腺条纹，裂片边缘略具细齿；雄蕊着生于花冠管中部略上，内藏，花丝与花药等长，花药卵形；柱头分裂。果实球形，直径 4 ~ 5 mm，肉质，具脉状腺条纹，宿存萼包裹果实先端，常冠宿存花柱。花期 1 ~ 3 月，果期 10 月或翌年 5 月。

| 生境分布 | 生于海拔 300 ~ 2 000 m 的山坡或石灰山杂木林下阳处、路旁灌丛

中。湖南有广泛分布。

| **资源情况** | 野生资源丰富。药材来源于野生。

| **采收加工** | 全年均可采收，洗净，切段，晒干或鲜用。

| **功能主治** | 苦，寒。归心、肝、脾、肾经。祛风邪，解疫毒，消肿胀。用于热性传染病，寒热发歇不定，身疼，烦躁，口渴，水肿，跌打肿痛，外伤出血。

| **用法用量** | 内服煎汤，15 ~ 30 g。外用适量，煎汤洗；或捣敷。

紫金牛科 Myrsinaceae 杜茎山属 *Maesa*

鲫鱼胆

Maesa perlaria (Lour.) Merr.

| 药 材 名 |　鲫鱼胆（药用部位：全株。别名：空心花、冷饭果）。

| 形态特征 |　小灌木，分枝多。叶片纸质或近坚纸质，广椭圆状卵形至椭圆形，长 7 ~ 11 cm，宽 3 ~ 5 cm，边缘从中下部以上具粗锯齿，下部常全缘。总状花序或圆锥花序腋生；花长约 2 mm；萼片广卵形；花冠白色，钟形，具脉状腺条纹，裂片与花冠管等长；雄蕊在雌花中退化，在雄花中着生于花冠管上部，内藏，花药广卵形或近肾形；雌蕊较雄蕊略短，花柱短且厚，柱头 4 裂。果实球形，直径约 3 mm，具脉状腺条纹；宿存萼片达果实中部略上，花柱宿存。花期 3 ~ 4 月，果期 12 月至翌年 5 月。

| 生境分布 |　生于海拔 150 ~ 1 350 m 的山坡、路边的疏林或灌丛中湿润处。分

布于湖南株洲（茶陵）、郴州（嘉禾、桂东）、永州（冷水滩、道县）、怀化（会同、沅陵）等。

| **资源情况** | 野生资源一般。药材来源于野生。

| **采收加工** | 夏、秋季采收，鲜用或晒干。

| **功能主治** | 微苦，平。消肿去腐，生肌接骨。用于跌打刀伤，疔疮，肺病。

| **用法用量** | 外用适量，捣敷。

紫金牛科 Myrsinaceae 铁仔属 Myrsine

铁仔

Myrsine africana L.

| 药 材 名 | 铁仔（药用部位：全株）。

| 形态特征 | 灌木。叶片革质或坚纸质，椭圆状倒卵形，长 1 ~ 2 cm，宽 0.7 ~ 1 cm。花簇生或为近伞形花序，腋生，基部具 1 圈苞片；花 4 基数，长 2 ~ 2.5 mm；花萼长约 0.5 mm。花冠在雌花中长为花萼的 2 倍，基部连合成管；雄蕊微微伸出花冠，花丝基部连合成管，花药长圆形；雌蕊长超过雄蕊，子房长卵形或圆锥形。花冠在雄花中长为管的 1 倍左右；雄蕊伸出花冠很多；雌蕊在雄花中退化。果实球形，直径 5 mm，红色变紫黑色。花期 2 ~ 3 月，果期 10 ~ 11 月。

| 生境分布 | 生于海拔 1 000 m 以上的石山坡、荒坡疏林中或林缘，向阳干燥处。分布于湖南常德（武陵、澧县）、张家界（武陵源）、怀化（辰溪、

麻阳）、湘西州（吉首、泸溪、花垣、永顺、保靖）等。

| **资源情况** | 野生资源一般。药材来源于野生。

| **采收加工** | 全年均可采收，洗净，切片，鲜用或晒干。

| **功能主治** | 苦、涩、微甘，平。清热利湿，收敛止血。用于肠炎，痢疾，血崩，便血，肺结核咯血，牙痛等；外用于烫火伤。

| **用法用量** | 内服煎汤，25 ~ 50 g。外用适量，鲜品煎汤洗。

紫金牛科 Myrsinaceae 铁仔属 Myrsine

针齿铁仔 *Myrsine semiserrata* Wall.

| 药 材 名 |

针齿铁仔（药用部位：果实）。

| 形态特征 |

大灌木或小乔木。小枝常具棱角。叶片坚纸质至近革质，椭圆形至披针形，长 5 ~ 9 cm，宽 2 ~ 3.5 cm，边缘通常于中部以上具刺状细锯齿。伞形花序或花簇生，腋生，有花 3 ~ 7，每花基部具苞片 1；花 4 基数；花冠白色至淡黄色，裂片中部以上具明显的腺点，具缘毛；雄蕊与花冠等长，花丝短，着生于花冠管上，花药与花冠裂片同形，在雌花中退化；雌蕊在雄花中退化，被微柔毛，子房卵形，花柱向上渐尖，柱头 2 裂，流苏状。果实球形，直径 5 ~ 7 mm，红色变紫黑色，具密腺点。花期 2 ~ 4 月，果期 10 ~ 12 月。

| 生境分布 |

生于海拔 500 ~ 1 700 m 的山坡疏、密林内，路旁、沟边、石灰岩山坡等的向阳处。分布于湖南郴州（宜章）、怀化（沅陵）等。

| 资源情况 |

野生资源较少。药材来源于野生。

| **采收加工** | 10 ~ 12 月果实成熟时采收，晒干。

| **药材性状** | 本品圆球形，直径 4 ~ 5 mm。表面紫黑色或棕红色，具腺点，内有种子 1，有的具宿存萼，萼片下半部连合。

| **功能主治** | 苦、酸，平。驱虫。用于绦虫病。

| **用法用量** | 内服煎汤，9 ~ 12 g。

紫金牛科 Myrsinaceae 铁仔属 Myrsine

光叶铁仔

Myrsine stolonifera (Koidz.) Walker

| 药 材 名 | 光叶铁仔（药用部位：全株。别名：匍匐铁仔）。

| 形态特征 | 灌木，高 2 m，分枝多。叶片坚纸质至近革质，椭圆状披针形，长 6 ~ 10 cm，宽 1.5 ~ 3 cm。伞形花序或花簇生，腋生或生于裸枝叶痕上，有花 3 ~ 4，每花基部具 1 苞片；花 5 基数，长约 2 mm；花萼分离或仅基部连合，具明显的腺点；花冠基部连合成极短的管；雄蕊小，长为花冠裂片的 1/2，基部与花冠管合生，花丝与花药等长或较花药略长，花药广卵形或肾形，在雌花中退化；雌蕊在雌花中长达花瓣的 2/3，子房卵形或椭圆形，具腺点，先端渐尖成花柱。果实球形，直径约 5 mm，红色变蓝黑色，无毛。花期 4 ~ 6 月，果期 12 月至翌年 2 月。

| 生境分布 | 生于海拔 250 ～ 1 700 m 的疏、密林中潮湿处。分布于湖南郴州（宜章）、怀化（沅陵）等。 |

| 资源情况 | 野生资源较少。药材来源于野生。 |

| 采收加工 | 全年均可采收，洗净，鲜用。 |

| 功能主治 | 驱虫。用于绦虫病。 |

| 用法用量 | 内服煎汤，9 ～ 12 g。 |

紫金牛科 Myrsinaceae 密花树属 *Rapanea*

密花树

Rapanea neriifolia (Sieb. et Zucc.) Mez

| 药 材 名 | 鹅骨梢（药用部位：根皮。别名：狗骨头、打铁树、大明橘）。

| 形态特征 | 大灌木或小乔木。叶片革质，长圆状倒披针形至倒披针形，长 7 ~ 17 cm，宽 1.3 ~ 6 cm，全缘。伞形花序或花簇生，着生于具覆瓦状排列的苞片的小短枝上，有花 3 ~ 10；花长 2 ~ 4 mm；花萼仅基部连合，萼片卵形；花瓣白色或淡绿色，有时为紫红色，基部连合达全长的 1/4，花时反卷，具腺点，内面和边缘密被乳头状突起；雄蕊在雌花中退化，在雄花中着生于花冠中部；雌蕊与花瓣等长，子房卵形或椭圆形，花柱极短，柱头伸长。果实球形或近卵形，直径 4 ~ 5 mm，灰绿色或紫黑色。花期 4 ~ 5 月，果期 10 ~ 12 月。

| 生境分布 | 生于海拔 650 ~ 2 000 m 的混交林中或苔藓林中或林缘、路旁等的

灌丛中。分布于湖南常德（石门）等。

| **资源情况** | 野生资源稀少。药材来源于野生。

| **采收加工** | 全年均可采收，洗净，鲜用或晒干。

| **功能主治** | 淡，寒。归肾、膀胱经。清热利湿，凉血解毒。用于乳痈，疮疖，湿疹，膀胱结石。

| **用法用量** | 内服煎汤，30 ~ 60 g。外用适量，捣敷；或煎汤洗。

报春花科 Primulaceae 琉璃繁缕属 Anagallis

琉璃繁缕 Anagallis arvensis L.

| 药 材 名 | 四念癀（药用部位：全草。别名：龙吐珠）。

| 形态特征 | 一年生或二年生草本，高 10 ~ 30 cm。茎匍匐或上升，四棱形。叶交互对生，卵圆形至狭卵形，长 7 ~ 18 mm，宽 3 ~ 12 mm，全缘，无柄。花单出，腋生；花梗纤细，长 2 ~ 3 cm；花萼长 3.5 ~ 6 mm，深裂达基部；花冠辐状，长 4 ~ 6 mm，淡红色，分裂达基部，裂片倒卵形，宽 2.7 ~ 3 mm，具腺状小缘毛；雄蕊长约为花冠的 1/2，花丝被柔毛，基部连合成浅环。蒴果球形，直径约 3.5 mm。花期 3 ~ 4 月。

| 生境分布 | 生于田野及荒地中。湖南各地均有分布。

| 资源情况 | 野生资源一般。药材来源于野生。 |

| 采收加工 | 夏季采收，洗净，鲜用或晒干。 |

| 药材性状 | 本品皱缩。茎具4棱，直径约1 mm，表面黄褐色，无毛。叶对生，多破碎，展平后呈卵形，全缘，上面棕黄色，下面黄绿色，无柄。花单生于叶腋；花萼常深裂达基部，裂片5，披针形或钻形，花冠淡红色，5深裂。气微，味酸、涩。 |

| 功能主治 | 苦、酸，温。祛风散寒，活血解毒。用于鹤膝风，阴证疮疡，毒蛇及狂犬咬伤。 |

| 用法用量 | 内服煎汤，9～15 g，鲜品15～30 g；或捣汁。外用适量，鲜品捣敷。 |

报春花科 Primulaceae 琉璃繁缕属 Anagallis

蓝花琉璃繁缕 Anagallis arvensis L. f. coerulea (Schreb.) Arechav.

| 药 材 名 | 蓝花琉璃繁缕（药用部位：全草）。

| 形态特征 | 一年生或二年生草本，高 10 ～ 30 cm。茎匍匐或上升，四棱形。叶交互对生或有时 3 叶轮生，卵圆形至狭卵形，长 7 ～ 18 mm，宽 3 ～ 12 mm，全缘，无柄。花单出，腋生；花梗纤细，长 2 ～ 3 cm；花萼长 3.5 ～ 6 mm，深裂达基部；花冠辐状，长 4 ～ 6 mm，浅蓝色，分裂达基部，裂片倒卵形，宽 2.7 ～ 3 mm，具腺状小缘毛；雄蕊长约为花冠的 1/2，花丝被柔毛，基部连合成浅环。蒴果球形，直径约 3.5 mm。花期 3 ～ 4 月。

| 生境分布 | 生于田野及荒地中。分布于湖南株洲（天元、醴陵）、湘潭（雨湖）、衡阳（珠晖、石鼓、蒸湘、衡南、耒阳）、郴州（桂阳、嘉禾）等。

| 资源情况 | 野生资源一般。药材来源于野生。

| 采收加工 | 夏季采收，洗净，鲜用或晒干。

| 功能主治 | 苦、酸，温；有毒。祛风散寒，活血解毒。用于鹤膝风，阴证疮疡，毒蛇及狂犬咬伤，脑病，麻风，水肿，癫痫，肝脾肿大，结石，鼠疫等。

| 用法用量 | 内服煎汤，9 ~ 15 g，鲜品 15 ~ 30 g；或捣汁。外用适量，鲜品捣敷。

报春花科 Primulaceae 点地梅属 Androsace

莲叶点地梅 *Androsace henryi Oliv*

| 药 材 名 | 破头风（药用部位：全草）。

| 形态特征 | 多年生草本。根茎粗短。叶基生，圆形至圆肾形，直径 3 ~ 7 cm，
边缘具浅裂状圆齿或重牙齿，两面被短糙伏毛；叶柄长 6 ~ 16 cm，
被稍开展的柔毛。花葶 2 ~ 4 自叶丛中抽出，高 7 ~ 30 cm；伞形
花序有 12 ~ 40 花；苞片小，线形或线状披针形；花萼漏斗状，长
3 ~ 4 mm，被小伏毛，裂片三角形或狭卵状三角形，具明显的 3 ~ 5
脉；花冠白色，筒部与花萼近等长，裂片倒卵状心形。蒴果近陀螺
形，先端近平截。花期 4 ~ 5 月，果期 5 ~ 6 月。

| 生境分布 | 生于山坡疏林下，沟谷水边、石上。分布于湖南张家界（永定）等。

| 资源情况 | 野生资源稀少。药材来源于野生。

| 采收加工 | 春季采收，洗净，鲜用或晒干。

| 药材性状 | 本品皱缩。根茎粗短，根细须状。茎黄棕色，直径 1 ~ 2 mm。叶基生，多皱缩破碎，展开后呈圆形至圆肾形，直径 3 ~ 7 cm，先端圆形，基部心形弯缺深达叶片的 1/3，边缘具浅裂状圆齿或重牙齿，两面被短糙伏毛，叶面黄褐色；叶柄长 6 ~ 16 cm，被柔毛。花葶黄棕色，直径 1 ~ 2 mm；伞形花序有多花；小花黄褐色，花梗纤细，密被小柔毛。

| 功能主治 | 苦，凉。清热解毒，利湿止痒。用于肝热头目疼痛，肺热咳嗽，疔疮疖肿，湿疹瘙痒。

| 用法用量 | 内服煎汤，9 ~ 15 g。外用适量，煎汤洗；或鲜品捣敷。

报春花科 | Primulaceae | 点地梅属 | *Androsace*

点地梅 *Androsace umbellata* (Lour.) Merr.

| **药 材 名** | 喉咙草（药用部位：全草。别名：佛顶珠、地胡椒、五岳朝天）。 |

| **形态特征** | 一年生或二年生草本，具多数须根。叶全部基生，叶片近圆形或卵圆形，直径5～20 mm，边缘具三角状钝牙齿，两面均被贴伏的短柔毛。花葶数枚自叶丛中抽出，高4～15 cm，被白色短柔毛。伞形花序有4～15花；苞片卵形至披针形；花梗纤细，被柔毛并杂生短柄腺体；花萼杯状，分裂达近基部，裂片菱状卵圆形，果期增大，呈星状展开；花冠白色，直径4～6 mm，筒部长约2 mm，短于花萼，喉部黄色，裂片倒卵状长圆形。蒴果近球形，直径2.5～3 mm，果皮白色，近膜质。花期2～4月，果期5～6月。 |

| **生境分布** | 生于林缘、草地、疏林下。湖南各地均有分布。 |

| 资源情况 | 野生资源较丰富。药材来源于野生。 |

| 采收加工 | 清明前后采收，晒干。 |

| 药材性状 | 本品皱缩，被白色节状细柔毛。根细须状。叶基生，多皱缩碎落，完整者呈近圆形或卵圆形，黄绿色，直径 5 ~ 20 mm，边缘具三角状钝牙齿，两面均被贴伏的短柔毛；叶柄长 1 ~ 4 cm，有白毛。花葶纤细；小花浅黄色，或已结成球形蒴果，具深裂的宿存萼。质脆，易碎。气微，味辛而微苦。 |

| 功能主治 | 辛、甘，微寒。祛风，清热，消肿，解毒。用于咽喉肿痛，口疮，赤眼，目翳，偏正头痛，牙痛，风湿病，哮喘，疔疮肿毒，跌打损伤，烫伤。 |

| 用法用量 | 内服煎汤，5 ~ 15 g；或研末；或浸酒。外用适量，捣敷；或研末掺。 |

报春花科 Primulaceae 珍珠菜属 Lysimachia

广西过路黄 *Lysimachia alfredii* Hance

药材名

广西过路黄（药用部位：全草。别名：斗笠花、笠麻花、斑筒花）。

形态特征

茎簇生，直立或基部倾卧生根，高 10 ~ 45 cm，被褐色多细胞柔毛。叶对生，茎上部叶密聚成轮生状，叶片卵形至卵状披针形；叶柄长 1 ~ 2.5 cm。总状花序顶生，缩短成近头状；花萼长 6 ~ 8 mm，分裂达近基部；花冠黄色，长 10 ~ 15 mm，裂片披针形，密布黑色腺条；花丝下部合生成高 2.5 ~ 3.5 mm 的筒，分离部分长 3 ~ 5 mm，花药长圆形，花粉粒具 3 孔沟，近球形，表面具网状纹饰。蒴果近球形，褐色，直径 4 ~ 5 mm，花期 4 ~ 5 月，果期 6 ~ 8 月。

生境分布

生于海拔 220 ~ 900 m 的山谷溪边、沟旁湿地、林下、灌丛中。湖南各地均有分布。

资源情况

野生资源较丰富。药材来源于野生。

| 采收加工 | 全年均可采收，洗净，鲜用或晒干。

| 药材性状 | 本品茎长 10 ～ 45 cm，密被褐色柔毛。叶对生，先端的 2 对密聚成轮生状，叶片多皱缩，展平后呈卵形或卵状披针形，长 3.5 ～ 11 cm，宽 1.5 ～ 5.5 cm，先端锐尖或稍钝，基部渐狭，两面被柔毛并密布黑色腺条和腺点。花多数，集生于茎先端，密聚成头状；花冠黄色，裂片卵状披针形。蒴果近球形，褐色，直径约 5 mm。

| 功能主治 | 苦、辛，凉。归肝、胆、大肠、膀胱经。清热利湿，排石通淋。用于黄疸性肝炎，痢疾，热淋，石淋，带下。

| 用法用量 | 内服煎汤，30 ～ 60 g。

报春花科 Primulaceae 珍珠菜属 Lysimachia

虎尾草
Lysimachia barystachys Bunge

| 药 材 名 | 狼尾巴花（药用部位：全草）。

| 形态特征 | 多年生草本。具横走的根茎，全株密被卷曲柔毛。茎直立，高 30 ～ 100 cm。叶互生或近对生，长圆状披针形、倒披针形至线形，长 4 ～ 10 cm，宽 6 ～ 22 mm，先端钝或锐尖，基部楔形，近无柄。总状花序顶生，花密集，常转向一侧；花序轴长 4 ～ 6 cm，后渐伸长，果时长可达 30 cm；苞片线状钻形；花梗长 4 ～ 6 mm，通常稍短于苞片；花萼长 3 ～ 4 mm，分裂近达基部，裂片长圆形，周边膜质，先端圆形，略呈啮蚀状；花冠白色，长 7 ～ 10 mm，基部合生部分长约 2 mm，裂片舌状狭长圆形，宽约 2 mm，先端钝或微凹，常有暗紫色短腺条；雄蕊内藏，花丝基部约 1.5 mm 连合并贴生于花冠

基部，分离部分长约 3 mm，具腺毛，花药椭圆形，长约 1 mm，花粉粒具 3 孔沟，长球形，表面近平滑；子房无毛，花柱短，长 3 ～ 3.5 mm。蒴果球形，直径 2.5 ～ 4 mm。花期 5 ～ 8 月，果期 8 ～ 10 月。

| **生境分布** | 生于海拔 2 000 m 以下的草甸、山坡路旁灌丛间。分布于湖南张家界（桑植）等。

| **资源情况** | 野生资源稀少。药材来源于野生。

| **采收加工** | 花期采收，阴干或鲜用。

| **药材性状** | 本品长 40 ～ 100 cm。根茎细长，红棕色，易折断，断面黄白色。茎圆柱形，褐绿色，有柔毛。叶长圆状披针形至线状披针形，长 4 ～ 10 cm，宽 6 ～ 20 mm，灰绿色或黄绿色。总状花序顶生，常弯曲成狼尾状；花白色；花萼和花冠均 5 裂。气微，味微苦。以叶色绿、有花者为佳。

| **功能主治** | 苦、辛，平。调经散瘀，清热消肿。用于月经不调，痛经血崩，风热感冒，咽喉肿痛，乳痈，跌打损伤。

| **用法用量** | 内服煎汤，15 ～ 30 g；或浸酒；或捣汁。外用适量，捣敷；或研末敷。

报春花科 Primulaceae 珍珠菜属 Lysimachia

展枝过路黄 Lysimachia brittenii R. Kunth

| 药 材 名 | 展枝过路黄（药用部位：全草）。

| 形态特征 | 茎直立，高 60 ~ 100 cm，近圆柱形，下部常带暗紫色，节间长 8 ~ 11 cm，被疏柔毛；枝纤细，通常近水平伸展。叶对生，披针形至长圆状披针形，长 6 ~ 12 cm，宽 1.5 ~ 3.5 cm，先端渐尖或呈尾状，基部楔形，上面绿色，无毛，下面粉绿色，沿叶脉被极稀疏的柔毛；叶柄具狭翅，基部扩展成小耳状抱茎。花 6 至多朵在茎端和枝端排成伞形花序。果柄长 10 ~ 15 mm，被稀疏柔毛及腺体；果萼长 6 ~ 7 mm，分裂达近基部，裂片披针形，先端渐尖成钻形，背面中肋隆起；蒴果近球形，直径 3.5 ~ 4 mm。果期 8 月。

| 生境分布 | 生于山坡草地和山谷中。分布于湖南怀化（辰溪）、湘西州（永顺、

龙山）等。

| **资源情况** | 野生资源稀少。药材来源于野生。 |

| **采收加工** | 夏季花开前采挖，洗净，晒干或鲜用。 |

| **功能主治** | 苦，凉。利湿，解毒。用于疔疮，肿毒。 |

| **用法用量** | 外用适量，鲜品捣敷；或煎汤洗。 |

报春花科 Primulaceae 珍珠菜属 Lysimachia

泽珍珠菜 *Lysimachia candida* Lindl.

药 材 名	单条草（药用部位：全草。别名：星宿菜、灵疾草、金鸡胆）。
形态特征	一年生或二年生草本，全体无毛。茎直立，高 10 ~ 30 cm。基生叶匙形或倒披针形，长 2.5 ~ 6 cm，宽 0.5 ~ 2 cm，具有狭翅的柄，开花时存在或早凋；茎生叶互生，叶片倒卵形、倒披针形或线形，长 1 ~ 5 cm，宽 2 ~ 12 mm，两面均有黑色或带红色的小腺点，无柄。总状花序顶生，果时长 5 ~ 10 cm；苞片线形；花梗长约为苞片的 2 倍；花萼长 3 ~ 5 mm，分裂达近基部；花冠白色，筒部长 3 ~ 6 mm，裂片先端圆钝；雄蕊稍短于花冠，花丝贴生至花冠的中下部，花药近线形，长约 1.5 mm；子房无毛，花柱长约 5 mm。蒴果球形，直径 2 ~ 3 mm。花期 3 ~ 6 月，果期 4 ~ 7 月。

生境分布	生于田边、溪边、山坡路旁潮湿处。湖南有广泛分布。
资源情况	野生资源丰富。药材来源于野生。
采收加工	4～6 月采收，鲜用或晒干。
药材性状	本品根呈细须状，黄白色，丛生。茎细，扁方柱形，少分枝，表面黄绿色或黄棕色，基部略带紫红色；质韧，不易折断，中空。叶互生，叶片皱缩，展平后呈披针形、椭圆状披针形或线形，先端尖，基部渐狭，两面均有褐色小腺点，易破碎。总状花序顶生。蒴果球形，橙黄色或灰绿色；种子多数，细小，红紫色。气微，味微苦、辛。
功能主治	苦，凉。归脾、肾经。清热解毒，活血止痛，利湿消肿。用于咽喉肿痛，痈肿疮毒，乳痈，毒蛇咬伤，跌打骨折，风湿痹痛，脚气水肿，稻田性皮炎。
用法用量	内服煎汤，15～30 g；或捣汁。外用适量，捣敷；或煎汤洗。

報春花科 Primulaceae 珍珠菜属 Lysimachia

细梗香草

Lysimachia capillipes Hemsl.

| 药 材 名 | 排草香（药用部位：全草。别名：满山香）。

| 形态特征 | 植株高 40 ～ 60 cm，干后有浓郁香气。茎 2 至多条簇生，直立，中部以上分枝，草质，具棱，棱边有时呈狭翅状。叶互生，卵形至卵状披针形，长 1.5 ～ 7 cm，宽 1 ～ 3 cm，先端锐尖，基部短渐狭，侧脉 4 ～ 5 对，在下面稍隆起，网脉不明显；叶柄长 2 ～ 8 mm。花单出，腋生；花梗纤细，丝状，长 1.5 ～ 3.5 cm；花萼长 2 ～ 4 mm，深裂达近基部；花冠黄色，长 6 ～ 8 mm，分裂达近基部；花丝基部与花冠合生部分长约 0.5 mm，分离部分明显，长约 1.25 mm，花药长 3.5 ～ 4 mm，顶孔开裂；花柱丝状，稍长于雄蕊。蒴果近球形，带白色，直径 3 ～ 4 mm，比宿存花萼长。花期 6 ～ 7 月，果期 8 ～ 10 月。

生境分布	生于海拔 300 ~ 2 000 m 的山谷林下和溪边。分布于湘中、湘南、湘西等。
资源情况	野生资源较丰富。药材来源于野生。
采收加工	夏季花开时采收，晒干。
功能主治	甘，平。归肺、胃、肝经。化痰止咳，祛风除湿，补气养血，缓急止痛。用于燥咳，久咳阴伤，风湿痹痛，虚劳，脘腹挛急作痛。
用法用量	内服煎汤，3 ~ 9 g。

报春花科 Primulaceae 珍珠菜属 Lysimachia

过路黄
Lysimachia christinae Hance

| 药 材 名 | 金钱草（药用部位：全草）。

| 形态特征 | 茎柔弱，平卧延伸，长 20 ～ 60 cm，幼嫩部分密被褐色无柄的腺体，下部节间较短，常发出不定根。叶对生，卵圆形、近圆形至肾圆形，先端锐尖，基部截形，透光可见密布的透明腺条，干时腺条变黑色，两面无毛或密被糙伏毛。花单生于叶腋；花梗长 1 ～ 5 cm，不超过叶长；花萼分裂达近基部；花冠黄色，长 7 ～ 15 mm，基部合生部分长 2 ～ 4 mm，裂片狭卵形至近披针形，先端锐尖或钝，稍厚，具黑色长腺条；花丝长 6 ～ 8 mm，下半部合生成筒，花药卵圆形；子房卵珠形，花柱长 6 ～ 8 mm。蒴果球形，直径 4 ～ 5 mm，无毛，有稀疏黑色腺条。花期 5 ～ 7 月，果期 7 ～ 10 月。

| **生境分布** | 生于沟边、路旁阴湿处和山坡林下。湖南有广泛分布。 |

| **资源情况** | 野生资源较丰富。药材来源于野生。 |

| **采收加工** | 夏、秋季采收，除去杂质，水洗，切段，干燥。 |

| **药材性状** | 本品茎棕色或暗棕红色，有纵纹，实心。叶对生，展平后呈宽卵形或心形，上表面灰绿色或棕褐色，下表面色较浅，主脉明显突出，用水浸后，对光透视可见黑色或褐色条纹。偶见黄色花单生于叶腋。气微，味淡。 |

| **功能主治** | 甘、咸，微寒。归肝、胆、肾、膀胱经。利湿退黄，利尿通淋，解毒消肿。用于湿热黄疸，胆胀胁痛，石淋，热淋，小便涩痛，痈肿疔疮，蛇虫咬伤。 |

| **用法用量** | 内服煎汤，15 ~ 60 g。 |

报春花科 Primulaceae 珍珠菜属 Lysimachia

露珠珍珠菜 Lysimachia circaeoides Hemsl.

| 药 材 名 |

水红袍（药用部位：全草。别名：对叶红线草、见缝合、黄金楼）。

| 形态特征 |

多年生草本，全体无毛。茎直立，粗壮，高45 ~ 70 cm，四棱形，上部分枝。叶对生，椭圆形或倒卵形，上部茎生叶长圆状披针形至披针形，长5 ~ 10 cm，宽1.5 ~ 3 cm，有极细密的红色小腺点，侧脉6 ~ 7对；叶柄长5 ~ 15 mm，具狭翅。总状花序生于茎端和枝端；最下方的苞片披针形，比花梗长；花梗长5 ~ 7 mm；花萼分裂达近基部，裂片卵状披针形，边缘具缘毛；花冠白色，阔钟状，裂片菱状卵形，具褐色腺条；雄蕊内藏，花丝贴生于花冠裂片的基部，花药卵形，药隔先端有红色粗腺体；子房无毛，花柱稍粗，长约2 mm。蒴果球形，直径约3 mm。花期5 ~ 6月，果期7 ~ 8月。

| 生境分布 |

生于海拔600 ~ 1 200 m的山谷湿润处。分布于湘中、湘西等。

| 资源情况 | 野生资源一般。药材来源于野生。

| 采收加工 | 花期采收，洗净，晒干或鲜用。

| 功能主治 | 辛、苦，寒。归肺、肝经。清热解毒，散瘀止血。用于咽喉肿痛，咯血，痈肿疮疖，跌打损伤，骨折，外伤出血，烫火伤，蛇咬伤，目翳。

| 用法用量 | 内服煎汤，3 ~ 9 g；或捣汁。外用适量，捣敷。

报春花科 Primulaceae 珍珠菜属 Lysimachia

矮桃 Lysimachia clethroides Duby

| 药 材 名 | 珍珠菜（药用部位：全草。别名：珍珠草、调经草、尾脊草）。

| 形态特征 | 多年生草本，全株被黄褐色卷曲柔毛。根茎横走，淡红色。茎直立，高 40 ~ 100 cm，圆柱形，基部带红色，不分枝。叶互生，长椭圆形或阔披针形，长 6 ~ 16 cm，宽 2 ~ 5 cm，两面散生黑色粒状腺点。总状花序顶生，花密集，常转向一侧，后渐伸长，果时长 20 ~ 40 cm；花梗长 4 ~ 6 mm；花萼长 2.5 ~ 3 mm，分裂达近基部，裂片卵状椭圆形，有腺状缘毛；花冠白色，长 5 ~ 6 mm，裂片狭长圆形，先端圆钝；雄蕊内藏，分离部分长约 2 mm，被腺毛，花药长圆形；子房卵珠形，花柱稍粗，长 3 ~ 3.5 mm。蒴果近球形，直径 2.5 ~ 3 mm。花期 5 ~ 7 月，果期 7 ~ 10 月。

生境分布	生于山坡林缘和草丛中。湖南有广泛分布。
资源情况	野生资源丰富。药材来源于野生。
采收加工	秋季采收，鲜用或晒干。
药材性状	本品被黄褐色卷曲柔毛。茎圆柱形，长 40 ～ 80 cm；表面微带红色；质脆，易折断。叶互生，常皱缩或破碎；完整叶片展平后呈卵状椭圆形或阔披针形，长 6 ～ 13 cm，宽 2 ～ 4 cm；两面黄绿色或淡黄棕色，水浸后透光可见黑色腺点。总状花序顶生，花常脱落。果穗长约 30 cm，蒴果球形。气微，味淡。以叶、花多，色绿者为佳。
功能主治	苦、辛，平。归肝、脾经。清热利湿，活血散瘀，解毒消痈。用于水肿，热淋，黄疸，痢疾，风湿热痹，带下，经闭，跌打骨折，外伤出血，乳痈，疔疮，蛇咬伤。
用法用量	内服煎汤，15 ～ 30 g；或鲜品捣汁；或浸酒。外用适量，捣敷；或煎汤洗。

报春花科 | Primulaceae | 珍珠菜属 | Lysimachia

临时救
Lysimachia congestiflora Hemsl.

| 药 材 名 | 风寒草（药用部位：全草。别名：黄花草、九莲灯、匍地龙）。

| 形态特征 | 茎下部匍匐，节上生根，地上部分长 6 ~ 50 cm，圆柱形，密被多细胞卷曲柔毛。叶对生，茎端的 2 对叶间距小，近密聚，叶片卵形，近等大，基部近圆形或截形，两面被具节糙伏毛，侧脉 2 ~ 4 对，在下面稍隆起；叶片长为叶柄的 2 ~ 3 倍，具草质狭边缘。花 2 ~ 4 集生于茎端和枝端成近头状的总状花序；花萼长 5 ~ 8.5 mm，分裂达近基部，裂片披针形，背面被疏柔毛；花冠黄色，内面基部紫红色，5 裂，裂片卵状椭圆形至长圆形，散生暗红色或变黑色的腺点；花丝下部合生成高约 2.5 mm 的筒，花药长圆形；子房被毛，花柱长 5 ~ 7 mm。蒴果球形，直径 3 ~ 4 mm。花期 5 ~ 6 月，果期

7 ~ 10 月。

| **生境分布** | 生于海拔 2 100 m 以下的水沟边、田埂上、山坡林缘或草地等的湿润处。湖南有广泛分布。

| **资源情况** | 野生资源丰富。药材来源于野生。

| **采收加工** | 秋季采收，鲜用或晒干。

| **功能主治** | 苦，凉。理脾消积，清热解毒。用于疳积，妇人经闭，疔疮。

| **用法用量** | 内服煎汤，5 ~ 15 g；或捣汁。外用适量，捣敷。

报春花科 Primulaceae 珍珠菜属 Lysimachia

延叶珍珠菜 *Lysimachia decurrens* Forst. f.

药材名

疬子草（药用部位：全草。别名：蛮刀背、下延叶排草、大羊古臊）。

形态特征

多年生草本，全体无毛。茎直立，粗壮，高40 ~ 90 cm，有棱角，上部分枝，基部常木质化。叶互生，披针形或椭圆状披针形，长6 ~ 13 cm，宽1.5 ~ 4 cm，基部楔形，下延至叶柄成狭翅，两面均有不规则的黑色腺点；叶柄长1 ~ 4 cm。总状花序顶生；苞片钻形；花梗长2 ~ 9 mm，斜展或下弯，果时伸长达10 ~ 18 mm；花萼分裂达近基部；花冠白色或带淡紫色，长2.5 ~ 4 mm，基部合生部分长约1.5 mm，裂片匙状长圆形；雄蕊伸出花冠外，花丝密被小腺体，贴生于花冠裂片的基部，花药卵圆形，紫色；子房球形，花柱细长。蒴果球形或略扁，直径3 ~ 4 mm。花期4 ~ 5月，果期6 ~ 7月。

生境分布

生于村旁荒地、路边、山谷溪边疏林下及草丛中。分布于湖南益阳（桃江）、娄底（新化）、永州（道县、江永）、湘西州（龙山）等。

资源情况	野生资源一般。药材来源于野生。

采收加工	春、夏季采收，鲜用或晒干。

功能主治	苦、辛，平。清热解毒，活血散结。用于瘰疬，喉痹，疔疮肿毒，月经不调，跌打损伤。

用法用量	内服煎汤，10 ~ 15 g。外用适量，捣敷。

报春花科 Primulaceae 珍珠菜属 Lysimachia

管茎过路黄 *Lysimachia fistulosa* Hand.-Mazz.

| 药 材 名 | 头顶一朵花（药用部位：全草）。

| 形态特征 | 茎膝曲直立，高 20 ~ 35 cm，钝四棱形，节间长 4 ~ 10 cm，被长 1 ~ 1.5 mm 的多细胞柔毛。叶对生，茎端的 2 ~ 3 对叶密聚成轮生状，常较下部叶大 2 ~ 3 倍，叶片披针形，长 4 ~ 9 cm，宽 1 ~ 3 cm，先端渐尖，基部渐狭，下面被柔毛；侧脉每边 3 ~ 5；茎端叶具极短的柄，下部叶具较长的柄。缩短的总状花序生于茎端和枝端，呈头状花序状；花梗疏被柔毛；花萼分裂达近基部，裂片披针形；花冠黄色，长 10 ~ 13 mm，筒部长 3 ~ 4 mm，裂片倒卵状长圆形；花丝基部合生成高 4 ~ 5 mm 的筒，花药卵状披针形；子房密被柔毛。蒴果球形，直径 3 ~ 3.5 mm。花期 5 ~ 7 月，果期 7 ~ 10 月。

| **生境分布** | 生于海拔 500 ～ 1 650 m 的山谷林下、路边。分布于湖南湘西州（泸溪）等。 |

| **资源情况** | 野生资源稀少。药材来源于野生。 |

| **采收加工** | 夏季采收，鲜用或晒干。 |

| **功能主治** | 酸、苦，凉。清热解毒，活血消肿。用于无名肿毒，毒蛇咬伤，跌打损伤。 |

| **用法用量** | 外用适量，捣敷。 |

报春花科 Primulaceae 珍珠菜属 Lysimachia

五岭管茎过路黄
Lysimachia fistulosa Hand.-Mazz. var. *wulingensis* Chen et C. M. Hu

| 药 材 名 | 五岭管茎过路黄（药用部位：全草）。

| 形态特征 | 植株除叶面被稀疏小刚毛外，全体无毛。茎膝曲直立，高 20 ～ 35 cm，明显四棱形。叶对生，茎端的 2 ～ 3 对叶密聚成轮生状，常较下部叶大 2 ～ 3 倍，叶片披针形，长 4 ～ 9 cm，宽 1 ～ 3 cm，先端渐尖，基部渐狭；侧脉每边 3 ～ 5；茎端叶具极短的柄，下部叶具较长的柄。缩短的总状花序生于茎端和枝端，呈头状花序状；花萼分裂达近基部，裂片披针形；花冠黄色，长 10 ～ 13 mm，筒部长 3 ～ 4 mm，裂片倒卵状长圆形；花丝基部合生成高 4 ～ 5 mm 的筒。蒴果球形，直径 3 ～ 3.5 mm。花期 5 ～ 7 月，果期 7 ～ 10 月。

| 生境分布 | 生于海拔 500 ～ 1 100 m 的山谷溪边草地、林下。分布于湘南等。

| **资源情况** | 野生资源稀少。药材来源于野生。 |

| **采收加工** | 夏季采收，鲜用或晒干。 |

| **功能主治** | 苦，凉。清热解毒，活血消肿。用于无名肿毒，毒蛇咬伤，跌打损伤。 |

| **用法用量** | 外用适量，捣敷。 |

报春花科 Primulaceae 珍珠菜属 Lysimachia

灵香草
Lysimachia foenum-graecum Hance

| 药 材 名 | 灵香草（药用部位：全草。别名：尖叶子、驱蛔虫草、闹虫草）。

| 形态特征 | 植株高 20 ~ 60 cm，干后有浓郁香气。越年老茎匍匐，有多数纤细的须根，当年生茎为老茎的单轴延伸，上升或近直立，草质，具棱，绿色。叶互生，广卵形至椭圆形，长 4 ~ 11 cm，宽 2 ~ 6 cm，具短骤尖头，基部渐狭，边缘微皱成波状，草质，干时两面密布极不明显的下陷小点和稀疏的褐色无柄腺体，侧脉 3 ~ 4 对；叶柄长 5 ~ 12 mm，具狭翅。花单出，腋生；花萼深裂达近基部；花冠黄色，长 12 ~ 17 mm，分裂达近基部，裂片长圆形；花丝基部与花冠合生部分长约 0.5 mm，分离部分极短，花药基部心形，顶孔开裂；花柱长 5 ~ 7 mm。蒴果近球形，灰白色，直径 6 ~ 7 mm。花期 5 月，

果期 8 ～ 9 月。

| 生境分布 | 生于海拔 800 ～ 1 700 m 的山谷溪边和林下的腐殖质土壤中。分布于湖南株洲（茶陵）、邵阳（邵阳）、常德（澧县、石门）、永州（双牌、江华）、怀化（辰溪、麻阳）、湘西州（花垣、凤凰）等。

| 资源情况 | 野生资源一般。药材来源于野生。

| 采收加工 | 9 ～ 10 月将植株连根拔起，除去泥沙，烘干或阴干。

| 药材性状 | 本品扭曲不直，呈灰绿色至紫棕绿色。茎表面有纵走线纹及 3 棱翅，一侧常有须状不定根；质脆，易折断，断面三角形，类黄白色。叶互生，有长柄，叶片卵形，多折皱，基部楔形，具翼，羽状网脉显著，类纸质。叶腋处的球形蒴果类白色，萼宿存，果皮薄，内藏多数细小的棕黑色种子。根须状，棕黑色。气芳香浓郁，味微苦。以茎叶嫩细、灰绿色、干燥、香气浓、无泥沙者为佳。

| 功能主治 | 辛、甘，温。祛风寒，辟秽浊。用于伤寒，感冒头痛，胸腹胀满，下利，遗精，鼻塞，牙痛。

| 用法用量 | 内服煎汤，5 ～ 15 g；或研末；或浸酒。外用适量，捣敷；或研末掺。

报春花科 Primulaceae 珍珠菜属 Lysimachia

大叶过路黄
Lysimachia fordiana Oliv.

| 药 材 名 | 大叶排草（药用部位：全草）、大叶排草根（药用部位：根）。

| 形态特征 | 根茎粗短，发出多数纤维状根；茎通常簇生，直立，肥厚多汁，高 30 ～ 50 cm，圆柱状，散布稀疏黑色腺点，通常不分枝。叶对生，茎端的 2 对间距短，常近轮生状；叶片椭圆形、阔椭圆形至菱状卵圆形，长 6 ～ 18 cm，宽 3 ～ 10（～ 12.5）cm，先端锐尖或短渐尖，基部阔楔形，上面深绿色，下面粉绿色，无毛，两面密布黑色腺点，侧脉 4 ～ 6 对，在下面稍隆起，网脉纤细，不明显；叶柄长 5 ～ 25 mm。近茎基部的 1 ～ 2 对叶退化成鳞片状。花序为缩短成近头状的顶生总状花序；苞片卵状披针形至披针形，长 1 ～ 1.5 cm，密布黑色腺点；花梗极短或花序下部的花梗长达 6 mm；花萼长

6 ~ 12 mm，分裂达近基部，裂片长圆状披针形，宽 2 ~ 3.5 mm，密布黑色腺点；花冠黄色，长 1.2 ~ 1.9 cm，基部合生部分长 4 ~ 5 mm，裂片长圆形或长圆状披针形，先端钝或稍尖，有黑色腺点；花丝下部合生成高约 3 mm 的筒，分离部分长 3 ~ 4 mm，花药卵形，长约 1 mm，花粉粒具 3 孔沟，近长球形，表面具网状纹饰；子房卵珠形，花柱长约 7 mm。蒴果近球形，直径 3 ~ 4 mm，常有黑色腺点。花期 5 月，果期 7 月。

| 生境分布 | 生于海拔 800 m 以下的密林中和山谷溪边湿地。分布于湖南张家界（桑植）等。

| 资源情况 | 野生资源稀少。药材来源于野生。

| 功能主治 | **大叶排草：** 清肝明目，利水消肿。用于肝炎，视力减退，浮肿，跌打损伤。
大叶排草根： 用于跌打损伤，瘰疬，喉痛，蛇咬伤，痈毒。

| 用法用量 | **大叶排草：** 内服煎汤，10 ~ 15 g。外用适量，鲜品捣敷。

报春花科 Primulaceae 珍珠菜属 Lysimachia

星宿菜 *Lysimachia fortunei* Maxim.

| 药 材 名 | 大田基黄（药用部位：全草。别名：赤脚草）。

| 形态特征 | 多年生草本，全株无毛。根茎横走，紫红色。茎直立，高 30 ~
70 cm，圆柱形，有黑色腺点，基部紫红色，嫩梢和花序轴具褐色腺
体。叶互生，近无柄，叶片长圆状披针形至狭椭圆形，长 4 ~
11 cm，宽 1 ~ 2.5 cm，基部渐狭，干后黑色腺点呈粒状凸起。总
状花序顶生，细瘦，长 10 ~ 20 cm；苞片披针形；花萼分裂达近基
部，裂片卵状椭圆形；花冠白色，基部合生部分长约 1.5 mm，裂
片椭圆形或卵状椭圆形；雄蕊比花冠短，花药卵圆形；子房卵圆形，
花柱粗短，长约 1 mm。蒴果球形，直径 2 ~ 2.5 mm。花期 6 ~ 8 月，
果期 8 ~ 11 月。

| 生境分布 | 生于沟边、田边等低湿处。湖南各地均有分布。

| 资源情况 | 野生资源较丰富。药材来源于野生。

| 采收加工 | 夏、秋季采收，洗净，晒干，切段或扎把。

| 药材性状 | 本品地下茎紫红色。茎长 30 ～ 70 cm，基部带紫红色。叶互生，叶片皱缩，展平后呈阔披针形、倒披针形，长 4 ～ 6 cm，宽 1 ～ 2 cm，先端渐尖，基部渐狭，近无柄，两面有褐色腺点，干后呈粒状凸起。总状花序长 10 ～ 20 cm；苞片三角状披针形；花冠白色，长约 3 mm，裂片倒卵形，背面有少数黑色腺点；雄蕊着生于花冠上部，短于花冠裂片。蒴果褐色，直径 2 ～ 2.5 mm。

| 功能主治 | 微苦、涩，平。清热利湿，活血调经。用于感冒，咳嗽咯血，肠炎，痢疾，肝炎，疳积，疟疾，风湿关节痛，痛经，闭经，带下，乳腺炎，结膜炎，蛇咬伤，跌打损伤。

| 用法用量 | 内服煎汤，25 ～ 50 g。外用适量，捣敷。

报春花科 Primulaceae 珍珠菜属 Lysimachia

福建过路黄
Lysimachia fukienensis Hand.-Mazz.

| 药 材 名 | 福建过路黄（药用部位：全草。别名：福建排草）。

| 形态特征 | 植株高 20 ~ 80 cm，全体无毛。茎 2 至多条簇生，直立，基部圆柱形，上部具 4 棱，有黑色腺条。叶互生或在茎下部近对生，有时 3 ~ 4 轮生，茎中部叶最大，披针形至狭披针形，两面均密布黑色腺条及腺点，中肋在下面稍隆起，侧脉约 5 对。花单生于茎上半部叶腋；花梗纤细；花萼分裂达近基部；花冠黄色，基部合生部分长 3 ~ 5 mm，裂片阔卵形，有黑色短腺条；花丝基部合生成高约 2.5 mm 的筒，花药长圆形，长 1.2 ~ 2 mm；子房无毛，花柱长 6 ~ 7 mm。蒴果淡褐色，直径 3.5 ~ 5 mm，有黑色短线条。花期 5 月，果期 7 月。

| 生境分布 | 生于海拔 1 000 m 以下的山坡林缘、草丛中和山谷溪边。分布于湖南永州（道县）等。

| **资源情况** | 野生资源稀少。药材来源于野生。 |

| **采收加工** | 5～6月采收，洗净，晒干。 |

| **功能主治** | 辛、微酸，凉。疏风止咳，清热解毒。用于感冒咳嗽，头痛目赤，咽喉肿痛。 |

| **用法用量** | 内服煎汤，9～15 g。 |

报春花科 Primulaceae 珍珠菜属 Lysimachia

金爪儿 *Lysimachia grammica* Hance

| 药 材 名 | 金爪儿（药用部位：全草。别名：小茄、红苦藤菜、路边黄）。

| 形态特征 | 茎簇生，膝曲直立，高 13 ~ 35 cm，圆柱形，密被多细胞柔毛，有黑色腺条，多分枝。叶在茎下部对生，在茎上部互生，卵形至三角状卵形，先端锐尖或稍钝，基部截形，两面均被多细胞柔毛，密布长短不等的黑色腺条；叶柄长 4 ~ 15 mm，具狭翅。花单生于茎上部叶腋；花梗纤细，丝状；花萼分裂达近基部；花冠黄色，长 6 ~ 9 mm，基部合生，裂片卵形或菱状卵圆形，先端稍钝；花丝下部合生成高约 0.5 mm 的环；花药长约 2 mm；子房被毛，花柱长约 4.5 mm。蒴果近球形，淡褐色，直径约 4 mm。花期 4 ~ 5 月，果期 5 ~ 9 月。

| **生境分布** | 生于山脚路旁、疏林下等阴湿处。分布于湖南湘潭（雨湖）、邵阳（新宁）、张家界（永定）、湘西州（保靖）等。 |

| **资源情况** | 野生资源一般。药材来源于野生。 |

| **采收加工** | 5 ~ 6 月采收，鲜用或晒干。 |

| **功能主治** | 辛、苦，凉。归心、肝经。理气活血，利尿，拔毒。用于小儿盘肠气痛，痈肿疮毒，毒蛇咬伤，跌打损伤。 |

| **用法用量** | 内服煎汤，15 ~ 30 g；或捣汁。外用适量，捣敷。 |

报春花科 Primulaceae 珍珠菜属 Lysimachia

点腺过路黄 *Lysimachia hemsleyana* Maxim. ex Oliv.

| 药 材 名 |

点腺过路黄（药用部位：全草。别名：女儿红、露天过路黄、露天金钱草）。

| 形态特征 |

茎簇生，平铺于地面，先端伸长成鞭状，长可达 90 cm，圆柱形，密被多细胞柔毛。叶对生，卵形或阔卵形，长 1.5 ~ 4 cm，宽 1.2 ~ 3 cm，先端锐尖，基部近圆形、截形至浅心形，上面密被小糙伏毛，两面均有褐色或黑色粒状腺点，侧脉 3 ~ 4 对。花单生于茎中部叶腋；花梗长 7 ~ 15 mm，果时下弯，可增长至 2.5 cm；花萼分裂达近基部，裂片狭披针形，被稀疏小柔毛，散生褐色腺点；花冠黄色，基部合生部分长约 2 mm，裂片椭圆形或椭圆状披针形，散生暗红色或褐色腺点；花丝下部合生成高约 2 mm 的筒，花药长圆形；子房卵珠形。蒴果近球形。花期 4 ~ 6 月，果期 5 ~ 7 月。

| 生境分布 |

生于海拔 1 000 m 以下的山谷林缘、溪旁和路边草丛中。分布于湖南长沙（长沙）、湘潭（湘乡）、娄底（涟源）、邵阳（洞口）、益阳（桃江）、郴州（嘉禾）、怀化（中方、辰溪）等。

| **资源情况** | 野生资源一般。药材来源于野生。

| **采收加工** | 夏季采收，鲜用或晒干。

| **功能主治** | 微苦，凉。清热利湿，通经。用于肝炎，肾盂肾炎，膀胱炎，闭经。

| **用法用量** | 内服煎汤，30 ~ 60 g。

报春花科 Primulaceae 珍珠菜属 Lysimachia

宜昌过路黄 *Lysimachia henryi* Hemsl.

| 药 材 名 | 宜昌过路黄（药用部位：全草）。

| 形态特征 | 茎簇生，高 8 ～ 30 cm，单一或有分枝，疏被铁锈色多细胞柔毛。叶对生，茎端的 2 ～ 3 对叶间距极短，呈轮生状，近等大或较下部茎生叶大 1 ～ 2 倍，叶片披针形至卵状披针形，稀卵状椭圆形，长 1 ～ 4.5 cm，宽 5 ～ 16 mm，先端锐尖或稍钝，基部楔状渐狭，稀为阔楔形，无毛或仅下面沿中肋被疏柔毛，干时坚纸质。花集生于茎端，略呈头状花序状；花萼长约 8 mm，分裂达近基部，裂片披针形；花冠黄色，长约 12 mm，基部合生部分长 3 ～ 4.5 mm，裂片卵状椭圆形，宽 4 ～ 6 mm，先端圆钝。蒴果褐色，被疏柔毛。花期 5 ～ 6 月，果期 6 ～ 7 月。

生境分布	生于水边沿岸的石缝中。分布于湖南邵阳（邵阳）、益阳（桃江）、怀化（鹤城、麻阳）等。
资源情况	野生资源稀少。药材来源于野生。
采收加工	夏季采收，鲜用或晒干。
功能主治	淡，平。祛风止痛，清热解毒，化痰。用于风热喉痛，咳嗽，大便带血，腹痛，热毒疮。
用法用量	内服煎汤，30 ~ 50 g。外用适量，捣敷。

报春花科 Primulaceae 珍珠菜属 Lysimachia

黑腺珍珠菜 *Lysimachia heterogenea* Klatt.

| 药 材 名 | 黑腺珍珠菜（药用部位：全草。别名：满天星）。

| 形态特征 | 多年生草本，全体无毛。茎直立，高 40 ~ 80 cm，四棱形，棱边有狭翅和黑色腺点。基生叶匙形，早凋；茎生叶对生，无柄，叶片披针形或线状披针形，长 4 ~ 13 cm，宽 1 ~ 3 cm，两面密生黑色粒状腺点。总状花序生于茎端和枝端；苞片叶状；花梗长 3 ~ 5 mm；花萼 4 ~ 5 mm，分裂达近基部，裂片线状披针形；花冠白色，基部合生部分长约 2.5 mm，裂片卵状长圆形；雄蕊与花冠近等长，花丝贴生至花冠中部，花药线形，药隔先端具胼胝状尖头；子房无毛，花柱长约 6 mm，柱头膨大。蒴果球形，直径约 3 mm。花期 5 ~ 7 月，果期 8 ~ 10 月。

| 生境分布 | 生于水边湿地。分布于湖南长沙（望城、宁乡）、娄底（涟源）、邵阳（隆回）、岳阳（湘阴）、常德（澧县）、郴州（汝城）、永州（双牌）等。 |

| 资源情况 | 野生资源较丰富。药材来源于野生。 |

| 采收加工 | 夏季采收，鲜用或晒干。 |

| 功能主治 | 苦、辛，平。活血，调经。用于月经不调，带下，跌打损伤，蛇咬伤等。 |

| 用法用量 | 内服煎汤，15 ~ 30 g；或浸酒。外用适量，捣敷。 |

报春花科 Primulaceae 珍珠菜属 Lysimachia

长梗过路黄 *Lysimachia longipes* Hemsl.

| 药 材 名 | 长梗排草（药用部位：全草）。

| 形态特征 | 一年生草本，高 35 ~ 75 cm，全株无毛。茎单生，圆柱形，干时麦秆黄色，除花序外，其余部分不分枝。叶对生，无柄；叶片卵状披针形，长 4 ~ 10 cm，宽 1.2 ~ 3.2 cm，先端长渐尖或近尾状，基部圆形，两面有暗紫色或黑色腺点及短腺条，侧脉纤细，4 ~ 5 对。花 4 ~ 11 组成顶生和腋生的疏松总状花序；总梗纤细；苞片小，钻形，先端渐尖，边缘膜质；花萼 5 深裂达近基部，裂片披针形，有暗紫色腺条和腺点；花冠黄色，基部合生部分长 1.5 ~ 2 mm，裂片菱状卵圆形至狭长圆形，有明显的脉纹；雄蕊 5，花药线状长圆形；子房上位，无毛，1 室，花柱丝状。蒴果褐色。花期 5 ~ 6 月，果期 6 ~ 7 月。

| 生境分布 | 生于海拔 300 ~ 800 m 的山坡林下、山谷溪边及岩石旁的阴湿处。分布于湖南永州（新田）、娄底（冷水江）、张家界（慈利、武陵源）等。 |

| 资源情况 | 野生资源一般。药材来源于野生。 |

| 采收加工 | 夏季采收，晒干或鲜用。 |

| 功能主治 | 甘，平。息风定惊，收敛止血。用于小儿惊风，肺痨咯血，刀伤出血。 |

| 用法用量 | 内服煎汤，9 ~ 12 g。外用适量，捣敷。 |

报春花科 Primulaceae 珍珠菜属 Lysimachia

山萝过路黄 *Lysimachia melampyroides* R. Knuth

| **药 材 名** | 山萝过路黄（药用部位：全草）。

| **形态特征** | 茎通常 2 至多条簇生，直立或上升，高 15 ～ 50 cm，圆柱形，密被褐色小糙伏毛，通常有分枝。叶对生，茎下部的 2 ～ 3 对叶较小，卵形至卵状披针形，具基部扩展成耳状的柄，茎上部的叶卵状披针形至狭披针形，长 3 ～ 9 cm，宽 5 ～ 25 mm，侧脉 4 ～ 5 对，网脉不明显。花通常单生于茎中部以上叶腋，有时在茎端和枝端稍密聚成总状花序状；花萼长 6 ～ 8 mm，分裂达近基部，裂片披针形；花冠黄色，长 7 ～ 9 mm，基部合生部分长 1 ～ 2 mm，裂片倒卵状椭圆形，先端圆钝。蒴果近球形，褐色。花期 5 ～ 6 月，果期 7 ～ 11 月。

| **生境分布** | 生于海拔 650 ～ 1 200 m 的山谷林缘和灌丛中。分布于湖南郴州（桂

阳）、娄底（新化）、永州（东安、道县、江永）等。

| **资源情况** | 野生资源较少。药材来源于野生。

| **采收加工** | 夏季采收，晒干或鲜用。

| **功能主治** | 甘、咸，微寒。归肝、胆、肾经。清利湿热，排石退黄，消肿解毒。

| **用法用量** | 内服煎汤，10 ~ 25 g。外用适量，捣敷。

报春花科 Primulaceae 珍珠菜属 Lysimachia

琴叶过路黄 *Lysimachia ophelioides* Hemsl.

| 药 材 名 | 琴叶过路黄（药用部位：全草）。

| 形态特征 | 茎通常簇生，直立，高 25 ~ 40 cm，圆柱形，被细密短柔毛，中部以上分枝。叶对生，无柄；叶片披针形至狭披针形，长 1 ~ 6 cm，宽 4 ~ 13 mm，先端长渐尖，下部收缩，至基部再扩展成耳状抱茎，上面绿色，无毛，下面淡绿色，沿叶脉被细密短柔毛，两面均有透明腺点，侧脉 4 ~ 5 对，网脉隐蔽。花通常 4 ~ 6 单生于茎端和枝端叶腋，稍密聚，略呈伞房花序状；花梗被毛，最下方的长约 5 mm，上方的极短；花萼长 4 ~ 5 mm，分裂达近基部，裂片披针形，宽约 2 mm，先端渐尖成钻形，背面中肋明显隆起；花冠黄色，长 6 ~ 7 mm，基部合生部分长 1 ~ 2 mm，裂片椭圆形，有透明腺点；

花丝基部合生成高约 1.2 mm 的短筒，离生部分长 2 ~ 4 mm，花粉粒具 3 孔沟，圆球形，表面具网状纹饰；子房无毛，花柱长约 5 mm。蒴果褐色，直径约 2.5 mm。花期 6 月。

| 生境分布 | 生于山坡路旁草丛中。分布于湖南湘西州（花垣）等。

| 资源情况 | 野生资源稀少。药材来源于野生。

| 功能主治 | 用于咳嗽痰多，咽喉肿痛，泄泻，小儿惊风。

报春花科 Primulaceae 珍珠菜属 Lysimachia

落地梅 *Lysimachia paridiformis* Franch.

| 药 材 名 | 四块瓦（药用部位：全草。别名：四大天王、四叶黄、锐卡瓦）。

| 形态特征 | 根茎粗短或呈块状；根簇生，纤维状，密被黄褐色绒毛。茎通常2至数条簇生，直立，高10～45 cm，不分枝，节部稍膨大。叶4～6在茎端轮生，下部叶退化成鳞片状，叶片倒卵形至椭圆形，长5～17 cm，宽3～10 cm，先端短渐尖，基部楔形，无柄，干时坚纸质，两面散生黑色腺条，侧脉4～5对。花于茎端集生成伞形花序；花梗长5～15 mm；花萼分裂达近基部；花冠黄色，基部合生部分长约3 mm，裂片狭长圆形，先端钝或圆形；花丝基部合生成高2 mm的筒，花药椭圆形；子房无毛，花柱长约8.5 mm。蒴果近球形，直径3.5～4 mm。花期5～6月，果期7～9月。

| 生境分布 | 生于海拔 1 400 m 以下的山谷林下湿润处。湖南各地均有分布。 |

| 资源情况 | 野生资源较丰富。药材来源于野生。 |

| 采收加工 | 全年均可采收，晒干或鲜用。 |

| 功能主治 | 辛、苦，温。祛风除湿，活血止痛，止咳，解毒。用于风热咳嗽，胃痛，风湿痛，跌打损伤，毒蛇咬伤，疖肿等。 |

| 用法用量 | 内服煎汤，30 ~ 60 g；或浸酒。外用适量，捣敷。 |

报春花科 Primulaceae 珍珠菜属 Lysimachia

狭叶落地梅 Lysimachia paridiformis Franch. var. stenophylla Franch.

| 药 材 名 | 追风伞（药用部位：全草。别名：伞叶排草）。

| 形态特征 | 根茎粗短或呈块状；根簇生，纤维状，密被黄褐色绒毛。茎通常 2 至数条簇生，直立，高 10 ~ 45 cm，不分枝，节部稍膨大。叶 6 ~ 18 在茎端轮生，下部叶退化呈鳞片状，叶片披针形至线状披针形，先端短渐尖，基部楔形，无柄，干时坚纸质，两面散生黑色腺条，侧脉 4 ~ 5 对。花于茎端集生成伞形花序，较大，长可达 17 mm；花梗长可达 3 cm；花萼分裂达近基部；花冠黄色，基部合生部分长约 3 mm，裂片狭长圆形，先端钝或圆形；花丝基部合生成高 2 mm 的筒；花药椭圆形；子房无毛，花柱长约 8.5 mm。蒴果近球形，直径 3.5 ~ 4 mm。花期 5 ~ 6 月，果期 7 ~ 9 月。

| 生境分布 | 生于山坡草地、灌木林下及沟边的阴湿处。分布于湖南湘潭（岳塘）、邵阳（邵阳）、永州（江永）、怀化（会同、芷江、沅陵、通道）、益阳（安化）、娄底（新化）等。

| 资源情况 | 野生资源一般。药材来源于野生。

| 采收加工 | 全年均可采收，洗净，鲜用或晒干。

| 功能主治 | 辛，温。祛风通络，活血止痛。用于风湿痹痛，半身不遂，小儿惊风，跌打骨折。

| 用法用量 | 内服煎汤，15 ~ 30 g；或浸酒。外用适量，研末敷。

报春花科 Primulaceae 珍珠菜属 *Lysimachia*

巴东过路黄 *Lysimachia patungensis* Hand.-Mazz.

| 药 材 名 | 巴山藤（药用部位：全草）。

| 形态特征 | 茎纤细，匍匐伸长，节上生根，密被铁锈色多细胞柔毛；分枝上升。叶对生，茎端的 2 对叶（其中 1 对常缩小成苞片状）密聚，呈轮生状，叶片阔卵形或近圆形，长 1.3 ~ 3.8 cm，宽 8 ~ 30 mm，两面密布具节糙伏毛；叶柄长约为叶片的 1/2，密被柔毛。花 2 ~ 4 集生于茎和枝的先端，无苞片；花梗长 6 ~ 25 mm，密被铁锈色柔毛；花萼分裂达近基部，裂片披针形；花冠黄色，内面基部橙红色，基部合生部分长 2 ~ 3 mm，裂片长圆形；花丝下部合生成高 2 ~ 3 mm 的筒，花药卵状长圆形，长约 1.5 mm；子房上部被毛，花柱长达 6 mm。蒴果球形，直径 4 ~ 5 mm。花期 5 ~ 6 月，果期 7 ~ 8 月。

| **生境分布** | 生于海拔 1 000 m 以下的山谷溪边和林下。湖南各地均有分布。

| **资源情况** | 野生资源较丰富。药材来源于野生。

| **采收加工** | 夏、秋季采收，除去杂质，洗净，晒干。

| **功能主治** | 辛，温。祛风除湿，活血止血。用于风寒咳嗽，风湿痹痛，跌打损伤。

| **用法用量** | 内服煎汤，15 ～ 30 g。外用适量，捣敷。

报春花科 | Primulaceae | 珍珠菜属 | *Lysimachia*

阔叶假排草

Lysimachia sikokiana Miq. subsp. *petelotii* (Merr.) C. M. Hu

| 药 材 名 | 阔叶假排草（药用部位：全草）。

| 形态特征 | 多年生草本。全株无毛，干后略有香气。茎高 10 ～ 40 cm，基部常倾卧生根。叶互生，向茎端稍密聚；叶柄长 2 ～ 8 mm；叶片卵形或宽椭圆形，长 3 ～ 14（～ 18）cm，基部鳞片状或仅存叶痕。花单生于叶腋或 2 ～ 5 生于叶腋的短枝先端；花梗长 1.5 ～ 3 cm；花萼长 4 ～ 7 mm，裂片卵状披针形；花冠黄色，深裂，裂片长圆形，长 0.9 ～ 1.3（～ 2）cm；花丝下部合生成浅环，花药长 5.5 ～ 9 mm，基着，顶孔开裂。蒴果直径 5 ～ 6 mm，果柄长达 6 cm。

| 生境分布 | 生于海拔 1 400 m 的山谷溪边或林下。分布于湖南郴州（桂东）等。

| **资源情况** | 野生资源稀少。药材来源于野生。

| **功能主治** | 用于乳痈。

报春花科 Primulaceae 珍珠菜属 Lysimachia

疏头过路黄 Lysimachia pseudohenryi Pamp.

| 药 材 名 | 疏头过路黄（药用部位：全草）。

| 形态特征 | 茎通常 2 ~ 4 簇生，直立或膝曲直立，基部圆柱形，密被多细胞柔毛。叶对生，茎下部的叶较小，菱状卵形或卵圆形，茎上部的叶较大，茎端的 2 ~ 3 对叶通常稍密聚，叶片卵形，稀卵状披针形，长 2 ~ 8 cm，宽 8 ~ 25 mm，先端锐尖或稍钝，两面均密被小糙伏毛，散生粒状半透明腺点，侧脉 2 ~ 3 对，纤细。花序为顶生、缩短成近头状的总状花序；花有时稍疏离，单生于茎端稍密聚的苞片状叶腋；花萼长 8 ~ 11 mm，裂片披针形，宽 1 ~ 1.5 mm，背面被柔毛；花冠黄色，长 10 ~ 15 mm，具透明腺点。蒴果近球形。花期 5 ~ 6 月，果期 6 ~ 7 月。

| 生境分布 | 生于海拔 1 500 m 以下的山地林缘和灌丛中。湖南有广泛分布。

| 资源情况 | 野生资源较少。药材来源于野生。

| 采收加工 | 夏季采收，晒干或鲜用。

| 功能主治 | 清热解毒，利尿排石。用于肾结石。

| 用法用量 | 内服煎汤，15 ～ 30 g。外用适量，捣敷。

报春花科 Primulaceae 珍珠菜属 Lysimachia

点叶落地梅

Lysimachia punctatilimba C. Y. Wu

| 药 材 名 | 点叶落地梅（药用部位：全草）。

| 形态特征 | 茎常自匍匐生根的基部直立，圆柱形，肥厚多汁，下部光滑，上部密被秕鳞状腺体，节间长 1.5 ~ 6 cm。叶对生，近等大，叶片卵圆形，长 3.5 ~ 8 cm，宽 1.8 ~ 5 cm，先端锐尖，基部阔楔形至近圆形，两面密布黑色腺点，侧脉 4 ~ 6 对；叶柄长 1 ~ 2 cm，具狭翅。花 2 ~ 6 在茎端簇生成头状花序状；花梗密被秕鳞状腺体；苞片卵圆形，长于花萼；花萼长 8 ~ 13 mm，分裂达近基部；花冠黄色，长 1.3 ~ 1.6 cm，基部合生部分长约 5 mm，裂片长圆形，先端圆钝，内面被秕鳞状腺体；花丝下部合生成高约 4 mm 的筒，花药卵圆形；子房无毛，花柱长 7 ~ 8 mm。蒴果近球形。花期 5 ~ 7 月。

生境分布	生于海拔 1 300 ~ 1 800 m 的山坡密林下和溪边。分布于湖南益阳（安化）等。
资源情况	野生资源稀少。药材来源于野生。
采收加工	全年均可采收，晒干。
功能主治	辛、苦，温。祛风除湿，活血止痛，止咳，解毒。用于风湿疼痛，脘腹疼痛，咳嗽，跌打损伤，疖肿疔疮，毒蛇咬伤。
用法用量	内服煎汤，30 ~ 60 g；或浸酒。外用适量，捣敷。

报春花科 Primulaceae 珍珠菜属 Lysimachia

显苞过路黄
Lysimachia rubiginosa Hemsl.

| 药 材 名 | 显苞过路黄（药用部位：全草）。

| 形态特征 | 茎直立或基部倾卧生根，被铁锈色柔毛；枝纤细，仅先端具叶状苞片及花。叶对生，卵形至卵状披针形，边缘具缘毛，两面疏被糙伏毛，密布黑色或棕褐色腺条，侧脉约 5 对；叶柄长 8 ~ 20 mm，具草质狭边缘。花 3 ~ 5，单生于枝端密集的苞腋；苞片叶状，卵形；花萼长 8 ~ 9 mm，分裂达近基部，裂片狭披针形，有黑色腺条；花冠黄色，长 13 ~ 15 mm，裂片狭长圆形，先端钝或锐尖，具黑色或褐色腺条；花丝基部合生成高约 3 mm 的筒，花药长圆形，长约 1.5 mm；子房上部被毛，花柱长约 7 mm。蒴果直径约 3 mm。花期 5 月，果期 7 ~ 8 月。

生境分布	生于海拔 140 m 以上的山谷溪旁、林下等的阴湿处。分布于湖南株洲（攸县）、岳阳（岳阳）、益阳（桃江、安化）、郴州（宜章）、永州（零陵、新田）、怀化（洪江）、张家界（慈利）、湘西州（保靖、龙山）等。
资源情况	野生资源较丰富。药材来源于野生。
采收加工	全年均可采收，鲜用或晒干。
功能主治	苦、酸，凉。清热解毒，利尿排石，活血散瘀。用于肝结石，胆结石，尿路结石，黄疸性肝炎，水肿，跌打损伤，毒蛇咬伤，毒蕈及药物中毒，化脓性炎症，烫火伤等。
用法用量	内服煎汤，10 ~ 60 g；或研末；或浸酒。外用适量，捣敷；或取汁涂。

报春花科 Primulaceae 珍珠菜属 Lysimachia

黔阳过路黄 Lysimachia sciadophylla Chen et C. M. Hu

| 药 材 名 | 黔阳过路黄（药用部位：全草）。

| 形态特征 | 茎 2 ~ 3 簇生，直立，高 18 ~ 40 cm，中部节间长 5 ~ 9 cm；枝纤细，仅先端具叶。叶对生，茎端的 3 ~ 4 对叶密聚，近轮生状，呈放射状展开，狭椭圆形，叶柄基部稍呈耳状扩展，呈半抱茎状；茎上部的叶狭披针形，长 3.5 ~ 7 cm，宽 4 ~ 9 mm，侧脉纤细，不明显。花 4 至多朵，于茎端和枝端密聚成头状花序状；苞片卵状披针形，边缘具铁锈色缘毛；花萼分裂达近基部，裂片钻形，无毛，两面密生粒状无色腺点；花冠黄色，长约 12 mm，基部合生部分长约 4 mm，裂片椭圆状倒卵形；花丝基部合生成高约 3 mm 的筒，花药线形，花粉粒近球形，表面具网状纹饰；子房无毛。花期 4 ~ 5 月。

| 生境分布 | 生于林缘和灌丛中。分布于湖南怀化（辰溪）等。 |

| 资源情况 | 野生资源稀少。药材来源于野生。 |

| 采收加工 | 全年均可采收，鲜用或晒干。 |

| 功能主治 | 苦、酸，凉。清热解毒，利尿排石，活血散瘀。用于肝结石，胆结石，尿路结石，黄疸性肝炎，水肿，跌打损伤，毒蛇咬伤，化脓性炎症，烫火伤等。 |

| 用法用量 | 内服煎汤，10 ~ 60 g；或浸酒。外用适量，捣敷；或取汁涂。 |

报春花科 Primulaceae 珍珠菜属 Lysimachia

腺药珍珠菜 Lysimachia stenosepala Hemsl.

| 药 材 名 | 水伤药（药用部位：全草）。

| 形态特征 | 多年生草本，全体光滑无毛。茎直立，高 30 ~ 65 cm，下部近圆柱形，上部四棱形，有分枝。叶对生，茎上部叶常互生，叶片披针形至长圆状披针形，长 4 ~ 10 cm，宽 0.8 ~ 4 cm，基部渐狭，边缘微呈皱波状，无柄。总状花序顶生，具疏花；苞片线状披针形；花梗长 2 ~ 7 mm，果时稍伸长；花萼分裂达近基部，裂片线状披针形，边缘膜质；花冠白色，钟状，基部合生部分长约 2 mm，裂片倒卵状长圆形，先端圆钝；雄蕊与花冠近等长，花丝贴生于花冠裂片的中下部，花药线形，药隔先端有红色腺体；子房无毛，花柱细长。蒴果球形。花期 5 ~ 6 月，果期 7 ~ 9 月。

| 生境分布 | 生于海拔 850 ～ 1 500 m 的山谷林缘、溪边和山坡草地的湿润处。分布于湖南娄底（新化、涟源）等。 |

| 资源情况 | 野生资源较少。药材来源于野生。 |

| 采收加工 | 夏、秋季采收，晒干或鲜用。 |

| 功能主治 | 苦、酸、涩，平。行气破血，消肿，解毒。用于经闭，劳伤，疔疮。 |

| 用法用量 | 内服煎汤，15 ～ 25 g。外用适量，捣敷。 |

报春花科 Primulaceae 珍珠菜属 Lysimachia

球尾花 *Lysimachia thyrsiflora* L.

| 药 材 名 | 球尾花（药用部位：全草）。

| 形态特征 | 多年生草本。茎直立，高 30 ~ 80 cm，上部被褐色柔毛。叶对生，无柄，叶片披针形或长圆状披针形，先端锐尖或渐尖，基部耳状半抱茎或钝，上面无毛，下面沿中脉被疏毛，两面均有黑色腺点。总状花序腋生，花密生成球状或短穗形，花序梗被柔毛；苞片线状钻形，长 3 ~ 5 mm，有黑色腺点；花萼长 2 ~ 3.5 cm，裂片 6 ~ 7，线状披针形，有黑色腺点；花冠黄色，长 5 ~ 6 cm，6 裂，裂片近分离，线形，有黑色腺点；雄蕊伸出花冠，花丝基部合生成极浅的环，贴生于花冠基部，花药长圆形，纵裂。蒴果近球形。花期 5 ~ 6 月，果期 7 ~ 8 月。

| 生境分布 | 生于山坡或湿草地。分布于湖南湘西州（泸溪）等。 |

| 资源情况 | 野生资源稀少。药材来源于野生。 |

| 采收加工 | 夏、秋季采收，洗净，切细，鲜用或晒干。 |

| 功能主治 | 辛、微涩，平。活血调经，解毒消肿。用于月经不调，带下，疳积，风湿性关节炎，跌打损伤，乳腺炎，蛇咬伤。 |

| 用法用量 | 内服煎汤，15 ~ 30 g。外用适量，鲜品捣敷。 |

报春花科 Primulaceae 珍珠菜属 *Lysimachia*

湘西过路黄 *Lysimachia xiangxiensis* D. G. Zhang, C. Mou et Y. Wu

| **药 材 名** | 湘西过路黄（药用部位：全草）。

| **形态特征** | 多年生草本，密被具节的糙伏毛。茎长 15 ～ 25 cm，丛生，在基部
分枝。叶对生，叶柄长 5 ～ 7 mm，叶片多汁，下部叶片菱状卵形至
卵形，具 1 或 2 对鳞状基生叶；上部叶片卵形至椭圆状披针形，沿
中脉密被具节的糙伏毛，两面无腺。花两性，单生于上部叶腋；花
梗长 1.5 ～ 3 cm，紫红色，密被糙伏毛；花萼裂片 5，宿存，先端
锐尖状钻形，内面无毛，具 3 ～ 4 脉，外面紫红色或绿色，密被具
节的糙伏毛；花冠黄色，花冠筒长 1 ～ 2 mm，裂片 5，近圆形至宽
椭圆形，先端骤尖或圆形；雄蕊 5，黄色，与花冠裂片对生。蒴果
棕色，近球形。花期 5 ～ 6 月，果期 7 ～ 8 月。

生境分布	生于山谷的石灰岩悬崖上。分布于湖南湘西州（吉首）等。
资源情况	野生资源稀少。药材来源于野生。
采收加工	夏、秋季采收，洗净，除去杂质，切段，鲜用或晒干。
功能主治	清利湿热，通淋，消肿。用于水肿，跌打损伤，烫火伤。
用法用量	内服煎汤，15 ~ 60 g，鲜品加倍；或代茶饮。外用适量，鲜品捣敷。

报春花科 Primulaceae 报春花属 *Primula*

鄂报春
Primula obconica Hance

药 材 名

鄂报春（药用部位：根及根茎。别名：岩丸子、四季报春）。

形态特征

多年生草本。根茎粗短，向下发出棕褐色长根。叶卵圆形或椭圆形，长 3 ~ 17 cm，宽 2.5 ~ 11 cm，先端圆形，基部心形，边缘具小齿或呈浅波状；叶柄长 3 ~ 14 cm，被白色或褐色柔毛。花葶 1 至多枝自叶丛中抽出，高 6 ~ 28 cm，被毛；伞形花序具 2 ~ 13 花；苞片线形至线状披针形，被柔毛；花萼杯状或阔钟状，具 5 脉，5 浅裂；花冠玫瑰红色，花冠筒长为花萼的 1.5 ~ 2 倍，喉部具环状附属物，裂片倒卵形，先端 2 裂；花异型或同型，长柱花的雄蕊着生于近花冠筒基部，花柱长达近花冠筒口，短柱花的雄蕊着生于花冠筒中上部，花柱长 2 ~ 2.5 mm；同型花的雄蕊着生处和花柱均达花冠筒口。蒴果球形。花期 3 ~ 6 月。

生境分布

生于海拔 500 ~ 1 500 m 的林下、水沟边和湿润岩石上。湖南有广泛分布。

| **资源情况** | 野生资源一般。药材来源于野生。

| **采收加工** | 秋季、初春采挖，除去地上部分，洗净，晒干。

| **药材性状** | 本品根茎呈不规则圆柱形，棕褐色，周围丛生多数灰白色或灰褐色须根。质脆，易碎。气微。

| **功能主治** | 苦，凉。解酒毒，止腹痛。用于嗜酒无度，酒毒伤脾，腹痛便泄。

| **用法用量** | 内服煎汤，9 ～ 15 g。

报春花科 Primulaceae 报春花属 Primula

卵叶报春 *Primula ovalifolia* Franch.

| 药 材 名 |　卵叶报春（药用部位：全草）。

| 形态特征 |　多年生草本，全株无粉。根茎粗短，具多数纤维状须根。开花期叶丛基部外围有红色鳞片；叶片阔椭圆形至阔倒卵形，侧脉 10 ～ 14 对，与网脉在下面均明显隆起；叶柄具狭翅，密被多细胞柔毛。花葶高 5 ～ 18 cm，被柔毛；伞形花序具 2 ～ 9 花；苞片近膜质；花梗长 5 ～ 20 mm，被柔毛；花萼钟状，外面被微柔毛；花冠紫色或蓝紫色，喉部具环状附属物，冠檐直径 1.5 ～ 2.5 cm，裂片倒卵形，先端具深凹缺；长柱花的花冠筒略长于花萼，雄蕊着生于花冠筒中部，花柱与花冠筒等长，短柱花的花冠筒长约为花萼的 1/2，雄蕊着生于近花冠筒口，花柱长 3.5 ～ 5 mm。蒴果球形，藏于萼筒中。花期 3 ～ 4 月，果期 5 ～ 6 月。

| 生境分布 | 生于海拔 600 ～ 1 800 m 的林下和山谷的背阴处。分布于湖南张家界（桑植）等。

| 资源情况 | 野生资源稀少。药材主要来源于野生。

| 采收加工 | 全年均可采收，鲜用或晒干。

| 功能主治 | 苦，凉。清热解毒，消肿止痛。用于酒精中毒，腹痛便泄，肺热咳嗽，风湿病，食积。

| 用法用量 | 内服煎汤，15 ～ 20 g。

报春花科 Primulaceae 报春花属 Primula

毛茛叶报春 *Primula cicutariifolia* Pax

| 药 材 名 |

毛茛叶报春（药用部位：全草）。

| 形态特征 |

多年生柔弱草本，全株无毛。叶丛生，叶柄长 0.6 ~ 2 cm，叶片椭圆形或长圆形，长 1 ~ 8 cm，宽 1 ~ 2 cm，羽状全裂，羽片 2 ~ 6 对，椭圆形或长圆形，长 0.3 ~ 1.3 cm，每边具 2 ~ 4 粗齿或缺刻。花葶细弱，高 1 ~ 5 cm；伞形花序具 2 ~ 4 花；花梗长 0.7 ~ 3 cm；花萼钟状，长 3 ~ 4.5 mm，分裂达中部以下，裂片披针形，先端锐尖或稍钝；花冠淡红色或淡蓝紫色，花冠筒长 4.5 ~ 6.5 mm，冠檐直径 4 ~ 8 mm，裂片楔状长圆形，先端近平截或微凹缺。蒴果近球形，直径约 2.5 mm。花期 3 ~ 4 月，果期 4 ~ 5 月。

| 生境分布 |

生于山谷林下阴湿地常有滴水的岩缝中。分布于湖南郴州（桂东）等。

| 资源情况 |

野生资源稀少。药材来源于野生。

| **采收加工** | 夏、秋季采收，洗净，切段，鲜用或晒干。 |

| **功能主治** | 清利解毒。用于毒蛇咬伤。 |

| **用法用量** | 内服煎汤，30 ~ 60 g，鲜品加倍。外用适量，鲜品捣敷。 |

报春花科 Primulaceae 水茴草属 Samolus

水茴草 *Samolus valerandii* L.

| 药 材 名 |

水茴草（药用部位：全草）。

| 形态特征 |

一年生草本，全株无毛。茎直立，在中部或基部分枝，高 10 ～ 30 cm。叶狭倒卵形、卵形或矩圆状卵形，先端钝圆或锐尖，具尖头，全缘；基生叶具叶柄，较大，长 4 ～ 6 cm；茎生叶较小，无柄，长 1 ～ 3 cm。总状花序；花梗长约 1.5 cm；苞片条形，生于花梗中部；花萼圆钟状，裂片 5，卵状三角形；花冠白色，直径 5 mm，5 裂，裂片宽卵形，先端钝尖。蒴果球形。

| 生境分布 |

生于海拔 100 ～ 1 300 m 的田野和水旁。分布于湖南郴州（临武）等。

| 资源情况 |

野生资源稀少。药材来源于野生。

| 采收加工 |

全年均可采收，洗净，切段，鲜用。

| **功能主治** | 用于创伤，皮疹，皮肤皲裂，癣。

| **用法用量** | 外用适量，捣敷；或捣汁涂。

| **附　　注** | 本种的拉丁学名在 FOC 中被修订为 *Samolus valerandi* Linnaeus。

白花丹科 Plumbaginaceae 白花丹属 *Plumbago*

蓝花丹
Plumbago auriculata Lam.

| 药 材 名 | 紫金莲（药用部位：根）。

| 形态特征 | 常绿柔弱半灌木，上端蔓状，除花序外无毛，被细小的钙质颗粒。叶薄，通常菱状卵形至狭长卵形，基部楔形，向下渐狭成柄。穗状花序有 18 ~ 30 花；总花梗短，通常长 2 ~ 12 mm，穗轴与总花梗密被灰白色至淡黄褐色短绒毛；苞片线状狭长卵形，先端短渐尖，小苞片狭卵形或长卵形；萼筒中部直径 1 ~ 1.2 mm，先端有 5 长卵状的短小裂片；花冠淡蓝色至蓝白色，花冠筒长 3.2 ~ 3.4 cm，冠檐宽阔，裂片倒卵形，先端圆；雄蕊略露出喉部之外，花药长约 1.7 mm，蓝色；子房近梨形，有 5 棱，棱在子房上部变宽而突出成角，花柱无毛，柱头内藏。花期 6 ~ 9 月和 12 月至翌年 4 月。

生境分布	栽培于肥沃、疏松、透气性良好的土壤中。湖南有广泛分布。
资源情况	栽培资源较少。药材来源于栽培。
采收加工	夏、秋季采收，切碎，晒干或鲜用。
功能主治	辛、甘，温；有毒。归肝经。行气，活血，止痛。用于脘腹胁痛，跌打损伤，骨折。
用法用量	内服煎汤，1.5 ~ 6 g；或鲜品捣汁；或浸酒。外用适量，捣敷。

白花丹科 Plumbaginaceae 白花丹属 *Plumbago*

白花丹
Plumbago zeylanica L.

| 药 材 名 | 白花丹根（药用部位：根）、白花丹叶（药用部位：叶）。 |

| 形态特征 | 常绿半灌木，直立，多分枝。枝条开散，常被明显钙质颗粒。叶薄，长卵形，先端渐尖，下部骤狭成钝或截形的基部而后渐狭成柄。穗状花序有多花；总花梗长 5 ~ 15 mm；花轴与总花梗皆有头状或具柄的腺；苞片狭长卵状三角形至披针形，先端渐尖或有尾尖；小苞片线形；花萼先端有 5 三角形小裂片，着生具柄的腺；花冠白色或微带蓝白色，花冠筒长 1.8 ~ 2.2 cm，冠檐直径 1.6 ~ 1.8 cm，裂片倒卵形，先端具短尖；雄蕊约与花冠筒等长，花药蓝色；子房椭圆形，有 5 棱，花柱无毛。蒴果长椭圆形，淡黄褐色；种子红褐色，先端尖。花期 10 月至翌年 3 月，果期 12 月至翌年 4 月。 |

| **生境分布** | 生于污秽阴湿处或半遮阴处。分布于湖南张家界（武陵源）、郴州（宜章、嘉禾）、永州（道县、江华）等。

| **资源情况** | 野生资源较少。药材来源于野生。

| **采收加工** | 白花丹根：秋季采挖，洗净，晒干。
白花丹叶：全年均可采收，切段晒干或鲜用。

| **功能主治** | 白花丹根：苦，微温；有毒。祛风止痛，散瘀消肿。用于风湿骨痛，跌打肿痛，胃痛，肝脾肿大。
白花丹叶：苦，微温；有毒。祛风止痛，散瘀消肿。用于跌打肿痛，扭挫伤，体癣。

| **用法用量** | 白花丹根：内服煎汤，15 ~ 25 g，久煎。
白花丹叶：外用适量，捣敷。

山榄科 Sapotaceae 铁线子属 *Manilkara*

人心果
Manilkara zapota (L.) van Royen

| 药 材 名 | 人心果皮（药用部位：树皮）。

| 形态特征 | 乔木。小枝茶褐色，具明显的叶痕。叶互生，密聚于枝顶，革质，长圆形或卵状椭圆形，长 6 ~ 19 cm，宽 2.5 ~ 4 cm，具光泽；叶柄长 1.5 ~ 3 cm。花 1 ~ 2 生于枝顶叶腋；花梗长 2 ~ 2.5 cm，密被黄褐色或锈色绒毛；花萼外轮 3 裂片长圆状卵形，内轮 3 裂片卵形；花冠白色，花冠管长 3.5 ~ 4.5 mm，花冠裂片卵形，先端具不规则的细齿，背部两侧具 2 等大的花瓣状附属物；能育雄蕊着生于花冠管的喉部，花丝丝状，花药长卵形，退化雄蕊花瓣状，长约 4 mm；子房圆锥形，密被黄褐色绒毛，花柱圆柱形。浆果纺锤形、卵形或球形，长超过 4 cm，褐色，果肉黄褐色；种子扁。花果期

4 ～ 9 月。

| 生境分布 | 栽培于高温多湿、肥沃深厚的砂壤土或黏壤土中。分布于湖南郴州（嘉禾）等。

| 资源情况 | 栽培资源较少。药材来源于栽培。

| 采收加工 | 全年均可采收，晒干。

| 功能主治 | 甘，平。归肺经。清肺，生津，利咽，解毒，止咳，镇咳。用于肺热，咽喉肿痛，解酒。

| 用法用量 | 内服煎汤，15 ～ 25 g。

柿科 Ebenaceae 柿属 Diospyros

乌柿
Diospyros cathayensis Steward

| **药 材 名** | 黑塔子根（药用部位：根）、黑塔子叶（药用部位：叶）。

| **形态特征** | 常绿或半常绿小乔木。树冠开展，多枝，有刺。小枝纤细，褐色至带黑色，有短柔毛；冬芽细小，芽鳞有微柔毛。叶薄革质，长圆状披针形，长 4 ~ 9 cm，宽 1.8 ~ 3.6 cm；叶柄短。雄花生于聚伞花序上，极少单生；花萼 4 深裂；花冠壶状，两面有柔毛，4 裂，反曲；雄蕊 16，分成 1 长 1 短的 8 对。雌花单生，腋外生，白色，芳香；花萼 4 深裂；花冠 4 裂，裂片覆瓦状排列，反曲，具退化雄蕊 6；子房球形，有长柔毛，6 室，每室 1 胚珠，花柱很短，柱头 6 浅裂，突出花冠外。果实球形，嫩时绿色，成熟时黄色；种子褐色，长椭圆形，侧扁；宿存萼 4 深裂。花期 4 ~ 5 月，果期 8 ~ 10 月。

| 生境分布 | 生于海拔 600 ～ 1 500 m 的河谷、山地或山谷林中。分布于湘中、湘南、湘西等。

| 资源情况 | 野生资源较丰富。药材来源于野生。

| 采收加工 | 黑塔子根：9 ～ 11 月采挖，洗净，切片，晒干。

黑塔子叶：夏、秋季采收，鲜用或晒干。

| 功能主治 | 黑塔子根：苦、涩，微寒。归肺、胃、大肠经。清肺热，凉血止血，行气利水。用于肺热咳嗽，吐血，肠风痔血，水臌腹胀，疮疖，烧伤。

黑塔子叶：归肺经。解毒散结。用于疮疖，烫火伤。

| 用法用量 | 黑塔子根：内服煎汤，15 ～ 30 g。

黑塔子叶：外用适量，研末调敷；或鲜品捣敷。

柿科 Ebenaceae 柿属 *Diospyros*

粉叶柿

Diospyros glaucifolia Metc.

| 药 材 名 | 粉叶柿叶（药用部位：叶）、粉叶柿蒂（药用部位：宿存萼）。

| 形态特征 | 落叶乔木。叶革质，宽椭圆形或卵形，长 7.5 ～ 17.5 cm，宽 3.5 ～ 7.5 cm；叶柄有槽。花雌雄异株；雄花 3 花集生成聚伞花序，有短硬毛；花萼 4 浅裂，裂片宽三角形；花冠壶形，4 浅裂，有短硬毛；雄蕊 16，每 2 连生成对，花药近长圆形，有绢毛；退化子房细小。雌花单生或 2 ～ 3 丛生，腋生；花萼 4 浅裂，裂片三角形，长约 1.5 mm，疏生柔毛；花冠带黄色，壶形，4 裂，有睫毛；子房 8 室，花柱 4 深裂，柱头 2 浅裂。果实球形或扁球形，成熟时红色，被白霜；种子近长圆形，侧扁，淡褐色，略有光泽；宿存萼花后增大，两侧略背卷；果柄极短。花期 4 ～ 7 月，果期 9 ～ 10 月。

| **生境分布** | 生于山坡、山谷混交林中或山谷涧畔。分布于湖南衡阳（衡山）、邵阳（邵阳）、怀化（靖州）、湘西州（吉首、古丈、永顺、凤凰）等。 |

| **资源情况** | 野生资源一般。药材来源于野生。 |

| **采收加工** | **粉叶柿叶**：霜降后采收，晒干。
粉叶柿蒂：采收后除去杂质，洗净，除去果柄，干燥。 |

| **功能主治** | **粉叶柿叶**：苦，寒。止咳定喘，生津止渴，活血止血。用于咳喘，消渴，各种内出血，臁疮。
粉叶柿蒂：苦、涩，平。降逆止呃。用于呃逆。 |

| **用法用量** | **粉叶柿叶**：内服煎汤，3 ~ 9 g；或代茶饮。外用适量，研末敷。
粉叶柿蒂：内服煎汤，5 ~ 10 g。 |

柿科 Ebenaceae 柿属 Diospyros

柿
Diospyros kaki Thunb.

| 药 材 名 |

柿叶（药用部位：叶）、柿蒂（药用部位：宿存萼）、柿霜（药材来源：果实制成柿饼时外表所生的白色粉霜）。

| 形态特征 |

落叶大乔木。树冠球形，枝开展。叶纸质，卵状椭圆形至倒卵形，较大；叶柄有浅槽。花雌雄异株，聚伞花序腋生。雄花序小，弯垂，有短柔毛；花 3 ~ 5，小；花萼钟状，4 深裂；花冠钟状，黄白色，裂片卵形；雄蕊 16 ~ 24；子房退化。雌花单生于叶腋；花萼绿色，4 深裂，萼管近球状钟形，肉质，裂片开展；花冠淡黄白色；退化雄蕊 8，带白色；子房近扁球形，具 4 棱，8 室；花柱 4 深裂，柱头 2 浅裂。果实球形、扁球形等，老熟时果肉柔软多汁，呈橙红色，有种子数颗；种子褐色，椭圆状，侧扁；宿存萼在花后增大增厚，裂片革质。花期 5 ~ 6 月，果期 9 ~ 10 月。

| 生境分布 |

栽培于阳光充足，土壤深厚、肥沃、湿润、排水良好处。湖南有广泛分布。

| 资源情况 | 栽培资源较丰富。药材来源于栽培。

| 采收加工 | 柿叶：霜降后采收，除去杂质，洗净，稍润，切丝，干燥。

柿蒂：采收后除去杂质，洗净，除去果柄，干燥或打碎。

柿霜：取近成熟的果实，剥去外皮，日晒夜露，制成柿饼，用竹片刮下柿饼外表所生的白色粉霜。

| 药材性状 | 柿蒂：本品呈扁圆形，直径 1.5 ～ 2.5 cm，中央较厚，微隆起，有果实脱落后的圆形疤痕，边缘较薄，4 裂，裂片多反卷，易碎；基部有果柄或圆孔状的果柄痕。外表面黄褐色或红棕色，内表面黄棕色，密被细绒毛。质硬而脆。气微，味涩。

柿霜：本品呈白色粉末状，质轻，易潮解。气微，味甜，有清凉感。

| 功能主治 | 柿叶：苦，寒。止咳定喘，生津止渴，活血止血。用于咳喘，消渴，各种内出血，臁疮。

柿蒂：苦、涩，平。归胃经。降逆止呃。用于呃逆。

柿霜：甘，凉。归心、肺、胃经。润肺止咳，生津利咽，止血。用于肺热燥咳，咽干喉痛，口舌生疮，吐血，咯血，消渴。

| 用法用量 | 柿叶：内服煎汤，3 ～ 9 g；或代茶饮。外用适量，研末敷。

柿蒂：内服煎汤，5 ～ 10 g。

柿霜：冲服，3 ～ 9 g；或入丸剂噙化。外用适量，撒敷。

柿科 Ebenaceae 柿属 Diospyros

野柿
Diospyros kaki Thunb. var. *silvestris* Makino

| **药 材 名** | 野柿叶（药用部位：叶）、野柿蒂（药用部位：宿存萼）、野柿霜（药材来源：果实制成柿饼时外表所生的白色粉霜）、野柿根（药用部位：根或根皮）。

| **形态特征** | 落叶大乔木。树冠球形，枝开展。叶纸质，卵状椭圆形至倒卵形，较小，背面密被柔毛。小枝及叶柄密被黄褐色柔毛。花雌雄异株，聚伞花序腋生。雄花序小，弯垂，有短柔毛；花3～5，小；花萼钟状，4深裂；花冠钟状，黄白色，裂片卵形；雄蕊16～24；子房退化。雌花单生于叶腋；花萼绿色，4深裂，萼管近球状钟形，肉质，裂片开展；花冠淡黄白色；退化雄蕊8，带白色；子房近扁球形，具4棱，8室，花柱4深裂，柱头2浅裂。果实球形、扁球形等，较小，

直径 2 ~ 5 cm，老熟时果肉柔软多汁，呈橙红色，有种子数颗；种子褐色，椭圆状，侧扁；宿存萼在花后增大增厚，裂片革质。花期 5 ~ 6 月，果期 9 ~ 10 月。

| 生境分布 | 生于海拔 1 600 m 以下的山地自然林、次生林或山坡灌丛中。湖南有广泛分布。

| 资源情况 | 野生资源较丰富。药材来源于野生。

| 采收加工 | **野柿叶：**霜降后采收，除去杂质，洗净，稍润，切丝，干燥。

野柿蒂：采收后除去杂质，洗净，除去果柄，干燥或打碎。

野柿霜：取近成熟的果实，剥去外皮，日晒夜露，制成柿饼，用竹片刮下柿饼外表所生的白色粉霜。

野柿根：9 ~ 10 月采挖，洗净，鲜用或晒干。

| 功能主治 | **野柿叶：**苦，寒。止咳定喘，生津止渴，活血止血。用于咳喘，消渴，各种内出血，臁疮。

野柿蒂：苦、涩，平。归胃经。降逆止呃。用于呃逆。

野柿霜：甘，凉。归心、肺、胃经。润肺止咳，生津利咽，止血。用于肺热燥咳，咽干喉痛，口舌生疮，吐血，咯血，消渴。

野柿根：涩，平。凉血止血。用于血崩，血痢，痔疮。

| 用法用量 | **野柿叶：**内服煎汤，3 ~ 9 g；或代茶饮。外用适量，研末敷。

野柿蒂：内服煎汤，5 ~ 10 g。

野柿霜：冲服，3 ~ 9 g；或入丸剂噙化。外用适量，撒敷。

野柿根：内服煎汤，50 ~ 100 g。外用适量，捣敷。

柿科 Ebenaceae 柿属 Diospyros

君迁子 *Diospyros lotus* L.

药材名

君迁子（药用部位：果实）。

形态特征

落叶乔木。树冠近球形。树皮灰黑色，深裂或呈不规则的厚块状剥落。叶近膜质，椭圆形至长椭圆形，长 5 ~ 13 cm，宽 2.5 ~ 6 cm。雄花 1 ~ 3，腋生，簇生；花萼钟形，4 裂；花冠壶形，红色或淡黄色；雄蕊 16，每 2 连生成对，花药披针形；子房退化。雌花单生，淡绿色或带红色；花冠壶形，裂片近圆形，反曲；退化雄蕊 8，着生于花冠基部，有白色粗毛；子房除先端外无毛，花柱 4。果实近球形或椭圆形，初熟时为淡黄色，后变为蓝黑色，被白色薄蜡层，8 室；种子长圆形，褐色；宿存萼 4 裂，深裂至中部，裂片卵形。花期 5 ~ 6 月，果期 10 ~ 11 月。

生境分布

生于海拔 500 ~ 1 500 m 的山地、山坡、山谷的灌丛中或林缘。分布于湘中、湘南、湘西等。

资源情况

野生资源较丰富。药材来源于野生。

| **采收加工** | 10 ～ 11 月果实成熟时采收。

| **功能主治** | 甘、涩，凉。滋补肝肾，润燥生津。用于消渴，烦热。

| **用法用量** | 内服煎汤，15 ～ 30 g。

柿科 Ebenaceae 柿属 Diospyros

山柿

Diospyros montana Roxb.

| 药 材 名 | 山柿根（药用部位：根或根皮）。

| 形态特征 | 乔木，高达 12 m。树皮带灰色，后变褐色，树干和老枝常散生分枝的刺，嫩枝稍被柔毛。叶近纸质或薄革质，形状变异多，通常倒卵形、卵形、椭圆形或长圆状披针形，通常长 3 ～ 5 cm，宽约 1.5 cm，先端钝，微凹或急尖，基部钝，圆形或近心形，两面多少被毛，中脉在上面凹陷，在下面凸起，侧脉每边 3 ～ 8；叶柄长 3 ～ 7 mm，被毛或变无毛。雄花小，生于聚伞花序上，长约 5 mm；雌花单生，花萼绿色，花冠淡黄色，子房无毛，8 室，花柱 4。果实球形，红色或褐色，直径 1.5 ～ 2.5 cm，8 室，宿存萼革质，直径 1.5 ～ 2.5 cm，裂片叶状，多少反曲，钝头；果柄长 3 ～ 8 mm。

| 生境分布 | 生于湿润疏林中及山谷林缘。分布于湖南衡阳（衡阳）、郴州（宜章）等。

| 资源情况 | 野生资源较少。药材来源于野生。

| 采收加工 | 9 ~ 10 月采收，洗净，鲜用或晒干。

| 功能主治 | 涩，平。清热解毒，凉血止血。用于血崩，血痢，痔疮，蜘蛛背。

| 用法用量 | 内服煎汤，30 ~ 60 g。外用适量，鲜品捣敷。

柿科 Ebenaceae 柿属 Diospyros

罗浮柿
Diospyros morrisiana Hance

| 药 材 名 | 罗浮柿（药用部位：叶、茎皮）。

| 形态特征 | 乔木。树皮呈片状剥落。枝灰褐色，有纵裂皮孔；冬芽圆锥状，有短柔毛。叶薄革质，长椭圆形；叶柄先端有很狭的翅。雄花序短小，腋生，聚伞花序式，有锈色绒毛；花白色；花萼钟状，有绒毛；花冠4裂，裂片卵形，反曲；雄蕊16～20，着生于花冠管的基部，花药有毛；花梗短，密生伏柔毛。雌花腋生，单生；花萼浅杯状；花冠近壶形，内面有浅棕色绒毛，裂片4，卵形；退化雄蕊6；子房球形，花柱4，合生至中部，有白毛。果实球形，黄色，有光泽，4室，每室有1种子；种子近长圆形，栗色，侧扁，背较厚；宿存萼近平展。花期5～6月，果期11月。

| **生境分布** | 生于海拔 1 100 ～ 1 450 m 的山林中或水边。分布于湖南株洲（茶陵）、郴州（宜章、永兴、汝城）、永州（冷水滩、江永）、怀化（中方、靖州）等。 |

| **资源情况** | 野生资源一般。药材来源于野生。 |

| **采收加工** | 夏、秋季采收，鲜用或晒干。 |

| **功能主治** | 苦、涩，凉。解毒消炎，收敛止泻。用于食物中毒，腹泻，痢疾，烫火伤。 |

| **用法用量** | 内服煎汤，9 ～ 15 g，鲜叶 30 g。外用适量，研末调敷。 |

柿科 Ebenaceae 柿属 Diospyros

油柿

Diospyros oleifera Cheng

| 药 材 名 |

油柿叶（药用部位：叶）、油柿蒂（药用部位：宿存萼）、油柿霜（药材来源：果实制成柿饼时外表所生的白色粉霜）、油柿根（药用部位：根或根皮）。

| 形态特征 |

落叶乔木。树皮呈薄片状剥落。树冠阔卵形。冬芽卵形。叶纸质，长圆形，两面有灰黄色柔毛。花雌雄异株或杂性。雄花的聚伞花序生于当年生枝下，腋生，单生，每花序有花 3 ~ 5；花萼 4 裂；花冠壶形；雄蕊 16 ~ 20，着生于花冠管的基部，花药线形；退化子房微小，密生长柔毛。雌花单生于叶腋，较雄花大；花萼钟形，4 深裂；花冠壶形，先端向后反曲；退化雄蕊 12 ~ 14，近线形；子房球形，8 室，花柱 4，基部合生。果实卵形，成熟时暗黄色，有易脱落的软毛，有种子 3 ~ 8；种子近长圆形，棕色；宿存花萼在花后增大，厚革质。花期 4 ~ 5 月，果期 8 ~ 10 月。

| 生境分布 |

栽培于村中、果园、路边、河畔等温暖湿润、土壤肥沃处。分布于湘东、湘中、湘南、

湘西等。

| 资源情况 | 栽培资源较丰富。药材来源于栽培。

| 采收加工 | **油柿叶：**霜降后采收，除去杂质，洗净，稍润，切丝，干燥。

油柿蒂：采收后除去杂质，洗净，除去果柄，干燥或打碎。

油柿霜：取近成熟的果实，剥去外皮，日晒夜露，制成柿饼，用竹片刮下柿饼外表所生的白色粉霜。

油柿根：9 ~ 10 月采挖，洗净，鲜用或晒干。

| 功能主治 |　油柿叶：苦，寒。止咳定喘，生津止渴，活血止血。用于咳喘，消渴，各种内出血，臁疮。

油柿蒂：苦、涩，平。归胃经。降逆止呃。用于呃逆。

油柿霜：甘，凉。归心、肺、胃经。润肺止咳，生津利咽，止血。用于肺热燥咳，咽干喉痛，口舌生疮，吐血，咯血，消渴。

油柿根：涩，平。清热，凉血，通经，利水。用于肺热咳嗽，吐血，肠风下血，停经。

| 用法用量 |　油柿叶：内服煎汤，3 ~ 9 g；或代茶饮。外用适量，研末敷。

油柿蒂：内服煎汤，5 ~ 10 g。

油柿霜：冲服，3 ~ 9 g；或入丸剂噙化。外用适量，撒敷。

油柿根：内服煎汤，25 ~ 50 g。

柿科 Ebenaceae 柿属 *Diospyros*

老鸦柿
Diospyros rhombifolia Hemsl.

| 药 材 名 | 老鸦柿（药用部位：根、枝）。

| 形态特征 | 落叶小乔木。树皮灰色，平滑。冬芽小，有柔毛。叶纸质，菱状倒卵形，长 4 ~ 8.5 cm，宽 1.8 ~ 3.8 cm。雄花生于当年生枝下部；花萼 4 深裂；花冠壶形，两面疏生短柔毛，5 裂；雄蕊 16；退化子房小，球形。雌花散生于当年生枝下部；花萼 4 深裂，裂片披针形；花冠壶形，4 裂，裂片长圆形，向外反曲；子房卵形，密生长柔毛，4 室，花柱 2，柱头 2 浅裂。果实单生，球形，成熟时橘红色，有蜡样光泽，无毛，有种子 2 ~ 4；种子褐色；宿存萼 4 深裂，裂片革质，长圆状披针形；果柄纤细，长 1.5 ~ 2.5 cm。花期 4 ~ 5 月，果期 9 ~ 10 月。

| **生境分布** | 生于山坡灌丛或山谷沟畔林中。分布于湖南衡阳（衡山）、郴州（桂阳、汝城）、怀化（溆浦）、长沙（浏阳）等。

| **资源情况** | 野生资源一般。药材来源于野生。

| **采收加工** | 全年均可采收，洗净，切片，晒干。

| **功能主治** | 苦，平。归肝经。清湿热，利肝胆，活血化瘀。用于急性黄疸性肝炎，肝硬化，跌打损伤。

| **用法用量** | 内服煎汤，10 ~ 30 g。

安息香科 Styracaceae 赤杨叶属 Alniphyllum

赤杨叶 *Alniphyllum fortunei* (Hemsl.) Makino

药材名

豆渣树（药用部位：叶。别名：冬瓜木、白花盏、白苍木）。

形态特征

乔木，高达 20 m。叶纸质，椭圆形或倒卵状椭圆形，长 8 ～ 20 cm，宽 4 ～ 11 cm，先端尖或渐尖，基部楔形，具锯齿，两面疏被星状柔毛，稀被星状绒毛，具白粉；叶柄长 1 ～ 2 cm。总状花序或圆锥花序，顶生或腋生，长 8 ～ 15 cm，有 10 ～ 20 花；花长 1.5 ～ 2 cm；花萼长 4 ～ 5 mm，萼齿卵状披针形，较萼筒长；花冠裂片长椭圆形，长 1 ～ 1.5 cm；花丝筒长约 8 mm。果实长圆形或长椭圆形，长 0.8 ～ 2.5 cm，直径 0.6 ～ 1 cm，成熟时黑色，5 瓣裂；种子多数，长 4 ～ 7 mm，两端有不等大膜质翅。花期 4 ～ 7 月，果期 8 ～ 10 月。

生境分布

生于海拔 200 ～ 1 000 m 的低山、丘陵岗地。分布于湘西、湘南、湘东等。

资源情况

野生资源一般。药材来源于野生。

| **采收加工** | 夏、秋季采收，洗净，晒干。

| **功能主治** | 辛，微温。祛风除湿，利水消肿。用于风湿痹痛，水肿，小便不利。

| **用法用量** | 内服煎汤，3 ~ 10 g。外用适量，煎汤洗。

安息香科 Styracaceae 陀螺果属 Melliodendron

陀螺果

Melliodendron xylocarpum Hand.-Mazz.

药材名

川鸦头梨（药用部位：枝、叶。别名：水冬瓜、冬瓜木、鸦头梨）。

形态特征

高大乔木。树皮灰褐色，有不规则条状裂纹。冬芽鳞片密被星状短柔毛。叶纸质，卵状披针形、椭圆形至长椭圆形，先端钝渐尖或急尖，基部楔形或宽楔形，边缘有细锯齿，嫩时两面密被星状短柔毛，成长后除叶脉外无毛；叶柄长 3 ~ 10 mm。花白色，花梗长 2 cm；花萼长 3 ~ 4 mm；花冠裂片长圆形，长 20 ~ 30 mm，宽 8 ~ 15 mm，先端钝，两面均密被细绒毛；雄蕊长约 10 mm；花柱长 13 mm。果实形状、大小变化较大，常为倒卵形、倒圆锥形或倒卵状梨形，先端短尖或凸尖，中部以下收狭，有时呈柄状，外面密被星状绒毛，有 5 ~ 10 棱或脊。花期 4 ~ 5 月，果期 7 ~ 10 月。

生境分布

生于海拔 1 000 ~ 1 500 m 的低山、丘陵岗地。分布于湖南邵阳（新邵）、郴州（苏仙、宜章、汝城）、永州（东安、道县、江永、蓝山）、衡阳（常宁）等。

| 资源情况 | 野生资源较少。药材来源于野生。

| 采收加工 | 夏、秋季采收，洗净，晒干。

| 功能主治 | 苦，微寒。清热，杀虫。用于便秘，小儿白秃疮。

| 用法用量 | 内服煎汤，3～6g；或研末。外用适量，捣敷。

安息香科 Styracaceae 白辛树属 Pterostyrax

小叶白辛树
Pterostyrax corymbosus Sieb. et Zucc.

| **药 材 名** | 小叶白辛树（药用部位：根皮）。

| **形态特征** | 乔木，高达 15 m。幼枝密被星状柔毛。叶纸质，倒卵形、宽倒卵形或椭圆形，长 6 ~ 14 cm，先端渐尖或尾尖，基部楔形，具锐锯齿，老叶下面绿色，疏被星状柔毛，侧脉 7 ~ 9 对；叶柄长 1 ~ 2 cm。花序长 3 ~ 8 cm；花白色；花梗长 1 ~ 2 mm；花萼钟状，长约 3 mm，具 5 脉，萼齿披针形，长约 2 mm；花冠裂片长圆形，长约 1 cm，基部稍合生；雄蕊稍长于花冠，花丝宽扁，膜质，中部以下连合成筒，膜质，内面被星状柔毛。果实倒卵形，长 1.2 ~ 2.2 cm，具 5 窄翅，密被星状绒毛，具圆锥状喙，长 2 ~ 4 mm。花期 3 ~ 4 月，果期 5 ~ 9 月。

| 生境分布 | 生于海拔 400 ~ 1 600 m 的山区河边和山坡的低凹湿润处。分布于湖南衡阳（衡山）、常德（桃源）、郴州（苏仙、桂阳、临武）、永州（新田）、怀化（麻阳）等。

| 资源情况 | 野生资源较少。药材来源于野生。

| 采收加工 | 8 ~ 10 月采收，洗净，阴干或鲜用。

| 功能主治 | 散瘀止痛。用于跌打肿痛。

| 用法用量 | 外用适量，捣敷。

安息香科 Styracaceae 白辛树属 Pterostyrax

白辛树
Pterostyrax psilophyllus Diels ex Perk.

| 药材名 | 白辛树皮（药用部位：根皮。别名：鄂西野茉莉、裂叶白辛树）。

| 形态特征 | 乔木，高 15 m，胸径达 45 cm。小枝被星状短柔毛。叶柄长 1 ~ 2 cm，密被星状短柔毛；叶长椭圆形、倒卵形或倒卵状长圆形，长 5 ~ 15 cm，宽 5 ~ 9 cm，先端急尖或渐尖，背面浅灰色，被星状绒毛，基部楔形，边缘有细锯齿。圆锥花序顶生或腋生，长 10 ~ 15 cm；花白色；花梗长约 2 mm；花瓣长椭圆形或椭圆状匙形，长约 6 mm，宽约 2.5 mm；花冠裂片长圆形，先端锐尖；花丝疏生长柔毛。果实近纺锤形，具 5 ~ 10 棱，密被灰黄色的疏展、丝质长硬毛，具喙。花期 4 ~ 5 月，果期 8 ~ 10 月。

| 生境分布 | 生于海拔 600 ~ 1 500 m 的林地。分布于湖南衡阳（衡山）、益阳（赫

山）、郴州（桂阳）、永州（祁阳、蓝山）、张家界（慈利）等。

| **资源情况** | 野生资源较少。药材来源于野生。

| **采收加工** | 8 ～ 10 月采收，洗净，阴干或鲜用。

| **功能主治** | 散瘀止痛。用于跌打肿痛。

| **用法用量** | 外用适量，捣敷。

安息香科 Styracaceae 安息香属 Styrax

灰叶安息香 *Styrax calvescens* Perk.

| 药 材 名 |

灰叶安息香（药用部位：叶）。

| 形态特征 |

小乔木或灌木。叶互生，近革质，椭圆形、倒卵形或椭圆状倒卵形，长 3 ~ 8 cm，先端渐尖或骤短尖，基部近圆形，中部以上具锯齿，上面疏被星状柔毛或无毛，下面密被灰色星状绒毛和星状柔毛。总状花序或圆锥花序，顶生或腋生，长 3.5 ~ 9 cm，有多花；花白色，长 1 ~ 1.5 cm；花梗长 0.5 ~ 1 cm；花萼杯状，长 3 ~ 5 mm，宽 3 ~ 4 mm，革质，被星状绒毛和柔毛，萼齿三角形，长不及 1 mm；花冠裂片长圆形，长 0.8 ~ 1 cm，宽 2 ~ 2.5 mm，边缘稍内折，镊合状排列；花丝分离部分下部被星状长柔毛。果实倒卵形，长约 8 mm，先端具短尖头；种子无毛。花期 5 ~ 6 月，果期 7 ~ 8 月。

| 生境分布 |

生于海拔 500 ~ 1 200 m 的山坡、河谷林中或林缘灌丛中。分布于湖南邵阳（绥宁）等。

| 资源情况 |

野生资源稀少。药材来源于野生。

| **采收加工** | 夏、秋季采收，洗净，晒干。

| **功能主治** | 润肺止咳。用于肺燥或阴虚所致咳嗽、咯血。

| **用法用量** | 内服煎汤，3 ～ 6 g。

安息香科 Styracaceae 安息香属 Styrax

赛山梅
Styrax confusus Hemsl.

| 药 材 名 | 赛山梅叶（药用部位：叶）、赛山梅（药用部位：果实。别名：油榨果、白扣子、白山龙）。

| 形态特征 | 小乔木。树皮灰褐色。小枝密被褐色的星状短柔毛。叶互生，叶片狭长圆形、倒卵状椭圆形，长 4 ~ 14 cm，宽 2.5 ~ 7 cm，先端急尖或钝渐尖，革质或近革质，疏被星状短柔毛。总状花序顶生；花3 ~ 8，白色；花梗长 1 ~ 1.5 cm；花萼杯状，长 5 ~ 8 mm，宽 5 ~ 6 mm，密被黄色或灰黄色星状绒毛和星状长柔毛，先端有 5 齿；花冠筒长 3 ~ 4 mm；花丝扁平，下部连合成管，上部分离，离生部分基部密被白色长柔毛。果实近球形或倒卵形，外面密被灰黄色星状绒毛和星状长柔毛；果皮常具皱纹；种子倒卵形，褐色，平滑或具

深皱纹。花期 4 ~ 6 月，果期 9 ~ 11 月。

| **生境分布** | 生于海拔 100 ~ 1 700 m 的丘陵、山地疏林中。分布于湘中、湘南等。

| **资源情况** | 野生资源一般。药材来源于野生。

| **采收加工** | **赛山梅叶：** 夏、秋季采收，晒干。
　　　　　　　赛山梅： 秋季果实成熟时采收。

| **功能主治** | **赛山梅叶：** 辛，温。祛风除湿。用于外伤出血，风湿痹痛，跌打损伤。
　　　　　　　赛山梅： 辛，温。祛风除湿，清热解毒，消痈散结。用于感冒发热。

| **用法用量** | **赛山梅叶：** 内服煎汤，3 ~ 6 g。外用适量，捣敷。

安息香科 Styracaceae 安息香属 Styrax

垂珠花 *Styrax dasyanthus* Perk.

| 药 材 名 |

垂珠花（药用部位：叶。别名：白克马叶）。

| 形态特征 |

乔木。树皮暗灰色或灰褐色。叶互生，近革质，倒卵形、倒卵状椭圆形或椭圆形，长 7 ~ 14 cm，宽 3.5 ~ 6.5 cm，先端骤短尖，基部楔形，中上部具细齿，幼叶两面疏被星状柔毛，后毛渐脱落，仅叶脉被毛；叶柄长 3 ~ 7 mm。圆锥花序或总状花序，长 4 ~ 8 cm，具多花，下部有 2 至多朵花聚生于叶腋；花白色；花梗长 0.6 ~ 1.2 cm；小苞片钻形，长约 2 mm；花萼杯状，长 4 ~ 5 mm，具 5 钻形或三角形齿；花冠裂片长圆形或长圆状披针形，长 6 ~ 8.5 mm，宽 1.5 ~ 3 mm；花丝分离部分下部密被长柔毛。果实卵形或球形，先端具短尖头，平滑或稍具皱纹；种子平滑。花期 3 ~ 5 月，果期 9 ~ 12 月。

| 生境分布 |

生于海拔 100 ~ 1 700 m 的丘陵、山地、山坡及溪边杂木林中。湖南各地均有分布。

| 资源情况 | 野生资源较少。药材来源于野生。 |

| 采收加工 | 夏、秋季采收，晒干。 |

| 药材性状 | 本品多皱缩破碎，完整者展平后呈矩圆状椭圆形、椭圆形或矩圆状倒卵形，长 3 ~ 10 cm，宽 2 ~ 5 cm，两侧多少不对称，脉在下面隆起，第三级小脉近平行，叶棕褐色，边缘有刺；叶柄短，长 1 ~ 3 mm。气微，味苦而甜。 |

| 功能主治 | 甘、苦，微寒。润肺止咳。用于肺燥咳嗽，干咳无痰，口燥咽干。 |

| 用法用量 | 内服煎汤，10 ~ 15 g。 |

安息香科 Styracaceae 安息香属 Styrax

白花龙 *Styrax faberi* Perk.

| 药 材 名 | 白花龙根（药用部位：根）、白花龙叶（药用部位：叶）、白花龙果（药用部位：果实）。

| 形态特征 | 灌木或小乔木。嫩枝纤弱，密被星状柔毛；老枝圆柱形，紫红色，直立或呈蜿蜒状。叶互生，纸质，椭圆形、倒卵形或长圆状披针形，边缘有细锯齿。总状花序长 3 ~ 4 cm，有 3 ~ 5 花，下部常单花腋生；花白色；小苞片钻形；花萼杯状，长 4 ~ 8 mm，宽 3 ~ 6 mm，萼齿钻形或三角形；花冠裂片膜质，披针形或长圆形，长 0.5 ~ 1.5 cm，宽 2.5 ~ 3 mm；花丝分离部分下部被长柔毛。核果倒卵形或近球形，长 6 ~ 8 mm，果皮厚约 0.5 mm；种子卵形，长约 5.5 mm，具 3 浅沟纹。花期 4 ~ 6 月，果期 8 ~ 10 月。

| 生境分布 | 生于海拔 100 ~ 600 m 的低山或丘陵灌丛中。湖南有广泛分布。 |

| 资源情况 | 野生资源较少。药材来源于野生。 |

| 采收加工 | 白花龙根：全年均可采挖，洗净，切段，晒干。
白花龙叶：夏、秋季采收，晒干。
白花龙果：10 月果实成熟后采收，晒干或鲜用。 |

| 功能主治 | 白花龙根：用于胃痛。
白花龙叶：止血，生肌，消肿。用于外伤出血，风湿痹痛，跌打损伤。
白花龙果：用于感冒发热。 |

| 用法用量 | **白花龙根、白花龙叶、白花龙果**：内服煎汤，5 ~ 15 g。外用适量，捣敷。 |

| 附　　注 | 本种与赛山梅 *Styrax confusus* Hemsl. 的区别在于本种为小灌木；叶纸质；总状花序有花 3 ~ 5，下部常单花腋生；果实较小，果皮薄，厚约 0.5 mm。 |

安息香科 Styracaceae 安息香属 Styrax

老鸹铃 *Styrax hemsleyanus* Diels

药材名

老鸹铃（药用部位：果实。别名：赫斯黎野茉莉）。

形态特征

乔木。叶纸质，生于小枝基部，近对生，长圆形或卵状长圆形，先端尖，基部近圆或宽楔形，两面叶脉被灰褐色星状柔毛，其余无毛。总状花序长 9 ~ 15 cm，有 8 ~ 10 花，基部常 2 ~ 3 分枝；花白色，长 1.8 ~ 2.7 cm；花梗长 2 ~ 4 mm；小苞片钻形，长 2 ~ 3 mm；花萼杯状，长 4 ~ 8 mm，萼齿 5，钻形或三角形，长 2 ~ 3 mm，边缘和先端常具褐色腺体；花冠裂片椭圆形，长约 1.5 cm，覆瓦状排列；雄蕊等长，花丝扁平，分离部分被星状毛。果实球形或卵形，先端具短尖头，稍具皱纹。花期 5 ~ 6 月，果期 7 ~ 9 月。

生境分布

生于海拔 1 000 ~ 2 000 m 的向阳山坡、疏林、林缘或灌丛中。分布于湘西北、湘南等。

资源情况

野生资源一般。药材来源于野生。

| 采收加工 | 秋季果实成熟后采摘，晒干。

| 功能主治 | 驱虫，止痛。用于虫积疼痛。

| 用法用量 | 内服煎汤，5 ~ 15 g。

安息香科 Styracaceae 安息香属 Styrax

野茉莉
Styrax japonicus Sieb. et Zucc.

| 药 材 名 | 野茉莉（药用部位：叶、虫瘿、花、果实。别名：木香柴、木橘子、山白果）。 |

| 形态特征 | 灌木或小乔木。叶互生，纸质或近革质，椭圆形或卵状椭圆形，长4～10 cm，先端尖或渐尖，常稍弯，基部楔形或宽楔形，近全缘或上部疏生锯齿，下面脉腋有长髯毛，其余无毛；叶柄长0.5～1 cm。总状花序顶生，有5～8花，无花序梗；花白色，无毛；小苞片线形，长4～5 mm；花萼漏斗状，膜质，长4～5 mm，无毛，萼齿短，不规则；花冠裂片卵形、倒卵形或椭圆形，长1.5～2.5 mm，覆瓦状排列；花丝扁平，分离部分的下部被长柔毛。果实卵形，先端具短尖头，具不规则皱纹；种子褐色，有深皱纹。花期4～7月，果期9～11月。 |

生境分布	生于海拔 400 ～ 1 800 m 的林中。栽培于水滨湖畔、溪流两旁、阴坡谷地或低山丘陵。湖南有广泛分布。
资源情况	野生资源较丰富。栽培资源一般。药材来源于野生和栽培。
采收加工	叶、虫瘿、花，春、夏季采收，晾干。果实，夏、秋季果熟期采摘，鲜用或晒干。
功能主治	辛、苦，温；有小毒。叶、虫瘿、果实，祛风除湿，舒筋通络。用于风湿痹痛。花，清火。用于喉痛，牙痛。
用法用量	叶、虫瘿、果实，外用适量，研末，烧烟熏。花，内服煎汤，3 ～ 10 g；或炖鸭 1 只，同服。

安息香科 Styracaceae 安息香属 Styrax

芬芳安息香 *Styrax odoratissimus* Champ.

| 药 材 名 |

芬芳安息香（药用部位：叶。别名：野茉莉、白木、郁香野茉莉）。

| 形态特征 |

小乔木。叶互生，卵形或卵状椭圆形，先端渐尖或尾尖，基部宽楔形或圆形，全缘或上部有疏齿，幼叶两面无毛或疏被星状柔毛，老叶下面脉腋被白色星状长柔毛；叶柄长 0.5 ~ 1 cm。总状花序或圆锥花序长 5 ~ 8 cm；花白色；花梗长 1.5 ~ 1.8 cm；小苞片钻形，长约 3 mm；花萼杯状，长、宽均约 5 mm，膜质，先端平截、波状或齿裂；花冠裂片椭圆形或倒卵状椭圆形，长 0.9 ~ 1.1 cm，覆瓦状排列；雄蕊较花冠短，花丝扁平，中部弯曲，全部密被星状柔毛。果实近球形，先端具弯喙；种子卵形，密被褐色鳞片状毛，具瘤状突起，稍具皱纹。花期 3 ~ 4 月，果期 6 ~ 9 月。

| 生境分布 |

生于海拔 600 ~ 1 600 m 的阴湿山谷、山坡疏林中。分布于湖南邵阳（隆回）、郴州（临武）、永州（道县）、怀化（辰溪）、湘潭（湘乡）、衡阳（常宁）、益阳（安化）等。

| 资源情况 | 野生资源较少。药材来源于野生。 |

| 采收加工 | 夏、秋季采摘，鲜用或晒干。 |

| 功能主治 | 微苦，微温。润肺止咳，清热解毒。用于肺热咳嗽，肺痨咳嗽，疔疮。 |

| 用法用量 | 内服煎汤，5 ~ 15 g。外用适量，捣敷。 |

安息香科 Styracaceae 安息香属 Styrax

栓叶安息香
Styrax suberifolius Hook. et Arn.

| 药 材 名 | 红皮（药用部位：叶、根）。

| 形态特征 | 高大乔木。叶互生，革质，椭圆形、长椭圆形或椭圆状披针形，先端渐尖，尖头稍弯，基部楔形，全缘，上面中脉被毛，下面密被黄褐色或灰褐色星状绒毛；叶柄长 1 ~ 1.5 cm，密被星状绒毛。总状花序或圆锥花序，长 6 ~ 12 cm；花序梗和花梗均密被星状柔毛；花白色，长 1 ~ 1.5 cm；花梗长 1 ~ 3 mm；小苞片钻形；花萼杯状，长 3 ~ 5 mm，萼齿三角形或波状，密被灰黄色星状绒毛并散生星状毛；花冠裂片 4 ~ 5，披针形或长圆形，长 0.8 ~ 1 cm，镊合状排列；雄蕊 8 ~ 10，花丝分离部分全被星状柔毛。果实卵状球形，3 瓣裂；宿存萼包裹果实基部 1/2。花期 3 ~ 5 月，果期 9 ~ 11 月。

| 生境分布 | 生于海拔 100 ~ 1 800 m 的山坡、山谷林中或林缘。分布于湘西、湘南等。 |

| 资源情况 | 野生资源较少。药材来源于野生。 |

| 采收加工 | 夏、秋季采收，洗净，叶晒干，根切片晒干。 |

| 药材性状 | 本品叶片皱缩破碎，完整者展平后呈椭圆形、椭圆状矩圆形或披针状矩圆形，长 7 ~ 8.5 cm，宽 2 ~ 3.7 cm，上面黄绿色或棕绿色，下部叶脉凸起，革质。 |

| 功能主治 | 辛，微温。祛风除湿，理气止痛。用于胃气痛，风湿关节痛。 |

| 用法用量 | 内服煎汤，3 ~ 10 g；或研末。外用适量，煎汤熏洗。 |

安息香科 Styracaceae 安息香属 Styrax

越南安息香 *Styrax tonkinensis* (Pierre) Craib ex Hartw.

| 药 材 名 | 安息香（药用部位：树脂。别名：白花树、白花木、牛奶树）。

| 形态特征 | 乔木，高达 30 m。叶互生，纸质或薄革质，椭圆形、椭圆状卵形或卵形，长 5 ~ 18 cm，先端短渐尖，基部圆形或楔形，全缘或有 2 ~ 3 齿，下面密被灰色星状绒毛；叶柄长 0.8 ~ 1.5 cm。圆锥花序或总状花序，长 3 ~ 10 cm；花白色，长 1.2 ~ 2.5 cm；花萼杯状，长 3 ~ 5 mm；花冠裂片膜质，卵状披针形或椭圆状长圆形，长 1 ~ 1.6 cm，覆瓦状排列，花冠筒长 3 ~ 4 mm；花丝扁平，上部分离，疏被星状毛，下部连合成筒，花药窄长圆形，长 0.4 ~ 1 cm；花柱无毛。果实近球形，密被灰色星状绒毛；种子卵形，栗褐色，密被小瘤状突起和星状毛。花期 4 ~ 6 月，果期 8 ~ 10 月。

| 生境分布 | 生于海拔 100 ～ 2 000 m 的疏林中或林缘。栽培于水滨湖畔、溪流两旁、阴坡谷地。分布于湖南郴州（桂东）等。

| 资源情况 | 野生资源稀少。栽培资源较少。药材来源于野生和栽培。

| 采收加工 | 收集树干经自然损伤或于夏、秋季割裂树干流出的树脂，阴干。

| **药材性状** | 本品自然出脂为不规则的小块，稍扁平，常黏结成团块。表面橙黄色，具蜡样光泽；人工割脂呈不规则的圆柱状、扁平块状，表面灰白色至淡黄白色。质脆，易碎，断面平坦，白色，放置后逐渐变为淡黄棕色至红棕色，加热则软化。气芳香，味微辛，嚼之有砂粒感。

| **功能主治** | 辛、苦，平。归心、脾经。开窍醒神，行气活血，止痛。用于中风痰厥，气郁暴厥，中恶昏迷，心腹疼痛，产后血晕，小儿惊风。

| **用法用量** | 内服研末，0.3 ~ 1 g；或入丸、散剂，0.6 ~ 1.5 g。外用适量，烧烟熏。

| **附　　注** | 本种与喙果安息香 *Styrax agrestis* G. Don. 的区别在于本种叶背密被灰白色星状绒毛。

山矾科 Symplocaceae 山矾属 Symplocos

薄叶山矾 *Symplocos anomala* Brand

药材名

薄叶山矾（药用部位：果实。别名：薄叶冬青）。

形态特征

小乔木或灌木，顶芽、嫩枝被褐色柔毛。叶薄革质，窄椭圆形、椭圆形或卵形，长 5 ~ 7 cm，先端渐尖，基部楔形，全缘或具锐锯齿，中脉和侧脉在上面凸起，侧脉 7 ~ 10 对。总状花序腋生，长 0.8 ~ 1.5 cm，有时基部有 1 ~ 3 分枝，被柔毛；苞片与小苞片先端尖，有缘毛；花萼长 2 ~ 2.3 mm，被微柔毛，5 裂，裂片半圆形，与萼筒等长，有缘毛；花冠白色，有桂花香，长 4 ~ 5 mm，5 深裂达近基部；雄蕊约 30，花丝基部稍合生；花盘环状，被柔毛；子房 3 室。核果褐色，长圆形，被柔毛，有纵棱；宿存萼裂片直立或向内伏。花果期 4 ~ 12 月，边开花边结果。

生境分布

生于海拔 1 000 ~ 1 700 m 的山地林中。湖南各地均有分布。

| **资源情况** | 野生资源一般。药材来源于野生。

| **采收加工** | 果熟期采摘，鲜用或晒干。

| **功能主治** | 活血消肿。用于跌打肿痛。

| **用法用量** | 内服煎汤，5 ~ 10 g；或研末。外用适量，捣敷。

山矾科 Symplocaceae 山矾属 Symplocos

总状山矾 *Symplocos botryantha* Franch.

| 药 材 名 |

总状山矾（药用部位：果实）。

| 形态特征 |

常绿乔木。嫩枝黄绿色，老枝褐色，无毛。叶厚革质，长圆状椭圆形、卵形或倒卵形，长 6 ~ 9 cm，宽 2.5 ~ 3.5 cm，先端尾状渐尖，基部楔形或宽楔形，边缘具波状齿，中脉在叶面凹下，侧脉不明显；叶柄长 0.8 ~ 1 cm。总状花序长 2 ~ 4 cm，被展开的长柔毛；小苞片条状披针形，长约 5 mm，被绢状长毛和缘毛；花萼无毛，长 2 ~ 3 mm，裂片三角状卵形，短于萼筒，长 0.5 ~ 0.7 mm；花冠长 5 ~ 6 mm，5 深裂达近基部；雄蕊 24 ~ 30，花丝扁平，基部稍连合；花盘无毛。核果坛形，先端宿存萼裂片直立或稍向内弯。

| 生境分布 |

生于海拔 1 700 m 以下的山林间。分布于湘东、湘南、湘西等。

| 资源情况 |

野生资源一般。药材来源于野生。

| **采收加工** | 果熟期采摘，鲜用或晒干。

| **功能主治** | 补肝益肾，强筋壮骨。

| **用法用量** | 内服煎汤，5～10 g；或研末。

| **附　注** | 本种在 FOC 中被修订为山矾 *Symplocos sumuntia* Buchanan-Hamilton ex D. Don。

山矾科 Symplocaceae 山矾属 Symplocos

华山矾 *Symplocos chinensis* (Lour.) Druce

| **药 材 名** | 华山矾（药用部位：根、叶。别名：土常山、狗屎木、华灰木）。

| **形态特征** | 灌木，嫩叶、叶柄、叶下面均被灰黄色皱曲柔毛。叶纸质，椭圆形或倒卵形，长 4 ~ 7 cm，先端急尖或短尖，有时圆，基部楔形或圆形，有细尖锯齿，上面有柔毛，中脉凹下，侧脉 4 ~ 7 对。圆锥花序长 4 ~ 7 cm，花序轴、苞片、花萼外面均被灰黄色皱曲柔毛；苞片早落；花萼长 2 ~ 3 mm，裂片长圆形，长于萼筒；花冠白色，芳香，长约 4 mm，5 深裂达近基部；雄蕊 50 ~ 60，花丝基部合生成五体雄蕊；花盘具 5 凸起腺点；子房 2 室。核果卵状球形，歪斜，长 5 ~ 7 mm，被紧贴柔毛，成熟时蓝色，宿存萼裂片内伏。花期 4 ~ 5 月，果期 8 ~ 9 月。

| 生境分布 | 生于海拔 1 000 m 以下的丘陵、山坡或林中。湖南有广泛分布。

| 资源情况 | 野生资源丰富。药材来源于野生。

| 采收加工 | 根，全年均可采挖，晒干。叶，夏、秋季采摘，切碎，晒干或鲜用。

| 药材性状 | 本品叶片多皱缩破碎，绿色或黄绿色，完整者展平后呈椭圆形或倒卵形，先端急尖或短尖，基部楔形或圆形，边缘有细小锯齿，上面有短柔毛，中脉在上面凹下，侧脉每边 4 ～ 7。嫩枝、叶柄、叶下面均被黄色皱曲柔毛。叶片纸质。气微，味苦。

| 功能主治 | 根，甘、微苦，凉。解表退热，解毒除烦。用于感冒发热，心烦口渴，疟疾，腰腿痛，狂犬咬伤，毒蛇咬伤。叶，止血生肌。用于外伤出血，蛇咬伤。

| 用法用量 | 根，内服煎汤，15 ～ 25 g。外用适量，鲜品捣敷；或干品研末敷。叶，内服，鲜品捣汁，冲酒，15 ～ 30 g。

山矾科 Symplocaceae 山矾属 Symplocos

南岭山矾 *Symplocos confusa* Brand

| 药 材 名 |

南岭山矾（药用部位：叶）。

| 形态特征 |

常绿小乔木，芽、苞片及花萼均被灰色或灰黄色柔毛。叶近革质，椭圆形、倒卵状椭圆形或卵形，长 5 ～ 12 cm，先端急尖或短渐钝尖，全缘或具疏圆齿，中脉在上面凹下，侧脉 5 ～ 9 对；叶柄长 1 ～ 2 cm。总状花序长 14.5 cm；苞片先端圆，长 1.5 ～ 2 mm，小苞片先端尖；花萼钟形，长 2.2 ～ 3.2 mm，先端有 5 浅圆齿；花冠白色，长 4.5 ～ 7 mm，5 深裂至中部；雄蕊 40 ～ 50，花丝粗而扁平，有细锯齿，基部连合，着生于花冠喉部；花盘环状，有细柔毛；子房 2 室，花柱长约 5 mm，粗壮，疏被细柔毛，柱头半球形。核果卵形，先端圆，长 4 ～ 5 mm，被柔毛，宿存萼裂片直立或内倾。花期 6 ～ 8 月，果期 9 ～ 11 月。

| 生境分布 |

生于海拔 500 ～ 1 600 m 的溪边、路旁、石山或山坡阔叶林中。分布于湖南永州（双牌）、怀化（沅陵、溆浦）等。

| 资源情况 | 野生资源稀少。药材来源于野生。

| 采收加工 | 全年均可采收，鲜用或晒干。

| 功能主治 | 辛、苦，平。清热利湿，理气化痰。

| 用法用量 | 内服煎汤，5 ~ 10 g；或代茶饮。

密花山矾 *Symplocos congesta* Benth.

| 药 材 名 | 密花山矾（药用部位：根）。

| 形态特征 | 常绿乔木或灌木，幼枝、芽均被褐色皱曲柔毛。叶纸质，椭圆形或倒卵形，长 8 ~ 10 cm，宽 2 ~ 6 cm，先端渐尖或急尖，基部楔形或宽楔形，通常全缘，稀疏生细尖锯齿，中脉和侧脉在上面均凹下，侧脉 5 ~ 10 对；叶柄长 1 ~ 1.5 cm。聚伞花序腋生；苞片和小苞片均被褐色柔毛，边缘有 4 ~ 5 长圆形、透明腺点；花萼有时红褐色，长 3 ~ 4 mm，有纵纹，裂片卵形或宽卵形，覆瓦状排列；花冠白色，长 5 ~ 6 mm，5 深裂达近基部，裂片椭圆形；雄蕊约 50，花丝基部稍连合；子房 3 室。核果成熟时紫蓝色，多汁，圆柱形，宿存萼裂片直立；核约有 10 纵棱。花期 8 ~ 11 月，果期翌年 1 ~ 2 月。

| 生境分布 | 生于海拔 200 ～ 1 500 m 的密林中。分布于湖南益阳（桃江）、株洲（渌口）、衡阳（衡东）等。 |

| 资源情况 | 野生资源稀少。药材来源于野生。 |

| 采收加工 | 全年均可采挖，洗净，切片，晒干或鲜用。 |

| 功能主治 | 消肿止痛。用于跌打损伤。 |

| 用法用量 | 内服煎汤，9 ～ 15 g。外用适量，煎汤洗；或捣敷。 |

山矾科 Symplocaceae 山矾属 Symplocos

美山矾 *Symplocos decora* Hance

| 药 材 名 | 美山矾叶（药用部位：叶）。

| 形态特征 | 常绿小乔木，高 4 ~ 6 m。嫩枝初被白蜡层，呈灰白色，旋即脱落成紫黑色。叶革质，卵形、椭圆形或倒卵状椭圆形，长 4 ~ 11 cm，先端具短突钝尖，基部宽楔形或圆形，具浅锯齿；叶柄长 0.5 ~ 1 cm。总状花序生于枝端叶腋，不分枝，长 3 ~ 6 cm，无毛或稍被柔毛；苞片近圆形，直径约 5 mm，早落；花梗长 0.8 ~ 5 mm，有关节；花萼长 3 ~ 4 mm，萼筒倒圆锥形，裂片三角状卵形，与萼筒等长；花冠白色，芳香，长 5 ~ 7 mm，5 深裂几达基部；雄蕊约 25，花丝基部合生；花盘环状；子房 3 室。核果坛形。花期 3 ~ 5 月，果期 7 ~ 10 月。

| 生境分布 | 生于海拔 500 ～ 1 800 m 的林中或丘陵岗地。分布于湖南株洲（醴陵）、衡阳（祁东）、长沙（浏阳）等。 |

| 资源情况 | 野生资源稀少。药材来源于野生。 |

| 采收加工 | 全年均可采收，晒干或鲜用。 |

| 功能主治 | 清热解毒。用于感冒发热。 |

| 用法用量 | 内服煎汤，15 ～ 30 g。 |

| 附　注 | 本种在 FOC 中被修订为山矾 *Symplocos sumuntia* Buchanan-Hamilton ex D. Don。 |

山矾科 Symplocaceae 山矾属 Symplocos

羊舌树

Symplocos glauca (Thunb.) Koidz.

| 药 材 名 | 羊舌树（药用部位：树皮。别名：狗舌头叶）。

| 形态特征 | 乔木，芽、嫩枝、花序均密被褐色绒毛。小枝褐色。叶常簇生于小枝上端，窄椭圆形或倒披针形，长 6 ~ 15 cm，宽 2 ~ 4 cm，先端急尖或短渐尖，基部楔形，全缘，叶下面通常呈苍白色，干后呈褐色，中脉在上面凹下，侧脉和网脉在叶面凸起，侧脉 5 ~ 12 对；叶柄长 1 ~ 3 cm。穗状花序基部通常分枝，长 1 ~ 1.5 cm，在花蕾时常呈团伞状；苞片被褐色绒毛；花萼长约 3 mm，裂片被褐色绒毛，约与萼筒等长；花冠长 4 ~ 5 mm，5 深裂几达基部，裂片椭圆形，先端圆；雄蕊 30 ~ 40，花丝细长，基部稍合生；花盘环状；子房 3 室。核果窄卵形，长 1.5 ~ 2 cm，宿存萼裂片直立；核具浅纵棱。花期 4 ~ 8 月，果期 8 ~ 10 月。

| 生境分布 | 生于海拔 600 ~ 1 600 m 的林间。分布于湖南郴州（桂东）等。 |

| 资源情况 | 野生资源稀少。药材来源于野生。 |

| 采收加工 | 夏、秋季采收，晒干。 |

| 功能主治 | 清热解表。用于感冒头痛，口燥，身热。 |

| 用法用量 | 内服煎汤，9 ~ 15 g。 |

山矾科　Symplocaceae　山矾属　Symplocos

光叶山矾 *Symplocos lancifolia* Sieb. et Zucc.

| 药 材 名 | 刀灰树（药用部位：根、叶。别名：滑叶常山）。

| 形态特征 | 小乔木，芽、嫩枝、嫩叶下面脉上、花序均被黄褐色柔毛。小枝细长，黑褐色。叶纸质或近膜质，干后有时呈红褐色，卵形或宽披针形，长 3 ~ 6 cm，宽 1.5 ~ 2.5 cm，先端尾尖，基部宽楔形或稍圆形，疏生浅钝锯齿，中脉在上面平，侧脉纤细，6 ~ 9 对；叶柄长约 5 mm。穗状花序长 1 ~ 4 cm；苞片长约 2 mm，小苞片长 1.5 mm，宽 2 mm，背面均被柔毛，有缘毛；花萼长 1.6 ~ 2 mm，5 裂，裂片卵形，先端圆，背面被微柔毛，与萼筒等长或稍长于萼筒；花冠淡黄色，裂片椭圆形；雄蕊约 25，花丝基部稍合生；子房 3 室。核果近球形，宿存萼裂片直立。花期 3 ~ 11 月，果期 6 ~ 12 月，边开花边结果。

| **生境分布** | 生于海拔 1 200 m 以下的林中。湖南各地均有分布。

| **资源情况** | 野生资源较少。药材来源于野生。

| **采收加工** | 全年均可采收，根洗净，切片，晒干或鲜用，叶鲜用。

| **功能主治** | 甘，平。止血生肌，和肝健脾。用于外伤出血，吐血，咯血，疮疖，疳积，结膜炎。

| **用法用量** | 内服煎汤，30 ~ 60 g。外用适量，鲜品捣敷；或干品研末敷。

山矾科 Symplocaceae 山矾属 Symplocos

黄牛奶树

Symplocos laurina (Retz.) Wall.

| 药 材 名 | 泡花子（药用部位：树皮。别名：苦山矾、花香木）。

| 形态特征 | 乔木，芽被褐色柔毛。叶革质，倒卵状椭圆形或窄椭圆形，长 7 ~ 14 cm，先端急尖或渐尖，基部楔形，有细小锯齿，中脉在上面凹下，侧脉 5 ~ 7 对；叶柄长 1 ~ 1.5 cm。穗状花序长 3 ~ 6 cm，基部通常分枝，花序轴通常被柔毛，果时毛渐脱落；苞片和小苞片外面均被柔毛，边缘有腺点，苞片宽卵形，长约 2 mm，小苞片长约 1 mm；花萼长约 2 mm，裂片半圆形，短于萼筒；花冠白色，长约 4 mm，5 深裂几达基部；雄蕊约 30，花丝长 3 ~ 5 mm，基部稍合生；子房 3 室；花盘环状。核果球形，宿存萼裂片直立。花期 8 ~ 12 月，果期翌年 3 ~ 6 月。

| 生境分布 | 生于海拔 1 100 ~ 1 700 m 的村边石山上或密林中。分布于湖南邵阳（洞口）、郴州（北湖、临武）、永州（东安、双牌）等。 |

| 资源情况 | 野生资源较少。药材来源于野生。 |

| 采收加工 | 全年均可采收，晒干。 |

| 功能主治 | 苦、涩，凉。归肺经。清热解表。用于感冒身热，头昏口燥。 |

| 用法用量 | 内服煎汤，15 ~ 30 g。 |

山矾科 | Symplocaceae | 山矾属 | Symplocos

白檀
Symplocos paniculata (Thunb.) Miq.

| 药 材 名 | 白檀（药用部位：根、叶、花、种子。别名：野荞面根、地胡椒、乌子树）。

| 形态特征 | 落叶灌木或小乔木。嫩枝有灰白色柔毛，老枝无毛。叶膜质或薄纸质，先端急尖或渐尖，基部阔楔形或近圆形，边缘有细尖锯齿，叶面无毛或有柔毛，叶背通常有柔毛或仅脉上有柔毛；中脉在叶面凹下；叶柄长 3 ~ 5 mm。圆锥花序长 5 ~ 8 cm，通常有柔毛；苞片早落，通常呈条形，有褐色腺点；花萼长 2 ~ 3 mm，萼筒褐色，无毛或有疏柔毛，裂片半圆形或卵形，稍长于萼筒，淡黄色，有纵脉纹，边缘有毛；花冠白色，长 4 ~ 5 mm，5 深裂几达基部；雄蕊 40 ~ 60，子房 2 室，花盘具 5 凸起的腺点。核果成熟时蓝色，卵状球形，稍偏斜，先端宿存萼裂片直立。

生境分布	生于海拔 760 ~ 2 000 m 的山坡、路边、疏林或密林中。湖南有广泛分布。
资源情况	野生资源丰富。药材来源于野生。
采收加工	秋、冬季采挖根，春、夏季采摘叶，5 ~ 7 月花果期采收花、种子，晒干。
功能主治	苦，微寒。清热解毒，调气散结，祛风止痒。用于乳腺炎，淋巴结炎，肠痈，疮疖，疝气，荨麻疹，皮肤瘙痒。
用法用量	内服煎汤，9 ~ 24 g，单用根 30 ~ 45 g。外用适量，煎汤洗；或研末调敷。

山矾科 Symplocaceae 山矾属 Symplocos

叶萼山矾
Symplocos phyllocalyx Clarke

| 药 材 名 | 茶条果（药用部位：叶）。

| 形态特征 | 常绿小乔木。小枝粗壮，黄绿色，稍具棱，无毛。叶革质，狭椭圆形、椭圆形或长圆状倒卵形，先端急尖或短渐尖，基部楔形，边缘具波状浅锯齿，中脉和侧脉在叶面均凸起，侧脉每边 8 ~ 12，在近边缘处分叉网结；叶柄长 8 ~ 15 mm。穗状花序与叶柄等长或稍短于叶柄，长 8 ~ 15 mm，通常基部分枝，花序轴具短柔毛；苞片阔卵形，长约 2 mm；花萼长约 4 mm，裂片长圆形，长约 3 mm，背面无毛；花冠长约 4 mm，5 深裂几达基部；雄蕊 40 ~ 50；花盘有毛；子房 3 室。核果椭圆形，先端有直立的宿存萼裂片；核骨质，不分开成 3 分核。花期 3 ~ 4 月，果期 6 ~ 8 月。

| **生境分布** | 生于海拔 1 700 m 的林中。分布于湖南郴州（临武）、永州（双牌）、怀化（麻阳）、湘西州（永顺）、株洲（渌口）等。 |

| **资源情况** | 野生资源稀少。药材来源于野生。 |

| **采收加工** | 夏、秋季采收，洗净，晒干。 |

| **功能主治** | 凉血止血，解毒敛疮。用于疮毒，烫火伤。 |

| **用法用量** | 内服煎汤，10 ~ 30 g。外用适量，煎汤洗；或研末调敷。 |

山矾科 | *Symplocaceae* | 山矾属 | *Symplocos*

多花山矾
Symplocos ramosissima Wall. ex G. Don

| 药 材 名 | 多花山矾（药用部位：根）。

| 形态特征 | 灌木或小乔木。嫩枝紫色，被平伏短柔毛；老枝紫褐色，无毛。叶膜质，椭圆状披针形或卵状椭圆形，长 6 ~ 12 cm，宽 2 ~ 4 cm，先端尾状渐尖，基部楔形或圆形，边缘有腺锯齿，中脉在叶面凹下，侧脉每边 4 ~ 9，在离叶缘 3 ~ 7 mm 处向上弯弓环结；叶柄长约 1 cm。总状花序长 1.5 ~ 3 cm，基部分枝，被短柔毛；花梗长约 2 mm；苞片卵形，长约 2 mm，近基部边缘有 2 腺点；花萼长约 3 mm，被短柔毛，裂片阔卵形，先端圆，稍短于萼筒；花冠白色，长 4 ~ 5 mm，5 深裂几达基部；雄蕊 30 ~ 40，长短不一，稍伸出花冠，花丝基部稍合生；花盘无毛，有 5 腺点；子房 3 室。核果长

圆形，长 9 ~ 12 mm，宽 4 ~ 5 mm，有微柔毛，嫩时绿色，成熟时黄褐色，有时蓝黑色，先端宿萼裂片张开。花期 4 ~ 5 月，果期 5 ~ 6 月。

| 生境分布 | 生于海拔 1 000 ~ 2 000 m 的溪边、岩壁及阴湿的密林中。分布于湖南邵阳（城步）、张家界（桑植）、郴州（宜章）、永州（道县）等。

| 资源情况 | 野生资源稀少。药材来源于野生。

| 功能主治 | 生肌收敛。用于疮疡久不收口。

山矾科 Symplocaceae 山矾属 Symplocos

四川山矾

Symplocos setchuensis Brand

药材名

四川山矾（药用部位：根、茎叶。别名：黄夹柴、灰灰树）。

形态特征

小乔木。小枝略有棱，无毛。叶薄革质，长7～13 cm，宽2～5 cm，先端渐尖或长渐尖，基部楔形，边缘具尖锯齿，中脉在叶面凸起；叶柄长5～10 mm。穗状花序呈团伞状；苞片阔倒卵形，宽约2 mm，背面有白色长柔毛或柔毛；花萼长约3 mm，裂片长圆形，长约2 mm，萼筒短，长约1 mm；花冠长3～4 mm，5深裂几达基部；雄蕊30～40，花丝长短不一，伸出花冠外，长4～5 mm，花丝基部稍连合成明显的五体雄蕊；花盘有白色长柔毛或微柔毛；花柱长约3 mm，子房3室。核果卵圆形或长圆形，先端具直立的宿存萼裂片，基部有宿存的苞片；核骨质，分开成3分核。花期3～4月，果期5～6月。

生境分布

生于海拔1 800 m以下的山坡杂木林中。分布于湖南长沙（岳麓）、怀化（洪江）、娄底（新化）、湘西州（永顺）等。

| 资源情况 | 野生资源较少。药材来源于野生。

| 采收加工 | 夏、秋季采收，根、茎洗净，切片或段，晒干。叶洗净，晒干。

| 功能主治 | 苦，寒。归肺经。行水，定喘，清热解毒。用于水湿胀满，咳嗽喘逆，火眼，疮癣。

| 用法用量 | 根、茎，内服煎汤，9 ~ 15 g。叶，内服煎汤，500 g，煎 2 次，浓缩至 1 000 ml，每日 2 次，每次 25 ml。

山矾科 Symplocaceae 山矾属 Symplocos

老鼠矢

Symplocos stellaris Brand

| 药 材 名 | 小药木（药用部位：叶、根。别名：佳崩、羊舌树）。

| 形态特征 | 常绿乔木，芽、嫩枝、嫩叶柄、苞片和小苞片均被红褐色绒毛。小枝粗，髓心中空。叶厚革质，上面有光泽，下面粉褐色，长6～20 cm，宽2～5 cm，先端急尖或短渐尖，基部宽楔形或圆形，通常全缘，稀有细齿，中脉在上面凹下，侧脉9～15对；叶柄有纵沟，长1.5～2.5 cm。团伞花序着生于二年生枝的叶痕上；苞片有缘毛；花萼长约3 mm，裂片长不及1 mm，有长缘毛；花冠白色，长7～8 mm，5深裂几达基部，裂片椭圆形，先端有缘毛；雄蕊18～25，花丝基部合生成5束；花盘圆柱形；子房3室。核果窄卵状圆柱形，宿存萼裂片直立；核具6～8纵棱。花期4～5月，果期6月。

| 生境分布 | 生于海拔 1 100 m 的山地、路旁、疏林中。湖南各地均有分布。

| 资源情况 | 野生资源一般。药材来源于野生。

| 采收加工 | 叶，春、夏季采摘，鲜用或晒干。根，秋、冬季采挖，洗净，鲜用或晒干。

| 功能主治 | 活血，止血。用于跌打损伤，内出血。

| 用法用量 | 内服煎汤，9 ~ 15 g。外用适量，捣敷。

山矾科 Symplocaceae 山矾属 *Symplocos*

山矾

Symplocos sumuntia Buch.-Ham. ex D. Don

| 药 材 名 |

山矾叶（药用部位：叶）、山矾根（药用部位：根。别名：土白芷）、山矾花（药用部位：花）。

| 形态特征 |

乔木。嫩枝褐色。叶薄革质，卵形或窄倒卵形，先端尾尖，基部楔形或圆形，具浅锯齿或波状齿，有时近全缘，上面中脉凹下，侧脉和网脉在两面均凸起，侧脉4～6对；叶柄长0.5～1 cm。总状花序长2.5～4 cm，被展开的柔毛；苞片早落，长约1 mm，密被柔毛，小苞片与苞片同形；花萼长2～2.5 mm，萼筒倒圆锥形，裂片三角状卵形，与萼筒等长或稍短于萼筒，背面有微柔毛；花冠白色，5深裂几达基部，长4～4.5 mm，裂片背面有微柔毛；雄蕊25～35，花丝基部稍合生；花盘环状；子房3室。核果卵状坛形，外果皮薄而脆，宿存萼裂片直立，有时脱落。花期2～3月，果期6～7月。

| 生境分布 |

生于海拔200～1 500 m的山林间。湖南有广泛分布。

| **资源情况** | 野生资源一般。药材来源于野生。 |

| **采收加工** | 山矾叶：夏、秋季采收，鲜用或晒干。 |

山矾根：夏、秋季采挖，洗净，切片，晒干。

山矾花：2 ~ 3 月采收，晒干。

| **功能主治** | 山矾叶：酸、涩、微甘，平。归肺、胃经。清热解毒，收敛止血。用于久痢，风火赤眼，扁桃体炎，中耳炎，咯血，便血，鹅口疮。
山矾根：辛、苦，平。归肝、胃经。清热利湿，凉血止血，祛风止痛。用于黄疸，泄泻，痢疾，血崩，风火牙痛，头痛，风湿痹痛。
山矾花：苦、辛，平。化痰解郁，生津止渴。用于咳嗽胸闷，小儿消渴。

| **用法用量** | 山矾叶：内服煎汤，15 ～ 30 g。外用适量，煎汤洗；或捣汁含漱、滴耳。
山矾根：内服煎汤，15 ～ 25 g。
山矾花：内服煎汤，10 ～ 15 g；或代茶饮。

山矾科 | Symplocaceae | 山矾属 | *Symplocos*

微毛山矾 *Symplocos wikstroemiifolia* Hayata

| 药 材 名 | 微毛山矾（药用部位：根、叶。别名：月桔叶灰木、土常山）。

| 形态特征 | 常绿灌木或乔木，幼枝、叶下面和叶柄均被平伏的细毛。叶薄革质，倒卵形、宽倒披针形或椭圆形，长 4 ~ 12 cm，宽 1.5 ~ 4 cm，先端短渐尖、急尖或圆钝，全缘或有不明显的波状浅锯齿，中脉在上面微隆起或平坦。穗状花序长 1 ~ 1.5 cm，被短柔毛；花萼长约 2 mm，萼筒有微柔毛，裂片有睫毛；花冠淡黄色或白色，长 2.5 ~ 3 mm，5 深裂几达基部；雄蕊约 20，花丝基部连合生成五体雄蕊；子房先端被稀疏短毛。核果卵形，长约 1 cm，成熟时黑色或黑紫色，宿存萼裂片向内倾斜。

| 生境分布 | 生于海拔 900 ~ 1 600 m 的密林中。分布于湖南张家界（永定）、

永州（东安）等。

| **资源情况** | 野生资源稀少。药材来源于野生。

| **采收加工** | 夏、秋季采收，根洗净，切片，晒干，叶鲜用或晒干。

| **功能主治** | 辛、苦，凉。清热解表，解毒除烦。用于感冒，热病烦渴。

| **用法用量** | 内服煎汤，15 ~ 20 g。

木犀科 Oleaceae 流苏树属 Chionanthus

流苏树 *Chionanthus retusus* Lindl. et Paxt.

| **药 材 名** | 流苏树（药用部位：叶）。

| **形态特征** | 落叶灌木或乔木。高可达 20 m。小枝灰褐色或黑灰色，圆柱形，开展，无毛；幼枝淡黄色或褐色，疏被或密被短柔毛。叶片革质或薄革质，长圆形、椭圆形或圆形，有时卵形或倒卵形至倒卵状披针形，长 3 ~ 12 cm，宽 2 ~ 6.5 cm，先端圆钝，有时凹入或锐尖，基部圆形或宽楔形至楔形，稀浅心形，全缘或有小锯齿，叶缘稍反卷，幼时上面沿脉被长柔毛，下面密被或疏被长柔毛，叶缘具睫毛，老时上面沿脉被柔毛，下面沿脉密被长柔毛，稀被疏柔毛，其余部分疏被长柔毛或近无毛，中脉在上面凹入，在下面凸起，侧脉 3 ~ 5 对，在两面微凸起或在上面微凹入，细脉在两面常明显凸起；叶柄

长 0.5 ~ 2 cm，密被黄色卷曲柔毛。聚伞状圆锥花序长 3 ~ 12 cm，顶生于枝端，近无毛；苞片线形，长 2 ~ 10 mm，疏被或密被柔毛；花长 1.2 ~ 2.5 cm；花单性而雌雄异株或为两性；花梗长 0.5 ~ 2 cm，纤细，无毛；花萼长 1 ~ 3 mm，4 深裂，裂片尖三角形或披针形，长 0.5 ~ 2.5 mm；花冠白色，4 深裂，裂片线状倒披针形，长（1 ~）1.5 ~ 2.5 cm，宽 0.5 ~ 3.5 mm，花冠管短，长 1.5 ~ 4 mm；雄蕊藏于花冠管内或稍伸出，花丝长不超过 0.5 mm，花药长卵形，长 1.5 ~ 2 mm，药隔突出；子房卵形，长 1.5 ~ 2 mm，柱头球形，2 浅裂。果实椭圆形，被白粉，长 1 ~ 1.5 cm，直径 6 ~ 10 mm，呈蓝黑色或黑色。花期 3 ~ 6 月，果期 6 ~ 11 月。

| 生境分布 | 生于海拔 2 000 m 以下的稀疏混交林中、灌丛中或山坡、河边。分布于湖南常德（石门）等。

| 资源情况 | 野生资源稀少。药材来源于野生。

| 功能主治 | 苦，平。归心经。消暑止渴。用于中暑。

| 用法用量 | 内服煎汤，6 ~ 12 g。

木犀科 | Oleaceae | 连翘属 | *Forsythia*

金钟花
Forsythia viridissima Lindl.

| 药 材 名 | 金钟花（药用部位：果壳、根、叶。别名：土连翘）。

| 形态特征 | 落叶灌木，全株除花萼裂片边缘具睫毛外，余无毛。小枝具片状髓。单叶，长椭圆形或披针形，长 3.5 ～ 15 cm，宽 1 ～ 4 cm，先端锐尖，基部楔形，上部常具不规则锐齿或粗齿，稀近全缘，两面无毛；叶柄长 0.6 ～ 1.2 cm。花 1 ～ 3 生于叶腋，先于叶开放；花梗长 3 ～ 7 mm；花萼裂片卵形或长圆形，长 2 ～ 4 mm，具睫毛；花冠深黄色，长 1.1 ～ 2.5 cm，花冠筒长 5 ～ 6 mm，裂片窄长圆形，反卷；在雄蕊长 3.5 ～ 5 mm 的花中，雌蕊长 5.5 ～ 7 mm，在雄蕊长 6 ～ 7 mm 的花中，雌蕊长约 3 mm。果实卵圆形或宽卵圆形，长 1 ～ 1.5 cm，先端喙状渐尖，具皮孔。花期 3 ～ 4 月，果期 8 ～ 11 月。

| **生境分布** | 生于海拔 300 ～ 1 400 m 的山地、溪边或灌丛中。分布于湖南常德（临澧）、衡阳（衡南）、邵阳（隆回、绥宁）、岳阳（临湘）、张家界（武陵源）、郴州（汝城）、永州（东安）、长沙（浏阳）等。

| **资源情况** | 野生资源较少。药材来源于野生。

| **采收加工** | 果壳，夏、秋季采收，鲜用或晒干。根，全年均可采挖，洗净，切段，鲜用或晒干。叶，春、夏、秋季均可采收，鲜用或晒干。

| **功能主治** | 苦，凉。清热，解毒，散结。用于感冒发热，目赤肿痛。

| **用法用量** | 内服煎汤，10 ～ 15 g，鲜品加倍。外用适量，煎汤洗。

木犀科 Oleaceae 梣属 Fraxinus

小叶梣 *Fraxinus bungeana* DC.

| 药 材 名 | 秦皮（药用部位：树皮）。

| 形态特征 | 落叶小乔木或灌木。当年生枝淡黄色，密被绒毛，后毛渐脱落。羽状复叶长 5 ~ 15 cm；叶轴被绒毛；小叶 5 ~ 7，硬纸质，宽卵形、菱形或卵状披针形，长 2 ~ 5 cm，先端尾尖，基部宽楔形，具深锯齿或缺刻，两面无毛；小叶柄长 0.2 ~ 1.5 cm，被柔毛。圆锥花序顶生或腋生于枝端，疏被绒毛；花杂性；花梗细，长约 3 mm；雄花较小，花萼杯状，长约 0.5 mm，花冠白色或淡黄色，裂片长 4 ~ 6 mm，雄蕊与裂片近等长；两性花花冠裂片长达 8 mm，雄蕊短。翅果匙状长圆形，长 2 ~ 3 cm，宽 3 ~ 5 mm，先端尖、钝圆或微凹，翅下延至坚果中下部。花期 5 月，果期 8 ~ 9 月。

| 生境分布 | 生于海拔 1 500 m 以下较干旱向阳的砂壤土或岩缝中。分布于湖南张家界（慈利）等。

| 资源情况 | 野生资源稀少。药材来源于野生。

| 采收加工 | 春、秋季采收，除去杂质，洗净，切成长 30 ~ 60 cm 的短节，晒干。

| 功能主治 | 辛，微温。归肝、胆、大肠经。清热燥湿，清肝明目，止咳平喘。用于湿热泻痢，带下，目赤肿痛，睛生疮翳，肺热气喘、咳嗽。

| 用法用量 | 内服煎汤，6 ~ 12 g。外用适量，煎汤洗眼；或取汁点眼。

木犀科 Oleaceae 梣属 Fraxinus

白蜡树

Fraxinus chinensis Roxb.

| 药 材 名 |

白蜡树皮（药用部位：树皮。别名：秦皮）、白蜡树叶（药用部位：叶）、白蜡花（药用部位：花）。

| 形态特征 |

落叶乔木。树皮灰褐色，纵裂。小枝无毛或疏被长柔毛，旋即脱落。羽状复叶长 12 ~ 35 cm；小叶 3 ~ 7，硬纸质，卵形、长圆形或披针形，长 3 ~ 12 cm，先端锐尖或渐尖，基部圆钝或楔形，具整齐锯齿，上面无毛，下面沿中脉被白色长柔毛或无毛；小叶柄长 3 ~ 5 mm。圆锥花序花序轴无毛或被细柔毛；花雌雄异株；雄花密集，花萼长约 1 mm，无花冠；雌花疏离，花萼长 2 ~ 3 mm，无花冠。翅果匙形，长 3 ~ 4 cm，宽 4 ~ 6 mm，先端锐尖，常呈梨头状，翅下延至坚果中部。花期 4 ~ 5 月，果期 7 ~ 9 月。

| 生境分布 |

生于海拔 800 ~ 1 800 m 的山地林中。分布于湘西、湘北等。

| 资源情况 |

野生资源一般。药材来源于野生。

| **采收加工** | 白蜡树皮：春、秋季采收，除去杂质，洗净，切成长 30 ~ 60 cm 的短节，晒干。
| | 白蜡树叶：春、秋季采收，洗净，晒干。
| | 白蜡花：春季采收，洗净，晒干。

采收加工 白蜡树皮：春、秋季采收，除去杂质，洗净，切成长 30 ~ 60 cm 的短节，晒干。
白蜡树叶：春、秋季采收，洗净，晒干。
白蜡花：春季采收，洗净，晒干。

药材性状 白蜡树皮：本品枝皮呈卷筒状或槽状，厚 1.5 ~ 3 mm。外表面灰白色、灰棕色至黑棕色或相间成斑状，平坦或稍粗糙，并有灰白色圆点状皮孔及细斜皱纹，有的具分枝痕；内表面黄白色或棕色，平滑。质硬而脆，断面纤维性，黄白色。无臭，味苦。干皮为长条状块片，厚 3 ~ 6 mm。外表面灰棕色，有红棕色圆形或横长的皮孔及龟裂状沟纹。质坚硬，断面纤维性较强。

功能主治 白蜡树皮：辛，微温。归肝、胆、大肠经。清热燥湿，清肝明目，止咳平喘。用于湿热泻痢，带下，目赤肿痛，睛生疮翳，肺热气喘、咳嗽。
白蜡树叶：辛，温。调经，止血生肌。
白蜡花：止咳，定喘。用于咳嗽，哮喘。

用法用量 白蜡树皮：内服煎汤，6 ~ 12 g。外用适量，煎汤洗眼；或取汁点眼。
白蜡树叶：内服研末，用酒、水各半吞服，每次 5 g，每日 2 次。
白蜡花：内服煎汤，10 ~ 25 g。

木犀科 Oleaceae 梣属 *Fraxinus*

光蜡树
Fraxinus griffithii C. B. Clarke

| 药 材 名 | 光蜡树（药用部位：树皮）。

| 形态特征 | 半落叶乔木。树皮灰白色，粗糙，呈薄片状剥落。芽裸露，在枝梢两侧平展，被锈色糠秕状毛。小枝灰白色，被细短柔毛或无毛，具疣点状凸起的皮孔。羽状复叶长 10 ～ 25 cm；叶柄长 4 ～ 8 cm，基部略扩大；小叶 5 ～ 11，革质，卵形至长卵形，长 2 ～ 14 cm，宽 1 ～ 5 cm。圆锥花序顶生于当年生枝枝端，长 10 ～ 25 cm，具多花；叶状苞片匙状线形；花序梗圆柱形，被细柔毛；花萼杯状，萼齿阔三角形；花冠白色，裂片舟形，具钝头并卷曲；两性花的花冠裂片与雄蕊等长，花药大，长于花丝，雌蕊短，花柱稍长，柱头点状。翅果阔披针状匙形；坚果圆柱形。花期 5 ～ 7 月，果期 7 ～ 11 月。

| 生境分布 | 生于海拔 100 ~ 2 000 m 的干燥山坡、林缘、村旁、河边。栽培于土层深厚、地下水位低、盐渍化程度低的壤土中。湖南有广泛分布。湖南永州（双牌）等有栽培。

| 资源情况 | 野生资源较少。栽培资源一般。药材来源于野生和栽培。

| 采收加工 | 秋、冬季整枝时采收，切片，晒干。

| 功能主治 | 苦，微寒。清热燥湿，止痢，明目。用于肠炎，痢疾，带下，慢性支气管炎，急性结膜炎；外用于牛皮癣等。

| 用法用量 | 内服煎汤，6 ~ 10 g。外用煎汤洗，30 ~ 60 g。

木犀科 Oleaceae 梣属 Fraxinus

湖北梣 *Fraxinus hupehensis* Ch'ü, Shang et Su

| 药 材 名 |

湖北梣（药用部位：叶。别名：对节白蜡）。

| 形态特征 |

落叶大乔木。树皮深灰色，老时纵裂；营养枝常呈棘刺状。羽状复叶长 7 ~ 15 cm；叶柄长 3 cm，基部不增厚；叶轴具狭翅，小叶着生处有关节，至少在节上被短柔毛；小叶 7 ~ 11，革质，披针形至卵状披针形，长 1.7 ~ 5 cm，宽 0.6 ~ 1.8 cm，先端渐尖，基部楔形，边缘具锐锯齿，下面沿中脉基部被短柔毛，侧脉 6 ~ 7 对。花杂性，密集簇生于去年生枝上，呈甚短的聚伞圆锥花序，长约 1.5 cm；两性花花萼钟状，雄蕊 2，花药长 1.5 ~ 2 mm，花丝较长，长 5.5 ~ 6 mm，雌蕊具长花柱，柱头 2 裂。翅果匙形，长 4 ~ 5 cm，宽 5 ~ 8 mm，中上部最宽，先端急尖。花期 2 ~ 3 月，果期 9 月。

| 生境分布 |

生于海拔 600 m 以下的低山丘陵地。分布于湖南湘西州（吉首）等。

| 资源情况 |

野生资源稀少。药材来源于野生。

| **采收加工** | 春、夏季采收，晒干。

| **功能主治** | 解毒，凉血。用于疟疾。

| **用法用量** | 内服煎汤，10 ~ 15 g。

木犀科 Oleaceae 梣属 Fraxinus

苦枥木 *Fraxinus insularis* Hemsl.

药材名

秦皮（药用部位：树皮。别名：大叶白蜡树、齿缘苦枥木）。

形态特征

落叶大乔木。树皮灰色，平滑。嫩枝扁平，棕色至褐色，皮孔细小，点状凸起，节膨大。羽状复叶长 10 ~ 30 cm；叶柄长 5 ~ 8 cm，叶轴平坦，具不明显浅沟；小叶 5 ~ 7，长圆形或椭圆状披针形，长 6 ~ 9 cm，宽 2 ~ 3.5 cm。圆锥花序生于当年生枝先端，长 20 ~ 30 cm，分枝细长，具多花，叶后开放；花梗丝状，长约 3 mm；花芳香；花萼钟状，齿平截，上方膜质；花冠白色，裂片匙形；雄蕊伸出花冠外，花药长 1.5 mm；花柱与柱头近等长，柱头 2 裂。翅果红色至褐色，长 2 ~ 4 cm，宽 3.5 ~ 4 mm，翅下延至坚果上部，坚果近扁平；花萼宿存。花期 4 ~ 5 月，果期 7 ~ 9 月。

生境分布

生于山地、河谷等，在石灰岩裸坡上常为仅见的大树。分布于湖南常德（澧县）、益阳（桃江）、怀化（洪江）、娄底（新化）、湘西州（泸溪）、岳阳（平江）、张家界（慈利）等。

| **资源情况** | 野生资源较少。药材来源于野生。

| **采收加工** | 春、秋季采收，除去杂质，洗净，切成长 30 ~ 60 cm 的短节，晒干。

| **功能主治** | 辛，微温。归肝、胆、大肠经。清热燥湿，清肝明目，止咳平喘。用于湿热泻痢，带下，目赤肿痛，睛生疮翳，肺热气喘、咳嗽。

| **用法用量** | 内服煎汤，6 ~ 12 g。外用适量，煎汤洗眼；或取汁点眼。

木犀科 Oleaceae 素馨属 Jasminum

探春花 *Jasminum floridum* Bunge

| 药 材 名 | 小柳拐（药用部位：根、叶。别名：山救驾、牛虱子、败火草）。

| 形态特征 | 灌木。小叶扭曲，具 4 棱，无毛。羽状复叶互生，小叶 3 或 5，小枝基部常有单叶，叶柄长 0.2 ~ 1 cm，叶两面无毛，稀沿中脉被微柔毛，小叶卵形或椭圆形，长 0.7 ~ 3.5 cm，先端具小尖头，基部楔形或圆形；顶生小叶具小叶柄，长 0.2 ~ 1.2 cm，侧生小叶近无柄。聚伞花序顶生，有 3 ~ 25 花；苞片锥形，长 3 ~ 7 mm；花梗长不及 2 cm；花萼无毛，具 5 肋，萼筒长 1 ~ 2 mm，裂片锥状线形，长 1 ~ 3 mm；花冠黄色，近漏斗状，花冠筒长 0.9 ~ 1.5 cm，裂片卵形或长圆形，长 4 ~ 8 mm，边缘具纤毛。果实长圆形或球形，成熟时黑色。花期 5 ~ 9 月，果期 9 ~ 10 月。

| 生境分布 | 生于海拔 2 000 m 以下的坡地、山谷或林中。分布于湖南长沙（望城）、常德（津市）、怀化（溆浦）等。

| 资源情况 | 野生资源较少。药材来源于野生。

| 采收加工 | 根，全年均可采收，洗净，切片，鲜用或晒干。叶，夏、秋季生长茂盛时，割下有叶枝条，鲜用或晒干，打下叶片，除去枝梗。

| 药材性状 | 本品根呈圆柱形，有多数扭曲、粗细不等的支根，长短不一，直径 0.5 ~ 1 cm。表面黄色或黄褐色，有细纵皱纹及细根痕。质坚硬。气微，味微苦、涩。

| 功能主治 | 苦、涩、辛，寒。归心、脾经。清热解毒，散瘀，消食。用于咽喉肿痛，疮疡肿毒，跌打损伤，烫伤，刀伤，食积腹胀。

| 用法用量 | 内服煎汤，10 ~ 20 g；或研末冲酒。外用适量，鲜品捣敷；或干品研末调敷。

木犀科 Oleaceae 素馨属 Jasminum

清香藤 *Jasminum lanceolarium* Roxb.

药材名

破骨风（药用部位：根、茎叶。别名：破膝风、花木通、破藤风）。

形态特征

攀缘灌木。小枝圆柱形。叶对生或近对生，三出复叶；叶柄长 1 ~ 4.5 cm，具沟，沟内常被微柔毛；叶片光滑或疏被至密被柔毛，具凹陷的小斑点；小叶片长椭圆形至卵圆形，长 3.5 ~ 16 cm，宽 1 ~ 9 cm，顶生小叶柄与侧生小叶柄等长或稍长于侧生小叶柄。复聚伞花序常呈圆锥状排列，顶生或腋生；苞片线形，长 1 ~ 5 mm；花梗短或无；花芳香；花萼筒状，光滑或被短柔毛，果时增大，萼齿三角形，不明显；花冠白色，呈高脚碟状，裂片 4 ~ 5；花柱异长。果实球形或椭圆形，长 0.6 ~ 1.8 cm，直径 0.6 ~ 1.5 cm，2 心皮基部相连或仅 1 心皮成熟，黑色，干时呈橘黄色。花期 4 ~ 10 月，果期 6 月至翌年 3 月。

生境分布

生于海拔 2 000 m 以下的山坡、灌丛、山谷密林中。湖南各地均有分布。

| **资源情况** | 野生资源丰富。药材来源于野生。 |

| **采收加工** | 根，秋、冬季采挖，洗净，切片，鲜用或晒干。茎叶，夏、秋季采收，切段，鲜用或晒干。 |

| **药材性状** | 本品根呈圆锥形，稍扭曲，长 15 ~ 20 cm，直径 1 ~ 1.5 cm。表面黄白色，有残存的黄褐色栓皮；质坚硬，不易折断，横断面有放射状纹理，皮部浅黄色，木部黄色。气微，味淡。茎圆柱形，长短不一，直径 0.5 ~ 1 cm；表面黄褐色，有细纵纹和横向皮孔，有对生小枝或叶痕；质坚硬，断面浅黄色，髓部黄棕色。气微，味淡。 |

| **功能主治** | 甘，寒。归脾经。祛风除湿，凉血解毒。用于风湿痹痛，跌打损伤，头痛，外伤出血，无名毒疮，蛇咬伤。 |

| **用法用量** | 内服煎汤，9 ~ 15 g；或浸酒。外用适量，鲜品捣敷；或干品研末敷；或煎汤洗。 |

木犀科 Oleaceae 素馨属 *Jasminum*

野迎春 *Jasminum mesnyi* Hance

| 药 材 名 | 云南黄素馨（药用部位：花。别名：金腰带、金梅花）。

| 形态特征 | 常绿亚灌木。枝条下垂，小枝无毛。叶对生，三出复叶或小枝基部具单叶；叶柄长 0.5 ～ 1.5 cm，无毛；叶两面无毛，边缘反卷，具睫毛，侧脉不明显；小叶长卵形或披针形，先端具小尖头，基部楔形，顶生小叶长 2.5 ～ 6.5 cm，具短柄，侧生小叶长 1.5 ～ 4 cm，无柄。花单生于叶腋，花叶同放；苞片叶状，长 0.5 ～ 1 cm；花梗长 3 ～ 8 mm；花萼钟状，裂片 6 ～ 8，小叶状；花冠黄色，漏斗状，直径 2 ～ 5 cm，花冠筒长 1 ～ 1.5 cm，裂片 6 ～ 8，宽倒卵形或长圆形。果实椭圆形，2 心皮基部愈合，直径 6 ～ 8 mm。花期 11 月至翌年 8 月，果期 3 ～ 5 月。

生境分布	生于海拔 500 ~ 1 600 m 的峡谷、林中。栽培于排水性好、肥沃的酸性砂壤土中。分布于湖南长沙（岳麓）、怀化（鹤城、中方、辰溪）、湘西州（古丈）等。
资源情况	野生资源较少。栽培资源一般。药材来源于野生和栽培。
采收加工	花开时采收，鲜用或晒干。
功能主治	清热解毒，发汗。用于肿毒，跌打损伤。
用法用量	内服煎汤，10 ~ 15 g；或研末；或代茶饮。外用适量，捣敷。

木犀科 Oleaceae 素馨属 Jasminum

迎春花 *Jasminum nudiflorum* Lindl.

药材名

迎春花（药用部位：叶、花。别名：小黄花、金腰带、金梅花）。

形态特征

落叶灌木。枝条下垂，小枝无毛，棱上多少具窄翼。叶对生，为三出复叶，小枝基部常具单叶；叶柄长 0.3 ~ 1 cm，无毛，具窄翼；幼叶两面稍被毛，老叶仅边缘具睫毛；小叶卵形或椭圆形，先端具短尖头，基部楔形，顶生小叶长 1 ~ 3 cm，无柄或有短柄，侧生小叶长 0.6 ~ 2.3 cm，无柄。花单生于去年生小枝的叶腋；苞片小叶状，长 3 ~ 8 mm；花梗长 2 ~ 3 mm；花萼绿色，裂片 5 ~ 6，长 4 ~ 6 mm，窄披针形；花冠黄色，直径 2 ~ 2.5 cm，花冠筒长 0.8 ~ 2 cm，裂片 5 ~ 6，椭圆形。花期 6 月。

生境分布

生于海拔 800 ~ 2 000 m 的山坡灌丛中。栽培于排水良好、肥沃的酸性砂壤土中。湖南有广泛分布。

资源情况

野生资源较少。栽培资源丰富。药材来源于

野生和栽培。

| **采收加工** | 6 月花开时采收花，夏季采收叶，鲜用或晒干。

| **药材性状** | 本品花皱缩成团，展开后可见狭窄的黄绿色叶状苞片；萼片 5 ～ 6，条形或长圆状披针形，与萼筒等长或稍长于萼筒；花冠棕黄色，直径约 2 cm，花冠筒长 1 ～ 1.5 cm，裂片通常 6，倒卵形或椭圆形，长约为花冠筒的 1/2。气清香，味微涩。

| **功能主治** | 苦、微辛，平。归肾、膀胱经。叶，解毒消肿，止血，止痛。用于跌打损伤，外伤出血，口腔炎，痈疖肿毒，外阴瘙痒。花，清热利尿，解毒。用于发热头痛，小便热痛，下肢溃疡。

| **用法用量** | 叶，外用 10 ～ 15 g，鲜品捣敷；或煎汤坐浴。花，内服煎汤，10 ～ 15 g；或研末。外用适量，捣敷；或麻油调搽。

木犀科 Oleaceae 素馨属 Jasminum

茉莉花 *Jasminum sambac* (L.) Ait.

药 材 名	茉莉花（药用部位：花。别名：末利、奈花、木梨花）。
形态特征	直立或攀缘灌木。小枝被疏柔毛。单叶对生，纸质，圆形或卵状椭圆形，长 4 ~ 12.5 cm，两端圆或钝，基部有时微心形，下面脉腋常具簇毛，余无毛；叶柄长 2 ~ 6 mm，被柔毛，具关节。聚伞花序顶生，通常具 3 花；苞片锥形，长 4 ~ 8 mm；花梗长 0.3 ~ 2 cm；花萼无毛或疏被柔毛，裂片 8 ~ 9，线形，长 5 ~ 7 mm；花冠白色，花冠筒长 0.7 ~ 1.5 cm，裂片长圆形或近圆形。果实球形，直径约 1 cm，成熟时紫黑色。花期 5 ~ 8 月，果期 7 ~ 9 月。
生境分布	生于岗地、丘陵岗地、低山。栽培于微酸性砂壤土中。湖南各地均有分布。

| **资源情况** | 野生资源较少。栽培资源丰富。药材来源于野生和栽培。

| **采收加工** | 7月前后花初开时，择晴天采收，晒干。

| **药材性状** | 本品多呈扁缩团状。花萼管状，有8～9细长的裂齿。花瓣展平后呈椭圆形，黄棕色至棕褐色，表面光滑无毛，基部连合成管状；质脆。气芳香，味涩。

| **功能主治** | 辛、微甘，温。归脾、胃、肝经。理气止痛，辟秽开郁。用于湿浊中阻，胸膈不舒，泻痢腹痛，头晕，头痛，目赤，疮毒。

| **用法用量** | 内服煎汤，3～10g；或代茶饮。外用适量，煎汤洗目。

木犀科 Oleaceae 素馨属 Jasminum

亮叶素馨 *Jasminum seguinii* Lévl.

| **药 材 名** | 亮叶茉莉（药用部位：根、叶。别名：四季素馨花）。

| **形态特征** | 缠绕藤本。小枝无毛。单叶对生，革质，卵形或窄椭圆形，长 4 ~ 10 cm，先端锐尖、渐尖或尾尖，基部楔形或圆形，下面脉腋具簇毛，余无毛；叶柄长 0.4 ~ 1.2 cm，中部具关节。聚伞花序组成总状花序或圆锥状复花序；花梗长不及 2.2 cm，无毛；花萼杯状，无毛，裂片 4，三角形；花冠白色，高脚碟状，花冠筒长 1 ~ 2 cm，裂片 6 ~ 8，窄披针形，长 0.8 ~ 1.7 cm；花柱异长。果实近球形，直径 0.5 ~ 1.5 cm，成熟时黑色。花期 5 ~ 10 月，果期 8 月至翌年 4 月。

| **生境分布** | 生于海拔 1 700 m 以下的山坡草地、溪边、灌丛及疏林中。分布于湖南永州（江永）等。

| 资源情况 | 野生资源稀少。药材来源于野生。 |

| 采收加工 | 全年均可采收，根除去泥土，切片，叶切碎，鲜用或晒干。 |

| 药材性状 | 本品叶多卷曲皱缩，展平后呈卵形或椭圆形，长 4 ~ 10 cm，宽 2 ~ 6 cm，先端尖，基部楔形或圆形，上面暗绿色，下面淡绿色，脉腋有黄色簇生毛；叶柄长 0.4 ~ 1.2 cm。质脆，易碎。气微香，味微涩。 |

| 功能主治 | 涩，凉。归心、肝、肾经。散瘀，止痛，止血。用于跌打损伤，外伤出血，疮疖。 |

| 用法用量 | 外用适量，捣敷；或研末调敷。 |

木犀科 Oleaceae 素馨属 Jasminum

华素馨 *Jasminum sinense* Hemsl.

| 药 材 名 | 华清香藤（药用部位：全株。别名：九龙藤、吊三角）。

| 形态特征 | 缠绕藤本。小枝密被锈色长柔毛。三出复叶，对生，叶柄长 0.5 ~ 3.5 cm；小叶纸质，卵形或卵状披针形，两面被锈色长柔毛；顶生小叶长 3 ~ 12 cm，宽 2 ~ 8 cm，小叶柄长 1 ~ 3 cm；侧生小叶长 1.5 ~ 7.5 cm，宽 0.8 ~ 5.4 cm，小叶柄短，长 1 ~ 6 mm。聚伞花序组成圆锥状，花密集；花梗长不及 5 mm；花萼被柔毛，裂片线形或尖三角形，长 0.5 ~ 5 mm；花冠白色或淡黄色，高脚碟状，长 1.5 ~ 4 cm，裂片 5，长圆形或披针形，长 0.6 ~ 1.4 cm；花柱异长。果实长圆形或近球形，长 0.8 ~ 1.7 cm，黑色。花期 6 ~ 10 月，果期 9 月至翌年 5 月。

| 生境分布 | 生于海拔 2 000 m 以下的山坡、灌丛或林中。湖南有广泛分布。

| 资源情况 | 野生资源丰富。药材来源于野生。

| 采收加工 | 全年均可采收，除去杂质，切片或段，鲜用或晒干。

| 药材性状 | 本品藤茎呈类圆柱形，多扭曲成团，直径 3 ~ 5 mm，表面有柔毛；质稍硬，断面纤维性较强，黄白色，中央有黄棕色髓部。叶对生或脱落，顶生小叶展平后呈长卵形，长 3 ~ 12 cm，宽 2 ~ 8 cm，先端钝或尖，基部圆形或楔形，边缘反卷，两面有柔毛，侧脉 3 ~ 6 对；侧生小叶长 1 ~ 6 cm，宽 0.5 ~ 5 cm；小叶柄长短不一。有时可见聚伞花序。气微香。味微苦、涩。

| 功能主治 | 淡，凉。归肝经。清热解毒。用于疮疡肿毒，金属及竹木刺伤。

| 用法用量 | 内服煎汤，干品 15 ~ 30 g，鲜品加倍。外用适量，捣敷。

木犀科 Oleaceae 素馨属 Jasminum

川素馨 *Jasminum urophyllum* Hemsl.

| 药 材 名 |

川素馨（药用部位：全株）。

| 形态特征 |

攀缘灌木。小枝无毛或密被柔毛。三出复叶，对生，叶柄长 1 ~ 4 cm；小叶革质，椭圆形或披针形，先端渐尖或尾尖，基部圆形或平截，基脉 3 出，无毛或下面被平伏柔毛；顶生小叶长 6 ~ 12.5 cm，小叶柄长 0.8 ~ 2.5 cm；侧生小叶长 2 ~ 7.5 cm，小叶柄长 0.5 ~ 5 mm。伞房状聚伞花序有 3 ~ 10 花，无毛或被柔毛；苞片线形，长 0.5 ~ 5 mm；花梗长 0.5 ~ 4 cm，无毛；花萼无毛或密被柔毛；花冠白色，花冠筒长 1.2 ~ 1.8 cm，裂片 5 ~ 6，卵形，长 5 ~ 6 mm。果实椭圆形或近球形，长 0.8 ~ 1.2 cm，成熟时紫黑色。花期 6 ~ 10 月，果期 8 ~ 12 月。

| 生境分布 |

生于海拔 900 ~ 1 500 m 的山谷或林中。分布于湖南怀化（鹤城）、湘西州（吉首、花垣）等。

| 资源情况 |

野生资源较少。药材来源于野生。

| 采收加工 | 全年均可采收，除去杂质，切片或段，鲜用或晒干。

| 功能主治 | 祛风除湿。用于风湿性肢体麻木。

| 用法用量 | 内服煎汤，10 ~ 15 g。外用适量，煎汤洗。

木犀科 Oleaceae 女贞属 Ligustrum

丽叶女贞 *Ligustrum henryi* Hemsl.

| 药 材 名 | 四川苦丁茶（药用部位：叶。别名：苦丁茶）。

| 形态特征 | 常绿灌木，高达 4 m。小枝紫红色，密被锈色或灰色柔毛。叶宽卵形、椭圆形或近圆形，长 1.5 ~ 4.5 cm，宽 1 ~ 2.5 cm，先端尖、渐尖或短尾尖，基部圆形或宽楔形，有时上面沿中脉被微毛，余无毛；叶柄长 1 ~ 5 mm，被微柔毛或无毛。圆锥花序顶生，柱形，花序轴密被柔毛；花梗长不及 1 mm，无毛；花萼长约 1 mm，无毛；花冠筒长 6 ~ 9 mm，花冠筒比裂片长 2 ~ 3 倍；雄蕊长达花冠裂片顶部。果实肾形，弯曲，长 0.6 ~ 1 cm，直径 3 ~ 5 mm，成熟时黑色或紫红色。花期 5 ~ 6 月，果期 7 ~ 10 月。

| 生境分布 | 生于海拔 1 800 m 以下的山坡灌丛中或林中。分布于湖南湘西州

（吉首、泸溪、花垣、古丈、永顺、保靖）等。

| **资源情况** | 野生资源较少。药材来源于野生。

| **采收加工** | 春、夏季采收，晒干或烘干。

| **功能主治** | 苦、微甘，微寒。归肝、胆、胃经。散风热，清头目，除烦渴。用于头痛，齿痛，咽痛，唇疮，耳鸣，目赤，咯血，暑热烦渴。

| **用法用量** | 内服煎汤，3 ~ 9 g；或代茶饮。

木犀科 Oleaceae 女贞属 Ligustrum

日本女贞 Ligustrum japonicum Thunb.

| 药 材 名 | 苦茶叶（药用部位：叶。别名：小白蜡、苦味散、苦丁茶）。

| 形态特征 | 常绿灌木，高达 5 m，全株无毛。叶厚革质，椭圆形或卵状椭圆形，长 5 ~ 8 cm，宽 2.5 ~ 5 cm，先端尖或渐尖，基部楔形或圆形；叶柄长 0.5 ~ 1.5 cm。圆锥花序顶生，塔形，花序轴和分枝轴具棱；花梗长不及 2 mm；花萼长 1.5 ~ 1.8 mm；花冠长 5 ~ 6 mm，花冠筒与裂片近等长或稍长于裂片；雄蕊伸出花冠。果实长圆形或椭圆形，长 0.8 ~ 1 cm，直径 6 ~ 7 mm，直立，成熟时紫黑色，被白粉。花期 6 月，果期 11 月。

| 生境分布 | 生于低海拔的林中或灌丛中。栽培于路旁、沟旁和庭院中。湖南有广泛分布。

| 资源情况 | 栽培资源一般。药材来源于栽培。

| 采收加工 | 全年均可采收，鲜用或晒干。

| 药材性状 | 本品多破碎，部分数片黏合，呈绿褐色、茶褐色或棕褐色，完整叶片展平后呈椭圆形或卵状椭圆形，长 4 ~ 8 cm，宽 1.5 ~ 4 cm，先端渐尖，基部楔形或圆形，全缘，上面平滑光亮，下面主脉凸起；叶柄长 0.3 ~ 1.2 cm。革质，质脆。

| 功能主治 | 苦、微甘，凉。归肝经。清肝火，解热毒。用于头目眩晕，火眼，口疮，无名肿毒，烫火伤。

| 用法用量 | 内服煎汤，10 ~ 15 g；或代茶饮。外用适量，熬膏贴；或煎汤洗；或研末调敷；或熬膏涂。

木犀科 Oleaceae 女贞属 Ligustrum

蜡子树

Ligustrum leucanthum (S. Moore) P. S. Green

| 药 材 名 | 蜡子树（药用部位：树皮、叶）。

| 形态特征 | 落叶灌木或小乔木。小枝常开展，被硬毛、柔毛或无毛。叶椭圆形或披针形，长 4 ~ 7 cm，宽 2 ~ 3 cm，先端尖、短渐尖或钝，基部楔形或近圆形，两面疏被柔毛或无毛，沿中脉被硬毛或柔毛；叶柄长 1 ~ 3 mm，被硬毛、柔毛或无毛。花序轴被硬毛、柔毛或无毛；花梗长不及 2 mm；花萼长 1.5 ~ 2 mm，被微柔毛或无毛；花冠长 0.6 ~ 1 cm，花冠筒较裂片长 2 倍；雄蕊长可达花冠裂片中部。果实近球形或宽长圆形，长 0.5 ~ 1 cm，成熟时蓝黑色。花期 6 ~ 7 月，果期 8 ~ 11 月。

| 生境分布 | 生于海拔 300 ~ 1 600 m 的山坡林下或路边。分布于湖南邵阳（新

邵）、张家界（武陵源）、怀化（麻阳）等。

| 资源情况 | 野生资源稀少。药材来源于野生。

| 采收加工 | 树皮，春末夏初采收，切段，晒干。叶，全年均可采收，鲜用或晒干。

| 功能主治 | 清热泻火，除湿。用于头痛，牙痛，水肿，湿疮，疥癣。

| 用法用量 | 内服煎汤，10 ～ 15 g；或代茶饮。外用适量，熬膏贴；或煎汤洗；或研末调敷；或熬膏涂。

木犀科 Oleaceae 女贞属 *Ligustrum*

女贞 *Ligustrum lucidum* Ait.

| 药 材 名 | 女贞叶（药用部位：叶。别名：冬青叶、土金刚叶、爆竹叶）、女贞子（药用部位：果实。别名：女贞实、冬青子、鼠梓子）、女贞根（药用部位：根）、女贞皮（药用部位：树皮。别名：女贞树皮）。

| 形态特征 | 常绿乔木或灌木，高达 25 m。叶卵形或椭圆形，长 6 ~ 17 cm，宽 3 ~ 8 cm，先端尖或渐尖，基部近圆形，边缘平，两面无毛，侧脉 4 ~ 9 对；叶柄长 1 ~ 3 cm。圆锥花序顶生，塔形；花梗长不及 1 mm；花萼长 1.5 ~ 2 mm，与花冠筒近等长；花冠长 4 ~ 5 mm；雄蕊长达花冠裂片顶部。果实肾形，多少弯曲，长 0.7 ~ 1 cm，直径 4 ~ 6 mm，成熟时蓝黑色或红黑色，被白粉。花期 5 ~ 7 月，果期 7 月至翌年 5 月。

| 生境分布 | 生于海拔 2 000 m 以下的林中。栽培于土壤肥沃、排水良好的壤土、

砂壤土中。湖南有广泛分布。

| 资源情况 | 野生资源和栽培资源丰富。药材来源于野生和栽培。

| 采收加工 | **女贞叶：** 全年均可采收，鲜用或晒干。

女贞子： 冬季果实成熟时采收，除去枝叶，晒干或置热水中烫后晒干。

女贞根： 全年均可采挖，洗净，切片，晒干。

女贞皮： 全年均可采收，除去杂质，切片，晒干。

| 药材性状 | **女贞子：** 本品呈卵形、椭圆形或肾形，长 6 ～ 8.5 mm，直径 3.5 ～ 5.5 mm。表面黑紫色或棕黑色，皱缩不平，基部有果柄痕或具宿存萼及短梗。外果皮薄，中果皮稍厚而松软，内果皮木质，黄棕色，有数条纵棱。种子通常 1，椭圆形，一侧扁平或微弯曲，紫黑色，油性。气微，味微酸、涩。

| 功能主治 | **女贞叶：** 苦，凉。清热明目，解毒散瘀，消肿止咳。用于头目昏痛，风热赤眼，口舌生疮，牙龈肿痛，疮肿溃烂，烫火伤，肺热咳嗽。

女贞子： 苦、甘，凉。归肝、肾经。滋补肝肾，明目乌发。用于眩晕耳鸣，腰膝酸软，须发早白，目暗不明。

女贞根： 苦，平。归肺、肝经。行气活血，止咳喘，祛湿浊。用于哮喘，咳嗽，经闭，带下。

女贞皮： 苦，凉。强筋健骨。用于腰膝酸痛，两脚无力，烫火伤。

| 用法用量 | **女贞叶**：内服煎汤，10 ~ 15 g。外用适量，捣敷；或绞汁含漱；或熬膏涂；或熬膏点眼。

女贞子：内服煎汤，6 ~ 15 g；或入丸剂。外用适量，捣敷；或熬膏点眼。清虚热宜生用，补肝肾宜熟用。

女贞根：内服炖肉，45 g；或浸酒。

女贞皮：内服煎汤，30 ~ 60 g；或浸酒。外用适量，研末调敷；或熬膏涂。

木犀科 Oleaceae 女贞属 Ligustrum

总梗女贞 *Ligustrum pricei* Hayata

| 药 材 名 | 序梗女贞（药用部位：叶。别名：苦丁茶）。

| 形态特征 | 常绿灌木或小乔木。小枝密被柔毛。叶披针形或椭圆形，长 3 ～ 9 cm，宽 1 ～ 3 cm，先端长渐尖，基部楔形或近圆形，两面无毛，下面干后黄褐色；叶柄长 2 ～ 8 mm，无毛或上面有柔毛。圆锥花序顶生，花序轴密被柔毛；花梗长不及 3 mm；花萼长约 1.5 mm，无毛；花冠长 0.7 ～ 1.1 cm，花冠筒长为裂片的 2 ～ 3 倍；雄蕊长达花冠裂片顶部，花药黄色。果实椭圆形，长 0.7 ～ 1 cm，直径 5 ～ 7 mm。花期 5 ～ 7 月，果期 8 ～ 12 月。

| 生境分布 | 生于海拔 300 ～ 1 400 m 的沟谷林内或灌丛中。分布于湖南怀化（麻阳）等。

| 资源情况 | 野生资源稀少。药材来源于野生。 |

| 采收加工 | 春季采收，潦、闷后制成饼，晒干。 |

| 功能主治 | 甘、苦，微寒。清热散风，除烦解渴。用于头痛，齿痛，耳鸣，目赤红肿等。 |

| 用法用量 | 内服煎汤，5 ~ 15 g；或代茶饮。 |

木犀科 Oleaceae 女贞属 Ligustrum

小叶女贞 *Ligustrum quihoui* Carr.

| 药 材 名 | 小白蜡条（药用部位：根皮、叶、果实。别名：小白蜡、栋青）。

| 形态特征 | 半常绿灌木，高达 3 m。小枝圆，密被微柔毛，后毛脱落。叶薄革质，披针形、椭圆形、倒卵状长圆形或倒卵状披针形，长 1 ~ 4 cm，宽 0.5 ~ 2 cm，先端尖、钝或微凹，基部楔形，边缘反卷，两面无毛，下面常具腺点；叶柄长不及 5 mm，无毛或被微柔毛。圆锥花序顶生，紧缩，近圆柱形，长为宽的 2 ~ 5 倍；小苞片卵形，具睫毛；花近无梗；花萼长 1.5 ~ 2 mm，无毛；花冠长 4 ~ 5 mm，花冠筒与裂片近等长；雄蕊伸出花冠裂片。果实倒卵圆形、椭圆形或近球形，长 5 ~ 9 mm，成熟时黑紫色。花期 5 ~ 7 月，果期 8 ~ 11 月。

| 生境分布 | 生于海拔 1 500 m 以下的山坡、沟边、路边或河边灌丛中。栽培于

排水良好的疏松砂壤土中。湖南有广泛分布。

| 资源情况 | 野生资源和栽培资源均较丰富。药材来源于野生和栽培。

| 采收加工 | 根皮，全年均可采收，去除杂质，切段，晒干或鲜用。叶，夏、秋季采收，晒干或鲜用。果实，秋、冬季采收，晒干或鲜用。

| 功能主治 | 苦，凉。清热解毒。用于小儿口腔炎，烫火伤，黄水疮。

| 用法用量 | 内服煎汤，15 ~ 30 g。外用适量，研末，香油调敷；或鲜品捣汁涂。

木犀科 Oleaceae 女贞属 Ligustrum

小蜡
Ligustrum sinense Lour.

| 药 材 名 | 小蜡树（药用部位：树皮、枝叶。别名：水冬青、鱼腊树、水白腊）。

| 形态特征 | 落叶灌木或小乔木。幼枝被黄色柔毛，老时近无毛。叶纸质或薄革质，卵形、长圆形或披针形，长 2 ~ 7 cm，宽 1 ~ 3 cm，先端尖或渐尖，或钝而微凹，基部宽楔形或近圆形，两面疏被柔毛或无毛，常沿中脉被柔毛；侧脉在叶上面平或微凹下；叶柄长 2 ~ 8 mm，被柔毛。花序塔形，花序轴被较密的黄色柔毛或近无毛，基部有叶；花梗长 1 ~ 3 mm；花萼长 1 ~ 1.5 mm，无毛；花冠长 3.5 ~ 5.5 mm，裂片长于花冠筒；雄蕊与花冠裂片等长或长于花冠裂片。果实近球形，直径 5 ~ 8 mm。花期 5 ~ 6 月，果期 9 ~ 12 月。

| 生境分布 | 生于海拔 200 ~ 1 800 m 的山坡、山谷、溪边、河旁、路边的密林、

疏林或混交林中。栽培于肥沃的砂壤土中。湖南有广泛分布。

| **资源情况** | 野生资源和栽培资源均较丰富。药材来源于野生和栽培。

| **采收加工** | 夏、秋季采收，鲜用或晒干。

| **功能主治** | 苦，凉。清热利湿，解毒消肿。用于感冒发热，肺热咳嗽，咽喉肿痛，口舌生疮，湿热黄疸，痢疾，痈肿疮毒，湿疹，皮炎，跌打损伤，烫伤。

| **用法用量** | 内服煎汤，10 ~ 15 g，鲜品加倍。外用适量，煎汤含漱；或熬膏涂；或捣敷；或绞汁涂敷。

木犀科 Oleaceae 女贞属 *Ligustrum*

多毛小蜡
Ligustrum sinense Lour. var. *coryanum* (W. W. Smith) Hand.-Mazz.

| **药 材 名** | 多毛小蜡（药用部位：树皮、叶）。

| **形态特征** | 落叶灌木。幼枝被黄色硬毛或柔毛。叶纸质或薄革质，卵形、长圆形或披针形，长 2 ~ 7 cm，宽 1 ~ 3 cm，先端尖或渐尖，基部宽楔形或近圆形，两面被硬毛或柔毛，常沿中脉被柔毛；侧脉在叶上面平或微凹下；叶柄长 2 ~ 8 mm，被硬毛或柔毛。花序轴被较密的黄色硬毛或柔毛，基部有叶；花梗长 1 ~ 3 mm；花萼长 1 ~ 1.5 mm，花萼常被短柔毛；花冠长 3.5 ~ 5.5 mm，裂片长于花冠筒；雄蕊与花冠裂片等长或长于花冠裂片。果实近球形。花期 5 ~ 6 月，果期 9 ~ 12 月。

| **生境分布** | 生于海拔 500 ~ 1 700 m 的山地混交林，山坡灌丛，疏、密林中或

林缘。分布于湘北、湘西南等。

| 资源情况 | 野生资源一般。药材来源于野生。

| 采收加工 | 树皮，春末夏初采收，切段，晒干或鲜用。叶，全年均可采收，鲜用或晒干。

| 功能主治 | 苦、涩，寒。清热解毒，消肿止痛。用于跌打肿痛，疮疡肿毒，黄疸，烫火伤，产后会阴水肿。

| 用法用量 | 内服煎汤，10 ~ 15 g，鲜品加倍。外用适量，煎汤含漱；或熬膏涂；或捣敷；或绞汁涂敷。

木犀科 Oleaceae 女贞属 Ligustrum

光萼小蜡
Ligustrum sinense Lour. var. *myrianthum* (Diels) Höfk.

| 药 材 名 | 毛女贞（药用部位：枝叶。别名：山万年青、蚊子木、岩白蜡）。

| 形态特征 | 落叶灌木。幼枝被锈色或黄棕色柔毛或硬毛。叶片革质，长椭圆状披针形、椭圆形至卵状椭圆形，长 2 ～ 7 cm，宽 1 ～ 3 cm，上面疏被短柔毛，下面密被锈色或黄棕色柔毛，毛尤以叶脉为密，稀近无毛；侧脉在叶上面平或微凹下；叶柄长 2 ～ 8 mm，被硬毛或柔毛。花序腋生，基部常无叶，花序轴被较密的黄色硬毛或柔毛，基部有叶；花梗长 1 ～ 3 mm；花萼长 1 ～ 1.5 mm，常被短柔毛；花冠长 3.5 ～ 5.5 mm，裂片长于花冠筒；雄蕊与花冠裂片等长或长于花冠裂片。果实近球形。花期 5 ～ 6 月，果期 9 ～ 12 月。

| 生境分布 | 生于海拔 130 ～ 1 600 m 的山坡、山谷、溪边的密林、疏林或灌丛中。

分布于湖南常德（安乡）、永州（道县）、怀化（中方、麻阳）、湘西州（花垣、永顺、凤凰、保靖）等。

| **资源情况** | 野生资源较少。药材来源于野生。

| **采收加工** | 夏、秋季采收，鲜用或晒干。

| **功能主治** | 苦，寒。归心、肺经。泻火解毒。用于咽喉炎，口腔炎，痈肿疮毒，跌打损伤，烫伤。

| **用法用量** | 内服煎汤，10 ~ 15 g，鲜品加倍。外用适量，煎汤洗；或捣敷。

木犀科 Oleaceae 木犀属 Osmanthus

红柄木犀 *Osmanthus armatus* Diels

| 药 材 名 | 红柄木犀（药用部位：根）。

| 形态特征 | 常绿灌木或乔木。小枝灰白色，幼时被柔毛，老时光滑。叶片厚革质，长圆状披针形至椭圆形，先端渐尖，有锐尖头，基部近圆形至浅心形，边缘具硬而尖的刺状牙齿 6 ~ 10 对，长 2 ~ 4 mm，两面无毛，仅上面中脉被柔毛，中脉在上面凸起，侧脉 8 ~ 10 对；叶柄短，长 2 ~ 5 mm，密被柔毛。聚伞花序簇生于叶腋，每叶腋内有花 4 ~ 12；苞片宽卵形，先端锐尖，被短柔毛；花梗细弱，长 6 ~ 10 mm；花芳香；花冠白色，长 4 ~ 5 mm，花冠管与裂片等长；雄蕊着生于花冠管中部，药隔在花药先端延伸成 1 明显的小尖头；雄花中不育雌蕊为狭圆锥形。果实呈黑色。花期 9 ~ 10 月，果期翌年 4 ~ 6 月。

| **生境分布** | 生于海拔 1 400 m 左右的山坡灌木林中。分布于湘西州（吉首、花垣、永顺、保靖）、张家界（桑植）等。 |

| **资源情况** | 野生资源较少。药材来源于野生。 |

| **采收加工** | 全年均可采收，洗净，晒干。 |

| **功能主治** | 清热解毒。 |

| **用法用量** | 内服煎汤，100 ~ 150 g。 |

木犀科 Oleaceae 木犀属 *Osmanthus*

木犀
Osmanthus fragrans (Thunb.) Lour.

| 药 材 名 | 桂花子（药用部位：果实。别名：桂花树子、四季桂子）、桂花根（药用部位：根）、桂花（药用部位：花。别名：银桂、木犀、九里香）。

| 形态特征 | 常绿乔木或灌木。小枝无毛。叶椭圆形、长圆形或椭圆状披针形，长 7 ~ 15 cm，宽 3 ~ 5 cm，先端渐尖，基部楔形，全缘或上部具细齿，两面无毛，腺点在两面连成小水泡状突起，叶脉在上面凹下，在下面凸起；叶柄长 0.8 ~ 1.2 cm，无毛。花梗细弱，无毛，长 0.4 ~ 1 cm；花极芳香；花萼长约 1 mm，裂片稍不整齐；花冠黄白色、淡黄色、黄色或橘红色，长 3 ~ 4 mm，花冠筒长 0.5 ~ 1 mm；雄蕊着生于花冠筒中部。果实斜椭圆形，长 1 ~ 1.5 cm，成熟时紫黑色。花期 9 ~ 10 月，果期翌年 3 ~ 5 月。

| 生境分布 | 生于丘陵岗地和低山、中山的阔叶林中。栽培于疏松透气的微酸性土壤中。湖南各地均有分布。 |

| 资源情况 | 野生资源较少。栽培资源丰富。药材主要来源于栽培。 |

| 采收加工 | 桂花子：4 ~ 5 月果实成熟时采收，用温水浸泡后晒干。
桂花：9 ~ 10 月花开时采收，阴干，除去杂质，密闭贮藏。
桂花根：全年均可采收，晒干。 |

| 药材性状 | 桂花子：本品黑色或紫黑色，长卵形，直径 0.7 ~ 0.9 cm。果核紫红色，具凸起的棱线 6 ~ 8，胞间开裂，内含种子 1；种子圆锥形，长 1.2 ~ 1.3 cm，直径约 0.5 cm，种皮黄色，种仁类白色，具油性。 |

| 功能主治 | 桂花子：甘、辛，温。归肝、胃经。温中行气止痛。用于胃寒疼痛，肝胃气痛。
桂花：辛，温。散寒破结，化痰止咳。用于牙痛，咳喘痰多，经闭腹痛。
桂花根：甘、微涩，平。祛风湿，散寒。用于风湿筋骨疼痛，腰痛，肾虚牙痛。 |

| 用法用量 | 桂花子：内服煎汤，5 ～ 10 g。

桂花：内服煎汤，2.5 ～ 5 g；或代茶饮；或浸酒。外用适量，煎汤含漱；或蒸热外熨。

桂花根：内服煎汤，100 ～ 150 g；或浸酒。外用适量，煎汤含漱；或蒸热外熨。

木犀科 Oleaceae 丁香属 Syringa

紫丁香
Syringa oblata Lindl.

| 药 材 名 | 紫丁香（药用部位：叶、树皮）。

| 形态特征 | 灌木或小乔木，小枝、花序轴、花梗、苞片、花萼、幼叶两面及叶柄均密被腺毛。叶革质或厚纸质，卵圆形或肾形，长 2 ~ 14 cm，宽 2 ~ 15 cm，先端短凸尖或长渐尖，基部心形、平截或宽楔形；叶柄长 1 ~ 3 cm。圆锥花序直立，由侧芽抽生；花梗长 0.5 ~ 3 mm；花萼长约 3 mm；花冠紫色，花冠筒圆柱形，长 0.8 ~ 1.7 cm，裂片直角开展，长 3 ~ 6 mm；花药黄色，位于花冠筒喉部。果实卵圆形或长椭圆形，长 1 ~ 1.5 cm，先端长渐尖，几无皮孔。花期 4 ~ 5 月，果期 6 ~ 10 月。

| 生境分布 | 生于海拔 300 ~ 1 200 m 的山坡林内、溪边、山谷。栽培于排水良

好的湿润土壤中。分布于湖南益阳（赫山）、郴州（桂阳）等。

| 资源情况 | 栽培资源一般。药材来源于栽培。

| 采收加工 | 叶，全年均可采收，晒干或鲜用。树皮，春末夏初采收，切段，晒干或鲜用。

| 功能主治 | 苦，寒。归胃、肝、胆经。清热解毒，利湿，退黄。用于急性泻痢，黄疸性肝炎，火眼，疮疡。

| 用法用量 | 内服煎汤，2 ~ 6 g。

木犀科 Oleaceae 丁香属 Syringa

欧丁香 *Syringa vulgaris* L.

| 药 材 名 | 白花丁香（药用部位：根）。

| 形态特征 | 灌木或小乔木，小枝、叶柄、叶两面、花序轴、花梗和花萼均无毛或具腺毛，老时毛脱落。叶卵形、宽卵形或长卵形，长 3 ～ 13 cm，宽 2 ～ 9 cm，先端渐尖，基部平截、宽楔形或心形；叶柄长 1 ～ 3 cm。圆锥花序近直立，由侧芽抽生；花芳香；萼齿锐尖或短渐尖；花冠紫色或淡紫色，花冠筒细弱，近圆柱形，长 0.6 ～ 1 cm，裂片呈直角开展；花药黄色，位于花冠筒喉部。果实卵形或长椭圆形，长 1 ～ 2 cm，先端渐尖或骤凸，光滑，无皮孔。花期 4 ～ 5 月，果期 6 ～ 7 月。

| 生境分布 | 栽培于肥沃疏松且排水良好的土壤中。分布于湖南岳阳（临湘）等。

| **资源情况** | 栽培资源较少。药材来源于栽培。

| **采收加工** | 夏季采挖，洗净，切片，晒干。

| **功能主治** | 苦，寒。归心经。清心安神。用于心烦失眠，头痛健忘。

| **用法用量** | 内服煎汤，3 ~ 5 g。

马钱科 Loganiaceae 醉鱼草属 *Buddleja*

巴东醉鱼草
Buddleja albiflora Hemsl.

| 药 材 名 | 巴东醉鱼草（药用部位：全草）。

| 形态特征 | 多年生草本或灌木，小枝、叶柄、花萼及花冠幼时均被星状毛及腺毛，后毛脱落。叶对生，纸质，披针形或长椭圆形，长 7 ~ 30 cm，先端渐尖，基部楔形或圆形，具重锯齿，下面被灰白色或淡黄色星状短绒毛，侧脉 10 ~ 17 对；叶柄长 0.2 ~ 1.5 cm。圆锥形聚伞花序顶生，长 7 ~ 25 cm；花梗被长硬毛；花萼钟状，长 3 ~ 3.5 mm，萼筒长约 2 mm，裂片长 1 ~ 1.5 mm；花冠蓝紫色、淡紫色至白色，喉部橙黄色，芳香，长 6.5 ~ 8 mm，内面花冠筒中部以上及喉部被长髯毛，花冠筒长约 5 mm，裂片长 1 ~ 1.5 mm；雄蕊着生于花冠筒喉部。蒴果长圆形，长 5 ~ 8 mm，无毛；种子褐色，两端具长翅。花期 2 ~ 9 月，果期 8 ~ 12 月。

| **生境分布** | 生于海拔 500 ～ 1 800 m 的山地灌丛中或林缘。分布于湖南邵阳（大祥）、张家界（永定、慈利）、永州（东安）、娄底（新化）等。 |

| **资源情况** | 野生资源较少。药材来源于野生。 |

| **采收加工** | 全年均可采收，洗净，晒干。 |

| **功能主治** | 祛风除湿，止咳化痰，散瘀，杀虫。用于支气管炎，咳嗽，哮喘，风湿性关节炎，跌打损伤；外用于创伤出血，烫火伤等。 |

| **用法用量** | 内服煎汤，10 ～ 15 g。外用适量，捣敷；或研末敷。 |

马钱科 Loganiaceae 醉鱼草属 Buddleja

白背枫
Buddleja asiatica Lour.

| 药 材 名 | 白背枫（药用部位：全株。别名：驳骨丹、独叶埔姜、白花洋泡）。

| 形态特征 | 小乔木或灌木。小枝四棱形，老枝圆，小枝、叶下面、叶柄及花序均密被灰白色或淡黄色星状绵毛。叶对生，膜质或纸质，披针形或长披针形，长 6 ～ 30 cm，先端渐尖或长渐尖，基部楔形下延，全缘或具细齿；叶柄长 0.2 ～ 1.5 cm。多个聚伞花序组成总状花序，或 3 至数个聚伞花序聚生于枝顶及上部叶腋组成圆锥状花序；花小，白色；花梗长 0.2 ～ 2 mm；小苞片短于花萼；花萼长 1.5 ～ 4.5 mm，裂片长约为花萼的 1/2；花冠筒圆筒状，直伸，长 3 ～ 6 mm，裂片长 1 ～ 1.7 mm；雄蕊着生于花冠筒喉部，花粉粒具 2 沟孔；子房无毛，柱头头状。蒴果椭圆形，长 3 ～ 5 mm；种子两端具短翅。花期 1 ～ 10 月，果期 3 ～ 12 月。

生境分布	生于海拔 200 ~ 1 900 m 的向阳山坡灌丛中或林缘。分布于湘西北、湘南、湘中等。
资源情况	野生资源一般。药材来源于野生。
采收加工	全年均可采收，鲜用或晒干。
功能主治	辛、苦，温；有小毒。祛风利湿，行气活血。用于产后头风痛，胃寒作痛，风湿关节痛，跌打损伤，骨折；外用于皮肤湿痒，阴囊湿疹，无名肿毒。
用法用量	内服煎汤，15 ~ 25 g。外用适量，煎汤洗。

马钱科 Loganiaceae 醉鱼草属 *Buddleja*

大叶醉鱼草 *Buddleja davidii* Franch.

| 药 材 名 | 大叶醉鱼草（药用部位：根皮、枝叶。别名：紫花醉鱼草、大蒙花、酒药花）。

| 形态特征 | 灌木，幼枝、叶下面及花序均密被白色星状毛。叶对生，膜质或薄纸质，卵形或披针形，长 1 ~ 20 cm，宽 0.3 ~ 7.5 cm，先端渐尖，基部楔形，具细齿；叶柄间具 2 卵形或半圆形托叶，有时早落。总状或圆锥状聚伞花序顶生，长 4 ~ 30 cm；小苞片长 2 ~ 5 mm；花萼钟状，长 2 ~ 3 mm，被星状毛，后毛脱落，内面无毛，裂片长 1 ~ 2 mm；花冠淡紫色、黄白色至白色，喉部橙黄色，芳香，花冠筒长 0.6 ~ 1.1 cm，内面被星状短柔毛，裂片长 1.5 ~ 3 mm，全缘或具不整齐的锯齿；雄蕊着生于花冠筒内壁中部。蒴果长圆形或窄卵圆形，长 5 ~ 9 mm，无毛，花萼宿存；种子长椭圆形，长

2 ~ 4 mm，两端具长翅。花期 5 ~ 10 月，果期 9 ~ 12 月。

| 生境分布 | 生于海拔 800 ~ 2 000 m 的山坡、沟边灌丛中。分布于湘西、湘南、湘中等。

| 资源情况 | 野生资源一般。药材来源于野生。

| 采收加工 | 根皮，春、秋季采收，洗净，晒干或鲜用。枝叶，夏、秋季采收，晒干或鲜用。

| 功能主治 | 辛、微苦，温；有毒。祛风散寒，活血止痛。用于风湿关节疼痛，跌打损伤，骨折；外用于脚癣。

| 用法用量 | 内服煎汤，2.5 ~ 5 g。外用适量，研末调敷；或煎汤洗。

马钱科 Loganiaceae 醉鱼草属 Buddleja

醉鱼草
Buddleja lindleyana Fortune

| 药 材 名 | 醉鱼草花（药用部位：花）、醉鱼草（药用部位：全株。别名：闹鱼草、鱼尾草、痒见消）。

| 形态特征 | 直立灌木。小枝具 4 棱，具窄翅。幼枝、幼叶下面、叶柄及花序均被星状毛及腺毛。叶对生，膜质，卵形、椭圆形或长圆状披针形，长 3 ~ 11 cm；叶柄长 0.2 ~ 1.5 cm。穗状聚伞花序顶生，长 4 ~ 40 cm；苞片长达 1 cm，小苞片长 2 ~ 3.5 mm；花紫色，芳香；花萼钟状，长约 4 mm，与花冠均被星状毛及小鳞片，花萼裂片长约 1 mm；花冠长 1.3 ~ 2 cm，内面被柔毛，花冠筒弯曲，长 1.1 ~ 1.7 cm，裂片长约 3.5 mm；雄蕊着生于花冠筒基部。蒴果长圆形或椭圆形，长 5 ~ 6 mm，无毛，被鳞片，花萼宿存；种子小，淡褐色，无翅。花期 4 ~ 10 月，果期 8 月至翌年 4 月。

| 生境分布 | 生于海拔 200 ～ 1 700 m 的山地灌丛中、林缘、水边或旷地。湖南有广泛分布。

| 资源情况 | 野生资源较丰富。药材来源于野生。

| 采收加工 | **醉鱼草花**：4 ～ 7 月采收，晒干。
　　　　　　醉鱼草：全年均可采收，洗净，晒干。

| 功能主治 | **醉鱼草花**：辛、苦，温；有小毒。归肺、脾、胃经。祛痰，截疟，解毒。用于痰饮喘促，疟疾，疳积，烫伤。
　　　　　　醉鱼草：微辛、苦，温；有毒。祛风除湿，止咳化痰，散瘀，杀虫。用于支气管炎，咳嗽，哮喘，风湿性关节炎，跌打损伤；外用于创伤出血，烫火伤。

| 用法用量 | **醉鱼草花**：内服煎汤，9 ～ 15 g。外用适量，捣敷；或研末调敷。
　　　　　　醉鱼草：内服煎汤，15 ～ 25 g；或捣汁。外用适量，捣汁涂；或研末敷。

马钱科 Loganiaceae 醉鱼草属 *Buddleja*

密蒙花 *Buddleja officinalis* Maxim.

| **药 材 名** | 密蒙花（药用部位：花蕾及其花序。别名：蒙花、蒙花珠、水锦花）。

| **形态特征** | 灌木。小枝稍具 4 棱，密被灰白色星状毛。叶对生，纸质，窄椭圆形、长卵形或卵状披针形，长 4 ~ 19 cm，常全缘，稀疏生锯齿，上面疏被星状毛，下面密被白色或褐黄色星状毛，中脉及侧脉凸起；叶柄长 0.2 ~ 2 cm，两叶柄基部之间具托叶线。圆锥形聚伞花序花密集，长 5 ~ 15 cm，密被灰白色柔毛；小苞片披针形；花萼钟状，长 2.5 ~ 4.5 mm，裂片长 0.6 ~ 1.2 mm，花萼及花冠密被星状毛；花冠白色或淡紫色，喉部橘黄色，长 1 ~ 1.3 cm，花冠筒长 0.8 ~ 1.1 cm，裂片长 1.5 ~ 3 mm；雄蕊着生于花冠筒中部。蒴果椭圆形，2 瓣裂，被星状毛，花被宿存；种子两端具翅。花期 2 ~ 4 月，果期 4 ~ 8 月。

| **生境分布** | 生于海拔 200 ~ 1 800 m 的向阳山坡灌丛中或林缘。分布于湖南邵

阳（邵东、新邵）、益阳（桃江）、怀化（中方、辰溪、通道）、娄底（新化、涟源）、湘潭（湘乡）、湘西州（保靖）等。

| 资源情况 | 野生资源一般。药材来源于野生。

| 采收加工 | 2 ~ 3 月花未开放时采摘，除净枝梗等杂质，晒干。

| 药材性状 | 本品为多数小花蕾簇生的花序。形状、大小不一,表面灰黄色或淡褐色,密被毛茸。单个花蕾呈短棒状，上粗下细，先端圆而略膨大；花萼钟状，4 裂；花冠筒状，裂瓣暗紫色，毛茸极稀疏。全体柔软而易碎，断面中央黑色。气微香，味甘而微苦、辛。以花蕾密聚、色灰黄、有毛茸、质柔软者为佳。

| 功能主治 | 甘，凉。归肝经。祛风，凉血，润肝，明目。用于目赤肿痛，多泪羞明，青盲翳障，风弦烂眼。

| 用法用量 | 内服煎汤，5 ~ 15 g；或入丸、散剂。

马钱科 Loganiaceae 蓬莱葛属 Gardneria

蓬莱葛 *Gardneria multiflora* Makino

药材名

蓬莱葛（药用部位：根、种子。别名：红络石藤、大叶石塔藤、多花蓬莱葛）。

形态特征

常绿藤本。枝条无毛，叶痕明显。叶纸质或薄革质，椭圆形、披针形或卵形，长 5 ~ 15 cm，两面无毛；叶柄长 1 ~ 1.5 cm，叶柄间托叶线明显。二至三歧聚伞花序腋生，长 2 ~ 4 cm，花序梗基部具 2 三角形苞片；花梗长约 5 mm，基部具小苞片；花 5 基数；花萼裂片长约 1.5 mm，边缘具睫毛；花冠黄色或黄白色，花冠筒短，肉质；雄蕊着生于花冠筒内近基部，花丝短，花药离生，长 2.5 mm，基部 2 裂，4 室；子房 2 室，每室有 1 胚珠，花柱长 5 ~ 6 mm，柱头 2 浅裂。浆果球形，直径约 7 mm，红色，有时花柱宿存；种子球形，黑色。花期 3 ~ 7 月，果期 7 ~ 11 月。

生境分布

生于海拔 300 ~ 2 000 m 的山坡林中。分布于湘南、湘西、湘西北等。

| **资源情况** | 野生资源一般。药材来源于野生。

| **采收加工** | 根，全年均可采收，洗净，切片，晒干或鲜用。种子，果实成熟时采收，鲜用。

| **功能主治** | 苦、辛，温。祛风通络，止血。用于风湿痹痛，创伤出血。

| **用法用量** | 根，内服煎汤，15 ~ 30 g，鲜品 60 ~ 90 g。种子，外用适量，鲜品捣敷。

钩吻
Gelsemium elegans (Gardn. et Champ.) Benth.

| 药 材 名 | 钩吻（药用部位：全株。别名：野葛、秦钩吻、毒根）。

| 形态特征 | 常绿藤本。叶卵形或卵状披针形，先端渐尖，基部宽楔形或圆形；花密生，组成顶生及上部腋生的三歧聚伞花序，分枝基部具 2 三角形、长 2 ~ 4 mm 的苞片；花梗长 3 ~ 8 mm；花萼裂片长 3 ~ 4 mm；花冠黄色，漏斗状，内面具淡红色斑点，花冠筒长 0.7 ~ 1 cm，裂片长 5 ~ 9 mm；雄蕊 5，着生于花冠筒中部，花药伸出花冠筒喉部；子房长 2 ~ 2.5 mm，花柱长 0.8 ~ 1.2 cm，柱头 2 裂，裂片再 2 裂。蒴果卵圆形或椭圆形，长 1 ~ 1.5 cm，开裂前具 2 纵槽，成熟时黑色，干后室间开裂为 2 果瓣，花萼宿存；种子 20 ~ 40，肾形或椭圆形，具不规则齿状翅。花期 5 ~ 11 月，果期 7 月至翌年 3 月。

| 生境分布 | 生于海拔 250 ~ 2 000 m 的山地矮林或灌丛中。分布于湖南郴州（汝

城）、怀化（通道、沅陵）等。

| **资源情况** | 野生资源较少。药材来源于野生。

| **采收加工** | 全年均可采收，切段，晒干或鲜用。

| **药材性状** | 本品茎呈圆柱形，直径 0.5 ~ 5 cm，外皮灰黄色至黄褐色，具深纵沟及横裂隙；幼茎较光滑，黄绿色或黄棕色，具细纵纹及纵向椭圆状凸起的点状皮孔。节稍膨大，可见叶柄痕；质坚，不易折断，断面不整齐，皮部黄棕色，木部淡黄色，具放射状纹理，密布细孔，髓部褐色或中空。气微，味微苦。叶不规则皱缩，完整者展平后呈卵形或卵状披针形，长 4 ~ 8 cm，宽 2 ~ 4 cm，先端渐尖，叶脉于下面凸起，上面灰绿色至淡棕褐色，下面色较浅。气微，味微苦。

| **功能主治** | 辛、苦，温；有大毒。祛风攻毒，散结消肿，止痛。用于疥癞，湿疹，瘰疬，痈肿，疔疮，跌打损伤，风湿痹痛，神经痛。

| **用法用量** | 外用适量，捣敷；或研末调敷；或煎汤洗；或烧烟熏。

马钱科 Loganiaceae 度量草属 *Mitreola*

大叶度量草 *Mitreola pedicellata* Benth.

| 药 材 名 | 大叶度量草（药用部位：全草。别名：毛叶度量草）。

| 形态特征 | 多年生草本，高达 60 cm。茎近四棱形，下部匍匐状，上部节间稍膨大。叶膜质或纸质，椭圆形或披针形，长 5 ~ 15 cm，先端渐尖，基部楔形，下面被毛，全缘，侧脉 8 ~ 10 对，羽状脉显著；叶柄长 1 ~ 2 cm，具窄翅，托叶在叶柄间呈鞘状。聚伞花序顶生，3 歧分枝，下垂，花序梗长 3 ~ 7 cm；苞片及小苞片长约 1 mm；花梗长 1 ~ 3 mm；花冠白色，坛状，花冠筒长约 1.5 mm，5 裂，裂片长约 0.5 mm；雄蕊 5，着生于花冠筒近中部，内藏；花柱长约 0.5 mm，基部分离，柱头头状。蒴果近球形，直径 2 ~ 2.5 mm，先端具两尖角，花萼宿存；种子球形，被小瘤。花期 3 ~ 5 月，果期 5 ~ 7 月。

| 生境分布 | 生于海拔 400 ～ 1 900 m 的山地疏林下。分布于湖南永州（道县）、湘西州（古丈、保靖）等。 |

| 资源情况 | 野生资源稀少。药材来源于野生。 |

| 采收加工 | 全年均可采收，洗净，晒干。 |

| 功能主治 | 用于跌打损伤，筋骨痛。 |

| 用法用量 | 外用适量，捣敷；或研末调敷；或煎汤洗；或烧烟熏。 |

龙胆科 Gentianaceae 百金花属 Centaurium

百金花 Centaurium pulchellum (Swartz) Druce var. altaicum (Griseb.) Kitag. et Hara

| 药 材 名 | 埃蕾（药用部位：带花全草。别名：东北埃蕾）。

| 形态特征 | 一年生草本，高 20 ~ 30 cm。茎四棱形，有分枝。叶对生，无柄，披针形，长 1.5 ~ 2 cm，宽 4 ~ 6 mm。花腋生或顶生，多花；花萼5 裂；花冠白色或淡紫色，5 裂，花冠筒细长；雄蕊 5，花药长圆形，开花后呈螺旋状卷曲。蒴果长柱形。花期 7 ~ 9 月。

| 生境分布 | 生于海拔 50 ~ 1 800 m 的潮湿田野、草地、水边、沙滩地。分布于湘北、湘东、湘南等。

| 资源情况 | 野生资源较少。药材来源于野生。

| 采收加工 | 花开时采收，洗净，晒干。

| **功能主治** | 苦，寒。归肝、胃经。清热解毒。用于肝炎，胆囊炎，头痛发热，牙痛，扁桃体炎。

| **用法用量** | 内服煎汤，6 ~ 9 g。

龙胆科 Gentianaceae 蔓龙胆属 Crawfurdia

福建蔓龙胆 Crawfurdia pricei (Marq.) H. Smith

| 药 材 名 | 福建蔓龙胆（药用部位：全草）。

| 形态特征 | 多年生缠绕草本。块茎肉质。茎近基部具多对三角状鳞叶；茎生叶卵形、卵状披针形或披针形，长4～11 cm，先端渐尖，基部圆形，边缘膜质；叶柄扁平，长3～8 mm，背面及两边密被短硬毛及腺毛。聚伞花序具2至多花，腋生或顶生，稀单花腋生；花萼筒形，萼筒不裂，长1～1.5 cm，先端内面具萼内膜，裂片三角形或披针形，反折，长1～4 mm；花冠粉红色、白色或淡紫色，钟形，上部开展，长约4 cm，裂片宽卵状三角形，长3～4 mm，褶平截或半圆形，长1～2.5 mm；花柱长约8 mm。蒴果椭圆形，长约2 cm；种子圆形，直径约2 mm，具盘状双翅。花果期10～12月。

| 生境分布 | 生于海拔 430 ～ 2 000 m 的山坡草地、山谷灌丛或密林中。分布于湘南等。 |

| 资源情况 | 野生资源一般。药材来源于野生。 |

| 采收加工 | 全年均可采收，洗净，晒干或鲜用。 |

| 功能主治 | 清热利尿，消炎解毒。用于痈疮疖肿，痢疾，肝炎。 |

| 用法用量 | 内服煎汤，15 ～ 30 g。 |

龙胆科 Gentianaceae 龙胆属 Gentiana

五岭龙胆 *Gentiana davidii* Franch.

| 药 材 名 | 落地荷花（药用部位：带花全草。别名：九头青、鲤鱼胆、九头牛）。

| 形态特征 | 多年生草本，高达 15 cm。茎短，具多数较长分枝。花枝多数。叶线状披针形或椭圆状披针形，边缘微外卷，被乳突；莲座丛叶长 3 ~ 9 cm，叶柄长 0.5 ~ 1.1 cm；茎生叶长 1.3 ~ 5.5 cm，叶柄长 4 ~ 7 mm。花多数，簇生于枝顶，呈头状，花无梗；花萼窄倒锥形，长 1.4 ~ 1.6 cm，萼筒膜质，裂片 2 大 3 小，线状披针形或披针形，长 3 ~ 7 mm，边缘被乳突；花冠蓝色，窄漏斗形，长 2.5 ~ 4 cm，裂片卵状三角形，长 2.5 ~ 4 mm，先端尾尖，褶偏斜、平截或三角形，长 1 ~ 1.5 mm，全缘或具微波状齿。蒴果长 1.5 ~ 1.7 cm；种子具蜂窝状网隙。花果期 6 ~ 11 月。

| **生境分布** | 生于海拔 350 ～ 1 600 m 的山坡草丛中、路边、林缘或林下。分布于湖南郴州（汝城、桂东）、永州（双牌、江华）、长沙（浏阳）等。 |

| **资源情况** | 野生资源较少。药材来源于野生。 |

| **采收加工** | 夏、秋季采收，洗净，晒干或鲜用。 |

| **功能主治** | 苦，寒。归肝、膀胱经。清热解毒，利湿。用于小儿惊风，目赤，咽痛，肝炎，痢疾，淋证，化脓性骨髓炎，痈疮肿毒，毒蛇咬伤。 |

| **用法用量** | 内服煎汤，15 ～ 30 g，大剂量可用至 60 g。外用适量，鲜品捣敷。 |

龙胆科 Gentianaceae 龙胆属 Gentiana

华南龙胆 *Gentiana loureirii* (G. Don) Griseb.

| 药 材 名 | 龙胆地丁（药用部位：全草。别名：蓝花草、紫花地丁、广地丁）。

| 形态特征 | 一年生矮小草本，高达 8 cm。茎少数丛生，分枝少。基生叶莲座状，窄椭圆形，长 1.5 ~ 3 cm，密被睫毛，上面被乳突；茎生叶椭圆形或椭圆状披针形，长 5 ~ 7 mm。花单生于枝顶；花梗长 0.5 ~ 1.2 cm；花萼钟形，长 5 ~ 6 mm，裂片披针形或线状披针形，长 2.5 ~ 3.5 mm，先端具小尖头；花冠紫色，漏斗形，长 1.2 ~ 1.4 cm，裂片卵形，长 2 ~ 2.5 mm，褶卵状椭圆形，长 1 ~ 1.5 mm，先端平截，具不整齐的细齿。蒴果倒卵圆形，先端具宽翅，两侧具窄翅。花果期 2 ~ 9 月。

| 生境分布 | 生于海拔 300 ~ 1 600 m 的山坡路边、荒坡及林下。分布于湖南郴

州（宜章、汝城、桂东）、永州（蓝山）、湘西州（永顺、保靖）等。

| 资源情况 | 野生资源较少。药材来源于野生。

| 采收加工 | 春、夏季花初开时采收，晒干或鲜用。

| 药材性状 | 本品多皱缩成不规则团块状，根部土黄色。用热水浸软摊开观察，茎自基部丛生，紫红色，枝端有淡紫色或淡土黄绿色的钟状花。叶对生，完整者长圆形或长椭圆形；叶柄短或无；近基部的叶密集，较大，上部的叶稀疏，较小。质较脆，易碎。有青草气，味稍苦。

| 功能主治 | 苦，寒。清热利湿，解毒消痈。用于肝炎，痢疾，小儿发热，咽喉肿痛，带下，血尿，阑尾炎，疮疡肿毒，淋巴结结核。

| 用法用量 | 内服煎汤，9 ~ 15 g。外用适量，鲜品捣敷。

龙胆科 Gentianaceae 龙胆属 Gentiana

条叶龙胆 *Gentiana manshurica* Kitag.

药材名

龙胆（药用部位：根及根茎。别名：陵游、草龙胆、龙胆草）。

形态特征

多年生草本。根茎平卧或直立。花枝单生。茎下部叶淡紫红色，鳞形，长 5 ~ 8 mm，中部以下连合成鞘状抱茎；中上部叶线状披针形或线形，长 3 ~ 10 cm，无柄。花 1 ~ 2，顶生或腋生，无梗或具短梗，每花具 2 苞片；苞片线状披针形，长 1.5 ~ 2 cm；萼筒钟状，长 0.8 ~ 1 cm，裂片线形或线状披针形，长 0.8 ~ 1.5 cm，先端尖；花冠蓝紫色或紫色，筒状钟形，长 4 ~ 5 cm，裂片卵状三角形，长 7 ~ 9 mm，先端渐尖，褶偏斜，卵形，长 3.5 ~ 4 mm，具不整齐细齿。蒴果内藏，宽椭圆形；种子具粗网纹，两端具翅。花果期 8 ~ 11 月。

生境分布

生于海拔 100 ~ 1 100 m 的山坡草地、湿草地、路边。分布于湘北、湘东、湘南等。

资源情况

野生资源一般。药材来源于野生。

| 采收加工 | 春、秋季采挖，选大的除去茎叶，洗净，干燥。

| 药材性状 | 本品根茎平卧或直生，块状或长块状，长 0.5 ~ 1.5 cm，直径 4 ~ 7 mm，下面丛生 2 ~ 16 根，常少于 10。根长约 15 cm，直径 2 ~ 4 mm；表面黄棕色或灰棕色，有扭曲的纵皱纹，上部细密横纹明显，并有少数凸起的支根痕。

| 功能主治 | 苦，寒。归肝、胆经。清热燥湿，泻肝定惊。用于湿热黄疸，小便淋痛，阴肿，阴痒，湿热带下，肝胆实火之头胀、头痛、目赤肿痛、耳聋、耳肿、胁痛、口苦，热病惊风抽搐。

| 用法用量 | 内服煎汤，3 ~ 6 g；或入丸、散剂。外用适量，煎汤洗；或研末调搽。

龙胆科 Gentianaceae 龙胆属 Gentiana

流苏龙胆 *Gentiana panthaica* Prain et Burk.

| **药 材 名** | 流苏龙胆（药用部位：全草）。

| **形态特征** | 一年生草本，高 6 ~ 15 cm。茎近直立，分枝具棱，光滑。茎基部的叶排列成辐状，卵形或卵状长椭圆形，长 1 ~ 2 cm，宽 0.5 ~ 0.8 cm，先端尖，具 1 ~ 3 脉，基部具短柄；茎上部的叶小，三角状卵形或卵状披针形，尖，基部连合。单花顶生或腋生，淡蓝色；花梗长；花萼漏斗状，裂片披针形，先端尖；花冠钟状，长 1 ~ 1.5 cm，先端 5 裂，裂片卵形，褶稍短于裂片，流苏状；雄蕊 5；子房具柄，花柱不显著，柱头 2 裂。蒴果倒卵形，内藏；种子多数，具棱，表面有小瘤状突起。花果期 5 ~ 8 月。

| **生境分布** | 生于海拔 1 200 ~ 1 800 m 的山坡草地、灌丛中、林下、林缘、河滩

及路旁。分布于湖南永州（道县）等。

| **资源情况** | 野生资源稀少。药材来源于野生。

| **采收加工** | 春、夏季花初开时采收，晒干。

| **功能主治** | 苦，寒。归肝、胆经。清热解毒，利湿消肿。

| **用法用量** | 内服煎汤，9 ~ 15 g。

龙胆科 Gentianaceae 龙胆属 Gentiana

红花龙胆
Gentiana rhodantha Franch. ex Hemsl.

| 药 材 名 | 红花龙胆（药用部位：全草或根。别名：龙胆草、土白连、九月花）。

| 形态特征 | 多年生草本，高达 50 cm。茎单生或丛生，上部多分枝。基生叶莲座状，椭圆形、倒卵形或卵形，长 2 ～ 4 cm；茎生叶宽卵形或卵状三角形，长 1 ～ 3 cm。花单生于茎顶；无花梗；花萼膜质，萼筒长 0.7 ～ 1.3 cm，脉稍凸起成窄翅，裂片线状披针形，长 0.5 ～ 1 cm，边缘有时疏被睫毛；花冠淡红色，上部具紫色纵纹，筒状，长 3 ～ 4.5 cm，裂片卵形或卵状三角形，长 5 ～ 9 mm，褶偏斜，宽三角形，宽 4 ～ 5 mm，先端具细长流苏；雄蕊先端一侧下弯；花柱长约 6 mm。蒴果长椭圆形，长 2 ～ 2.5 cm；种子具网纹及翅。花果期 10 月至翌年 2 月。

| **生境分布** | 生于海拔 570 ～ 1 750 m 的灌丛中、草地及林下。分布于湖南张家界（武陵源、慈利、桑植）、怀化（辰溪、新晃）、湘西州（花垣、永顺、凤凰、保靖）等。 |

| **资源情况** | 野生资源较少。药材来源于野生。 |

| **采收加工** | 冬季采收，洗净，鲜用或晒干。 |

| **功能主治** | 苦，寒。清热，消炎，止咳。用于肝炎，支气管炎，小便不利，结膜炎等；外用于痈疖疮疡，烫火伤。 |

| **用法用量** | 内服煎汤，15 ～ 25 g。外用适量，捣敷；或煎汤涂。 |

龙胆科 Gentianaceae 龙胆属 *Gentiana*

滇龙胆
Gentiana rigescens Franch. ex Hemsl.

| 药 材 名 | 滇龙胆根（药用部位：根及根茎。别名：坚龙胆、苦草、青鱼胆）、
滇龙胆（药用部位：全草）。

| 形态特征 | 多年生草本，高 30 ～ 50 cm。须根肉质。主茎发达，有分枝。花
枝多数，直立，坚硬，中空。茎生叶多对，下部 2 ～ 4 对鳞片形，
其余叶卵状矩圆形，边缘略外卷。花多数，簇生于枝端呈头状，被
包围于最上部的苞叶状的叶丛中；花梗无；花萼倒锥形，萼筒膜质，
全缘，不开裂；花冠蓝紫色，冠檐具多数深蓝色斑点，漏斗形或钟
形，长 2.5 ～ 3 cm，裂片宽三角形；雄蕊着生于花冠筒下部，整齐，
花丝线状钻形，花药矩圆形；子房线状披针形，花柱线形，柱头 2 裂，
裂片外卷，线形。蒴果内藏，椭圆形；果柄长至 15 mm；种子黄褐
色，有光泽，矩圆形，表面有蜂窝状网隙。花果期 8 ～ 12 月。

| **生境分布** | 生于海拔 1 100 ～ 2 000 m 的山坡草地、灌丛中、林下及山谷中。分布于湘西、湘北等。 |

| **资源情况** | 野生资源稀少。药材来源于野生。 |

| **采收加工** | **滇龙胆根**：冬季采挖，洗净泥土，阴干或于弱光下晒干。
滇龙胆：夏季采收，晒干或鲜用。 |

| **功能主治** | **滇龙胆根**：苦、涩，大寒。清热燥湿，泻肝胆火。用于湿热黄疸，阴肿，阴痒，带下，湿疹瘙痒，肝火目赤，耳鸣，耳聋，胁痛，口苦，强中，惊风抽搐。
滇龙胆：苦、涩，大寒。清热利湿，解毒消肿，泻肝火，明目。用于肝经热盛，惊痫狂躁，流行性乙型脑炎，头痛，阑尾炎，目赤，黄疸，热痢，阴囊肿痛，咽喉肿痛，尿血，阴部湿痒；外用于疮疡肿毒。 |

| **用法用量** | **滇龙胆根**：内服煎汤，3 ～ 6 g。
滇龙胆：内服煎汤，10 ～ 15 g。外用适量，煎汤洗。 |

龙胆科 Gentianaceae 龙胆属 Gentiana

深红龙胆 *Gentiana rubicunda* Franch.

| 药 材 名 | （药用部位：全草。别名：玉米花、小儿血参、路边红）。

| 形态特征 | 一年生草本，高达 15 cm。茎直立，光滑，不分枝或中、上部少分枝。基生叶卵形或卵状椭圆形，长 1 ～ 2.5 cm；茎生叶卵状椭圆形、长圆形或倒卵形，长 0.4 ～ 2.2 cm，边缘被乳突，上面密被细乳突。花单生于枝顶；花梗紫红色或草黄色，长 1 ～ 1.5 cm；花萼倒锥形，长 0.8 ～ 1.4 cm，被细乳突，裂片丝状或钻形，长 3 ～ 6 mm，基部向萼筒下延成脊；花冠紫红色，有时花冠筒具黑紫色短细条纹及斑点，倒锥形，长 2 ～ 3 cm，裂片卵形，长 3.5 ～ 4 mm，褶卵形，长 2 ～ 3 mm，边缘啮蚀状或全缘。蒴果长圆形，长 7.5 ～ 8 mm，先端具宽翅；果柄长达 3.5 cm；种子具细网纹。花果期 3 ～ 10 月。

生境分布	生于海拔 520 ~ 1 800 m 的荒地、路边、溪边、山坡草地、林下、岩边及山沟。分布于湖南怀化（麻阳）、湘西州（花垣、保靖）、张家界（慈利、桑植）等。
资源情况	野生资源稀少。药材来源于野生。
采收加工	全年均可采收，洗净，晒干或鲜用。
功能主治	清热利湿，凉血解毒。用于跌打损伤。
用法用量	内服煎汤，15 ~ 25 g。外用适量，捣敷；或煎汤涂。

龙胆科 Gentianaceae 龙胆属 Gentiana

灰绿龙胆
Gentiana yokusai Burk.

| 药 材 名 | 灰绿龙胆（药用部位：全草）。

| 形态特征 | 一年生草本，高达 14 cm。茎密被黄绿色乳突，基部多分枝。叶稍肉质，卵形，边缘软骨质，下缘被短睫毛，上缘疏被乳突，叶柄边缘被睫毛；基生叶长 0.7 ～ 2.2 cm；茎生叶长 0.4 ～ 1.2 cm。花单生于枝顶，花枝 2 ～ 5 簇生；花梗长 1.2 ～ 5 mm；花萼倒锥状筒形，长 5 ～ 8 mm，裂片卵形或披针形，长 2 ～ 3 mm，先端长尖；花冠蓝色、紫色或白色，漏斗形，长 0.7 ～ 1.2 cm，裂片卵形，长 2 ～ 2.5 mm，先端钝，褶卵形，长 1 ～ 2 mm，具不整齐细齿或全缘。蒴果卵圆形或倒卵状长圆形，长 3 ～ 6.5 mm，先端具宽翅，两侧具窄翅；种子具密网纹。花果期 3 ～ 9 月。

生境分布	生于海拔 1 800 m 以下的水边草地、荒地、路边、农田、阳坡、山顶草地、林下及灌丛中。分布于湖南邵阳（大祥）、郴州（临武）、怀化（麻阳、新晃）、湘西州（花垣）等。
资源情况	野生资源较少。药材来源于野生。
采收加工	全年均可采收，洗净，晒干或鲜用。
功能主治	苦，寒。清热解毒，活血消肿。用于痈肿，疮毒，跌打损伤，瘀血肿痛，风湿疼痛等。
用法用量	内服煎汤，9 ~ 15 g。

龙胆科 Gentianaceae 花锚属 Halenia

椭圆叶花锚 *Halenia elliptica* D. Don

| 药 材 名 |

黑及草（药用部位：全草或根。别名：青鱼胆、四棱草、小见肿消）。

| 形态特征 |

一年生草本，高达 60 cm。茎直立、上部分枝。基生叶椭圆形，有时近圆形，长 2 ~ 3 cm，先端圆或钝尖；茎生叶卵形、椭圆形、长椭圆形或卵状披针形，长 1.5 ~ 7 cm，先端钝圆或尖。聚伞花序顶生及腋生；花萼裂片椭圆形或卵形，长 3 ~ 6 mm，先端渐尖，具小尖头；花冠蓝色或紫色，花冠筒长约 2 mm，裂片卵圆形或椭圆形，长约 6 mm，具小尖头，距长 5 ~ 6 mm，平展；子房卵圆形，长约 5 mm，花柱长约 1 mm。蒴果宽卵圆形，长约 1 cm；种子椭圆形或近圆形，长约 2 mm。花果期 7 ~ 9 月。

| 生境分布 |

生于海拔 700 ~ 1 700 m 的林下、林缘、山坡草地、灌丛中或山谷沟边。分布于湖南湘西州（龙山）等。

| 资源情况 |

野生资源稀少。药材来源于野生。

| **采收加工** | 6 ~ 8 月采收，除去杂质，晒干或鲜用。

| **药材性状** | 本品茎长 0.4 ~ 4.8 cm，直径 1 ~ 3 mm，表面绿色至黄绿色，具微翅，节上有对生残叶；断面中空。叶暗绿色，皱缩易碎，完整者展平后呈卵形、椭圆形或卵状披针形，全缘，有 3 明显的纵脉；无柄。聚伞花序，花皱缩，花梗细长；花萼绿色，4 深裂；花冠蓝色或浅黄棕色，4 深裂，基部有距。

| **功能主治** | 苦，寒。归肺经。清热利湿，平肝利胆。用于急性黄疸性肝炎，胆囊炎，胃炎，头晕头痛，牙痛。

| **用法用量** | 内服煎汤，10 ~ 15 g；或炖肉食。外用适量，捣敷。

龙胆科 Gentianales 匙叶草属 Latouchea

匙叶草 *Latouchea fokiensis* Franch.

| 药 材 名 | 匙叶草（药用部位：全草）。

| 形态特征 | 多年生草本。高 15 ～ 30 cm。全株光滑无毛。茎直立，黄绿色，单一，不分枝。叶大部分基生，具短柄，倒卵状匙形，连柄长 8 ～ 10 cm，宽 3 ～ 6 cm，先端圆形，基部渐狭成柄，边缘有微波状齿，羽状叶脉在下面明显，叶柄扁平，具宽翅；茎生叶 2 ～ 3 对，无柄，匙形，明显小于基生叶。轮生聚伞花序，每轮有花 5 ～ 8，每花下有 2 小苞片；花 4 基数；花萼深裂至下部，萼筒短；花冠淡绿色，钟形，长 1 ～ 1.2 cm；雄蕊着生于花冠裂片间弯缺处，与裂片互生。蒴果无柄，卵状圆锥形，上端扭曲，具宿存的喙状花柱。花果期 3 ～ 11 月。

| 生境分布 | 生于海拔 1 020 ～ 1 800 m 的山坡路边、林下。分布于湖南邵阳（绥

宁）、永州（宁远）等。

| **资源情况** | 野生资源稀少。药材来源于野生。

| **采收加工** | 夏、秋季采收，洗净，晒干。

| **功能主治** | 苦、辛，寒。活血化瘀，清热止咳。用于腹部血瘀痞块，劳伤咳嗽。

| **用法用量** | 内服煎汤，10 ~ 15 g。

龙胆科 Gentianaceae 莕菜属 Nymphoides

莕菜 Nymphoides peltatum (Gmel.) O. Kuntze

| 药 材 名 | 莕菜(药用部位：全草。别名：莲叶莕菜、大紫背浮萍、水葵)。

| 形态特征 | 多年生水生草本。上部叶对生，下部叶互生，叶近革质，圆形或卵圆形，宽 1.5 ~ 8 cm，基部心形，全缘，具不明显掌状脉，下面紫褐色；叶柄圆，长 5 ~ 10 cm，半抱茎。花多数簇生于节上，5 基数；花梗长 3 ~ 7 cm；花萼长 0.9 ~ 1.1 cm，裂至近基部，裂片椭圆形或椭圆状披针形，先端钝，全缘；花冠金黄色，花冠筒短，喉部具 5 束长柔毛，裂片中部质厚，具不整齐细条裂齿；花丝基部疏被长毛；花柱异长。蒴果椭圆形，长 1.7 ~ 2.5 cm，不裂；种子边缘密被睫毛。花果期 4 ~ 10 月。

| 生境分布 | 生于海拔 60 ~ 1 800 m 的池塘或不甚流动的河溪中。分布于湘北、

湘东、湘南等。

| 资源情况 | 野生资源一般。药材来源于野生。

| 采收加工 | 夏、秋季采收，鲜用或晒干。

| 药材性状 | 本品多缠绕成团。茎细长，多分枝，节处生不定根。叶片多皱缩，完整叶片近圆形或卵圆形，长 1.5 ～ 7 cm，基部深心形，近革质。叶柄长 5 ～ 10 cm，基部渐宽，半抱茎。上部叶对生，下部叶互生。气微，味辛。

| 功能主治 | 辛、甘、寒。归膀胱经。发汗，透疹，清热，利尿。用于感冒发热无汗，麻疹透发不畅，荨麻疹，水肿，小便不利；外用于毒蛇咬伤。

| 用法用量 | 内服煎汤，10 ～ 15 g。外用适量，鲜品捣敷。

龙胆科 Gentianaceae 獐牙菜属 Swertia

狭叶獐牙菜
Swertia angustifolia Buch.-Ham. ex D. Don

| 药 材 名 |

青叶胆（药用部位：全草。别名：肝炎草、小青鱼胆、土疸药）。

| 形态特征 |

一年生草本，高 20 ~ 50 cm。茎直立，四棱形，棱上有狭翅，上部有分枝。叶无柄，叶片披针形或披针状椭圆形，长 2 ~ 6 cm，宽 0.3 ~ 1.2 cm，两端渐狭，具 1 ~ 3 脉，中脉在下面凸起。圆锥状复聚伞花序开展，多花；花梗细，直立，长 3 ~ 7 mm；花 4，直径 8 ~ 9 mm；花萼绿色，长于花冠，裂片线状披针形，长 6 ~ 8 mm，先端急尖或渐尖，背面具凸起的 3 脉；花冠白色或淡黄绿色，裂片卵形或椭圆形，长 4 ~ 6.5 mm，先端钝圆，有小尖头，中上部具紫色斑点，基部具 1 腺窝，腺窝圆形，深陷，上半部边缘具短流苏，基部具 1 圆形的膜片，盖在腺窝上，膜片可以开合，上半部边缘有微齿；花丝线形，长 3.5 ~ 4 mm，花药矩圆形，长约 1 mm；子房无柄，狭卵形，长约 5 mm，花柱短，明显，柱头 2 裂。蒴果宽卵形；种子褐色，矩圆形，长约 0.5 mm。花果期 8 ~ 9 月。

生境分布	生于海拔 150 ~ 2 000 m 的田边、草坡、荒地。分布于湖南郴州（宜章、桂东）、怀化（洪江）、湘西州（花垣、永顺）等。
资源情况	野生资源稀少。药材主要来源于野生。
采收加工	春、夏季采收，晒干或鲜用。
功能主治	苦，寒。归肝、胆、膀胱经。清热解毒，利湿退黄。用于湿热黄疸，热淋涩痛，湿热泻痢，赤白带下，流行性感冒，狼疮发热，急性胃炎，急性咽喉炎，急性扁桃体炎。外用于急性结膜炎，过敏性皮炎。
用法用量	内服煎汤，10 ~ 15 g。外用适量，鲜品捣敷；或煎汤洗。

龙胆科 Gentianaceae 獐牙菜属 Swertia

獐牙菜
Swertia bimaculata (Sieb. et Zucc.) Hook. f. et Thoms. ex C. B. Clarke

| 药 材 名 |

獐牙菜（药用部位：全草。别名：大苦草、双点獐芽菜、绿茎牙痛草）。

| 形态特征 |

一年生草本，高 1 ~ 2 m。茎中部以上分枝。基生叶花期枯萎；茎生叶椭圆形或卵状披针形，长 3.5 ~ 9 cm，宽 1 ~ 4 cm，先端长渐尖，基部楔形，无柄或具短柄。圆锥状复聚伞花序疏散，长达 50 cm；花梗长 0.6 ~ 4 cm；花 5 基数；花萼绿色，裂片窄倒披针形或窄椭圆形，长 3 ~ 6 mm，先端渐尖或急尖，基部窄缩，边缘白色膜质，常外卷；花冠黄色，上部具紫色小斑点，裂片椭圆形或长圆形，长 1 ~ 1.5 cm，先端渐尖或急尖，基部窄缩，中部具 2 黄绿色、半圆形大腺斑；花丝线形，长 5 ~ 6.5 mm；花柱短。蒴果窄卵圆形，长达 2.3 cm；种子被瘤状突起。花果期 6 ~ 11 月。

| 生境分布 |

生于海拔 250 ~ 1 700 m 的河滩、山坡草地、林下、灌丛中及沼泽地。湖南各地均有分布。

| 资源情况 | 野生资源较丰富。药材来源于野生。 |

| 采收加工 | 夏、秋季采收，切段，晾干。 |

| 功能主治 | 苦、辛，寒。归肝、心、胃经。清热解毒，利湿，疏肝利胆。用于急、慢性肝炎，胆囊炎，感冒发热，咽喉肿痛，牙龈肿痛，尿路感染，胃肠炎，痢疾，火眼，小儿口疮。 |

| 用法用量 | 内服煎汤，10 ~ 15 g；或研末冲服。外用适量，捣敷。 |

龙胆科 Gentianaceae 獐牙菜属 Swertia

川东獐牙菜 *Swertia davidii* Franch.

| 药 材 名 | 鱼胆草（药用部位：全草。别名：青鱼胆草、水灵芝、金盆）。

| 形态特征 | 多年生草本，高 58 cm。茎单一，直立，棱具窄翅，基部以上分枝。基生叶及茎下部叶窄椭圆形，连柄长 1.3 ~ 7 cm，先端钝尖，全缘，基部渐窄成长柄；茎中上部叶线状椭圆形或线状披针形，长 1.5 ~ 3 cm，具短柄。圆锥状复聚伞花序长 36 cm；花梗直立，长 0.5 ~ 3.5 cm；花 4 基数，直径达 1.5 cm；花萼绿色，裂片线状披针形，长 5 ~ 7 mm，先端尖；花冠淡蓝色，具蓝紫色脉纹，裂片卵形或卵状披针形，长 0.7 ~ 1.1 cm，先端渐尖，基部具 2 沟状腺窝，卵状长圆形，边缘被长柔毛状流苏；花丝线形，长 5 ~ 6.5 mm，花药椭圆形，长约 1 mm；花柱粗短，不明显，柱头 2 裂。花期 9 ~ 11 月。

| 生境分布 | 生于海拔 900 ～ 1 200 m 的混交林下、河边、潮湿地及草地。分布于湘西州（泸溪、古丈、永顺）等。

| 资源情况 | 野生资源较少。药材来源于野生。

| 采收加工 | 夏、秋季采收，洗净，晒干或鲜用。

| 药材性状 | 本品多分枝，尤以基部为多。全体光滑无毛。茎纤细略呈四棱形。单叶对生，近无柄，多皱缩，完整叶片线形或线状披针形，先端尖，全缘，略反卷。有时可见残留花序或花。气微，味苦。

| 功能主治 | 苦，凉。归肺经。清肺热，杀虫。用于湿热黄疸，喉头红肿，恶疮疥癣。

| 用法用量 | 内服煎汤，2.5 ～ 10 g。外用适量，鲜品捣敷。

龙胆科 Gentianaceae 獐牙菜属 Swertia

浙江獐牙菜 *Swertia hickinii* Burk.

| 药 材 名 | 浙江獐牙菜（药用部位：全草）。

| 形态特征 | 一年生草本。茎四棱形，棱上具窄翅，常带紫色，通常在中部以上分枝。叶几无柄，叶片披针形或线状椭圆形至匙形，长 7 ~ 26 mm，宽 1 ~ 7 mm，茎上部叶及枝上叶小，先端急尖，稀圆形，基部渐狭，下面仅中脉明显。圆锥状复聚伞花序开展，具多花；花梗细；花 5 基数；花萼绿色，短于花冠，裂片线状披针形，先端锐尖，背面具 3 脉；花冠白色，稀淡蓝色，裂片卵形至卵状披针形，长 5 ~ 9 mm，先端钝，基部具 2 腺窝，腺窝囊状，具长 3 ~ 5 mm 的长柔毛状流苏；花丝线形，长约 4.5 mm，花药长约 1 mm；子房无柄，卵形，长约 5 mm，花柱短而明显，柱头裂片半圆形。花期 10 ~ 11 月。

| 生境分布 | 生于海拔 100 ～ 1 600 m 的草坡、田边、林下、谷地。分布于湖南怀化（鹤城）、湘西州（古丈）等。

| 资源情况 | 野生资源稀少。药材来源于野生。

| 采收加工 | 7 ～ 10 月采收，洗净，晒干或鲜用。

| 功能主治 | 苦，寒。清热，利湿，解毒。用于消化不良，胃炎，黄疸，火眼，牙痛，口疮。

| 用法用量 | 内服煎汤，5 ～ 15 g。

龙胆科 Gentianaceae 獐牙菜属 Swertia

贵州獐牙菜 *Swertia kouitchensis* Franch.

| 药 材 名 | 贵州獐牙菜（药用部位：全草）。

| 形态特征 | 一年生草本。高 30 ~ 60 cm。主根明显。茎直立，四棱形，棱上具窄翅。叶片披针形，长至 5 cm，宽达 1.5 cm，茎上部及枝上的叶较小，叶脉 1 ~ 3，于下面明显凸起。圆锥状复聚伞花序有多花，开展；花梗直立，四棱形，花时长 4 ~ 15 mm，果时强烈伸长，长达 6.5 cm；花多 4 基数，枝上侧花 5 基数；花萼绿色，叶状，花时与花冠等长，果时增长，长于花冠，裂片狭椭圆形；花冠黄白色或黄绿色，裂片椭圆形或卵状椭圆形，长 6 ~ 12 mm，果时略增长，先端渐尖，具长尖头，基部具 2 腺窝，边缘具柔毛状流苏。种子黄褐色，圆球形。花果期 8 ~ 10 月。

生境分布	生于海拔 750 ~ 2 000 m 的河边、草坡、林下。分布于湖南邵阳（洞口）、怀化（靖州）、湘西州（古丈、永顺、保靖）等。
资源情况	野生资源较少。药材来源于野生。
采收加工	夏、秋季采收，切碎，晾干。
功能主治	苦，微寒。清热解毒，利湿退黄。用于湿热黄疸，急性胃炎，急性咽喉炎，流行性感冒。
用法用量	内服煎汤，10 ~ 15 g。

龙胆科 Gentianaceae 獐牙菜属 *Swertia*

大籽獐牙菜 *Swertia macrosperma* (C. B. Clarke) C. B. Clarke

| 药 材 名 | 大籽獐牙菜（药用部位：全草。别名：大籽西伯菜、大籽享乐菜）。

| 形态特征 | 一年生草本。高 30 ~ 100 cm。根黄褐色，粗壮。茎直立，四棱形，常带紫色。基生叶及茎下部叶在花期常枯萎，具长柄，叶片匙形，连柄长 2 ~ 6.5 cm，宽达 1.5 cm，先端钝，全缘或有不整齐的小齿，基部渐狭；茎中部叶无柄，叶片矩圆形或披针形，稀倒卵形，愈向上叶愈小。圆锥状复聚伞花序有多花，开展；花 5 基数，稀 4 基数；花萼绿色，长为花冠的 1/2，裂片卵状椭圆形；花冠白色或淡蓝色，裂片椭圆形，长 4 ~ 8 mm，先端钝。蒴果卵形；种子 3 ~ 4，较大，矩圆形。花果期 7 ~ 11 月。

生境分布	生于海拔 1 400 ～ 2 000 m 的河边、山坡草地、杂木林或竹林下、灌丛中。分布于湖南湘西州（永顺、保靖、龙山）、常德（石门）、张家界（桑植）等。
资源情况	野生资源稀少。药材来源于野生。
采收加工	夏、秋季采收，洗净，切段，晾干。
功能主治	苦，寒。清热解毒，祛湿健胃。用于风热感冒，咽喉肿痛，消化不良，尿路感染。
用法用量	内服煎汤，5 ～ 15 g。

龙胆科 Gentianaceae 獐牙菜属 Swertia

显脉獐牙菜 *Swertia nervosa* (G. Don) Wall. ex C. B. Clarke

| 药 材 名 |

翼梗獐牙菜（药用部位：全草。别名：四棱草）。

| 形态特征 |

一年生草本，高达 1 m。茎直伸，棱具宽翅，上部分枝。叶椭圆形、窄椭圆形或披针形，长 1.6 ~ 7.5 cm，两端渐窄；叶柄极短。窄圆锥状复聚伞花序；花梗长 0.5 ~ 2 cm；花 4 基数；花萼叶状，裂片线状披针形，长 0.8 ~ 1.7 cm；花冠黄绿色，中部以上具紫红色网脉，裂片椭圆形，长 6 ~ 9 mm，先端钝，具小尖头，下部具 1 半圆形深陷腺窝，上部边缘具短流苏，基部具半圆形鳞片；花丝线形，长 4.5 ~ 6 mm；花柱短。蒴果卵圆形，长 6 ~ 9 mm；种子泡沫状。花果期 9 ~ 12 月。

| 生境分布 |

生于海拔 460 ~ 1 900 m 的河滩、山坡、疏林下、灌丛中。分布于湖南常德（石门）等。

| 资源情况 |

野生资源稀少。药材来源于野生。

| 采收加工 | 夏、秋季采收，洗净，切段，晒干。 |

| 功能主治 | 苦，凉。清热解毒，活血调经。用于黄疸，口苦，潮热等。 |

| 用法用量 | 内服煎汤，3 ～ 10 g。 |

龙胆科 Gentianaceae 獐牙菜属 Swertia

紫红獐牙菜 Swertia punicea Hemsl.

| 药材名 | 紫红獐牙菜（药用部位：全草。别名：苦胆草、草龙胆、青叶胆）。

| 形态特征 | 一年生草本，高 15 ~ 80 cm。主根明显，淡黄色。茎直立，四棱形，棱上具窄翅。茎生叶近无柄，披针形、线状披针形或狭椭圆形，长达 6 cm，宽达 1.8 cm，茎上部叶及枝上叶较小，先端急尖或渐尖，基部狭缩，叶质厚。圆锥状复聚伞花序，具多花；花梗直立；花大小不等，顶生者大，侧生者小，5 基数；花萼绿色；花冠暗紫红色，先端渐尖，具长尖头，基部具 2 腺窝，边缘具长柔毛状流苏；花丝线形，花药椭圆形；子房无柄，矩圆形，花柱短，柱头 2 裂，裂片半圆形。蒴果无柄，卵状矩圆形；种子矩圆形，黄褐色，表面具小疣状突起。花果期 8 ~ 11 月。

生境分布	生于海拔 400 ～ 1 600 m 的山坡草地、河滩、林下、灌丛中。分布于湖南湘西州（永顺）、张家界（桑植）等。
资源情况	野生资源稀少。药材来源于野生。
采收加工	夏、秋季采收，洗净，切段，晒干。
功能主治	苦，寒。清热消炎。用于黄疸性肝炎，风热感冒，风火牙痛，热淋，胆囊炎。
用法用量	内服煎汤，5 ～ 15 g。

龙胆科 Gentianaceae 双蝴蝶属 *Tripterospermum*

双蝴蝶 —*Tripterospermum chinense* (Migo) H. Smith

药材名

肺形草（药用部位：幼嫩全草。别名：穿藤金兰花、玉蝴蝶、黄金线）。

形态特征

多年生缠绕草本。茎绿色或紫红色，近圆形，具细条棱，上部螺旋状扭转。基生叶通常 2 对，着生于茎基部，紧贴地面，密集呈双蝴蝶状，卵形、倒卵形或椭圆形，长 3 ~ 12 cm，宽（1 ~）2 ~ 6 cm，上面绿色，有时具白色或黄绿色斑纹，下面淡绿色或紫红色；茎生叶通常卵状披针形，向上部变小呈披针形。花多数，2 ~ 4 组成聚伞花序，稀单花，腋生；花萼钟形，萼筒长 9 ~ 13 mm，具狭翅或无翅，裂片线状披针形；花冠蓝紫色或淡紫色，褶色较淡或呈乳白色，钟形，长 3.5 ~ 4.5 cm，裂片卵状三角形。蒴果内藏或先端外露，淡褐色，椭圆形，扁平；种子淡褐色，具盘状双翅。花果期 10 ~ 12 月。

生境分布

生于海拔 300 ~ 1 100 m 的山坡林下、林缘、灌丛或草丛中。湖南有广泛分布。

| 资源情况 | 野生资源较丰富。药材来源于野生。 |

| 采收加工 | 夏、秋季采收，晒干或鲜用。 |

| 药材性状 | 本品多折褶，皱缩，通常具 4 叶，有时脱落而仅有 2 叶。完整者经水浸后展开，叶 2 大 2 小，"十"字形对生，卵圆形或椭圆形，长 3 ~ 7.5 cm，宽 1.5 ~ 3.5 cm，上面绿色，有斑块，主脉 3，其中 2 靠近边缘，下面紫绿色。基部具短根，棕褐色。气微，味微苦。 |

| 功能主治 | 辛、甘、苦，寒。归肺、肾经。清肺止咳，解毒消肿。用于肺热咳嗽，肺痨咯血，肺痈，肾炎，疮痈疔肿。 |

| 用法用量 | 内服煎汤，9 ~ 15 g，鲜品 30 ~ 60 g。外用适量，鲜品捣敷；或研末撒。 |

龙胆科 Gentianaceae 双蝴蝶属 Tripterospermum

峨眉双蝴蝶 Tripterospermum cordatum (Marq.) H. Smith

| 药 材 名 |

青鱼胆草（药用部位：全草。别名：蔓龙胆、鱼胆草、对叶林）。

| 形态特征 |

多年生缠绕草本。叶心形、卵形或卵状披针形，长 3.5 ~ 12 cm，宽 2 ~ 5 cm，先端短尾尖，基部心形或圆形，边缘微波状。花单生或成对腋生，或聚伞花序具 2 ~ 6 花；花萼钟形，萼筒长（0.5 ~）1 ~ 1.3 cm，不裂，稀一侧开裂，具翅，裂片线状披针形，长 0.7 ~ 1.6 cm；花冠紫色，钟形，长 3.5 ~ 4 cm，裂片卵状三角形，长 4 ~ 6 mm，褶宽三角形，长 1.5 ~ 2 mm；花柱长 1.5 ~ 2 cm。浆果长椭圆形，长 2 ~ 3 cm。种子椭圆形或卵圆形，三棱状，长 2 ~ 2.5 mm。花果期 8 ~ 12 月。

| 生境分布 |

生于海拔 700 ~ 1 400 m 的山坡林下、林缘、灌丛中或河谷。分布于湖南湘西州（吉首、泸溪、永顺、凤凰）等。

| 资源情况 |

野生资源稀少。药材来源于野生。

| 采收加工 | 秋季采收，洗净，晒干或鲜用。 |

| 功能主治 | 辛、苦，凉。归肺、肝、脾经。疏风清热，健脾利湿，杀虫。用于风热咳嗽，黄疸，风湿痹痛，蛔虫病。 |

| 用法用量 | 内服煎汤，15～30g；或浸酒；或煮粥食。外用适量，煎汤熏洗。 |

龙胆科 Gentianaceae 双蝴蝶属 *Tripterospermum*

湖北双蝴蝶 *Tripterospermum discoideum* (Marq.) H. Smith

| 药 材 名 | 湖北双蝴蝶（药用部位：全草）。

| 形态特征 | 多年生缠绕草本。叶卵状披针形或卵形，长 5 ~ 7 cm，先端渐尖，有时短尾状，基部近圆形或近心形。单花腋生，或聚伞花序具 2 ~ 5 花；花梗长 0.3 ~ 1 cm；花萼钟形，萼筒长 1 ~ 1.4 cm，无翅或具窄翅，沿翅被乳突，裂片线形，长 2 ~ 4（~ 7）mm；花冠淡紫色或蓝色，钟形，长约 4 cm，裂片卵状三角形，长 6 ~ 7 mm；褶半圆形，长 1.5 ~ 2 mm；花柱长约 1 cm。蒴果长椭圆形，淡褐色，长约 2.5 cm；果柄长约 1.5 cm；蒴果内藏或先端露出；种子圆形，深褐色，直径 2 ~ 2.5 mm，具盘状双翅。花果期 8 ~ 10 月。

| 生境分布 | 生于海拔 600 ~ 1 600 m 的山坡草地。分布于湖南常德（安乡）、

永州（零陵、冷水滩）、怀化（麻阳）、湘西州（吉首、花垣、古丈、凤凰、保靖）等。

| **资源情况** | 野生资源较少。药材来源于野生。 |

| **采收加工** | 全年均可采收，洗净，晒干或鲜用。 |

| **功能主治** | 清热解毒，止咳止血。用于疔疮疖肿，乳腺炎，外伤出血，刀伤，骨折等。 |

| **用法用量** | 内服煎汤，9 ~ 15 g。外用适量，鲜品捣敷。 |

龙胆科 Gentianaceae 双蝴蝶属 Tripterospermum

细茎双蝴蝶 *Tripterospermum filicaule* (Hemsl.) H. Smith

药材名

细茎双蝴蝶（药用部位：全草）。

形态特征

多年生缠绕草本。基生叶卵形，长（2 ~）3 ~ 5 cm，先端渐尖或尖，基部宽楔形；茎生叶卵形、卵状披针形或披针形，长（3 ~）4 ~ 11 cm，先端渐尖，基部近圆形或近心形；叶柄稍扁，长（0.5 ~）1 ~ 2 cm。单花腋生，或聚伞花序具 2 ~ 3 花。花梗长 0.3 ~ 1.1 cm；花萼钟形，萼筒长 0.6 ~ 1.2 cm，具窄翅，裂片线状披针形或线形，长 0.5 ~ 1.2 cm，基部向萼筒下延成翅；花冠蓝色、紫色或粉红色，长 4 ~ 5 cm，裂片卵状三角形。浆果长圆形，长 2 ~ 4 cm。花果期 8 月至翌年 1 月。

生境分布

生于海拔 350 ~ 1 800 m 的阔叶林、杂木林中及林缘，山谷灌丛中。分布于湘北、湘南、湘中等。

资源情况

野生资源较少。药材来源于野生。

| **采收加工** | 夏、秋季采收，晒干或鲜用。 |

| **功能主治** | 辛、甘、苦，寒。归肺、肾经。清肺止咳，解毒消肿。用于肺热咳嗽，肺痨咯血，肺痈，肾炎，疮痈疖肿。 |

| **用法用量** | 内服煎汤，9 ~ 15 g，鲜品 30 ~ 60 g。外用适量，鲜品捣敷；或研末撒。 |